História social da
MODA

Dados Internacionais de Catalogação na Publicação (CIP)
(Câmara Brasileira do Livro, SP, Brasil)

Calanca, Daniela
    História social da moda / Daniela Calanca ; tradução de Renato Ambrosio. – 2ª edição – São Paulo : Editora Senac São Paulo, 2011.

    Título original: Storia sociale della moda
    Bibliografia.
    ISBN 978-85-7359-757-8

    1. Moda – Aspectos sociais 2. Moda – História 3. Vestuário – Aspectos sociais 4. Vestuário – Aspectos sociais – Itália I. Título.

08-09547   CDD-391.009

Índice para catálogo sistemático:

1. Moda : Aspectos sociais : História   391.009

História social da
MODA

2ª edição

Daniela Calanca

Renato Ambrosio
tradução

Editora Senac São Paulo – São Paulo – 2011

ADMINISTRAÇÃO REGIONAL DO SENAC NO ESTADO DE SÃO PAULO
Presidente do Conselho Regional: Abram Szajman
Diretor do Departamento Regional: Luiz Francisco de A. Salgado
Superintendente Universitário e de Desenvolvimento: Luiz Carlos Dourado

EDITORA SENAC SÃO PAULO

Conselho Editorial: Luiz Francisco de A. Salgado
Luiz Carlos Dourado
Darcio Sayad Maia
Lucila Mara Sbrana Sciotti
Luís Américo Tousi Botelho

Gerente/Publisher: Luís Américo Tousi Botelho
Coordenação Editorial: Ricardo Diana
Prospecção: Dolores Crisci Manzano
Administrativo: Verônica Pirani de Oliveira
Comercial: Aldair Novais Pereira

Edição de Texto: Leia Fontes Guimarães
Preparação de Texto: Isabella Marcati
Coordenação de Revisão de Texto: Janaina Lira
Revisão de Texto: Edna Viana, Ivone P. B. Groenitz, Jussara Rodrigues Gomes, Marta Lucia Tasso
Coordenação de Arte: Antonio Carlos De Angelis
Projeto Gráfico e Editoração Eletrônica: Fabiana Fernandes
Capa: Sylvia Monteiro
Coordenação de E-books: Rodolfo Santana
Impressão e Acabamento: Gráfica NB

Traduzido de: *Storia sociale della moda*
© 2002, Paravia Bruno Mondadori Editori

Proibida a reprodução sem autorização expressa.
Todos os direitos desta edição reservados à
Editora Senac São Paulo
Rua 24 de Maio, 208 – 3º andar – Centro – CEP 01041-000
Caixa Postal 1120 – CEP 01032-970 – São Paulo – SP
Tel. (11) 2187-4450 – Fax (11) 2187-4486
E-mail: editora@sp.senac.br
Home page: http://www.editorasenacsp.com.br

© Editora Senac São Paulo, 2008

Sumário

Nota da edição brasileira   7

Moda e costume na sociologia e na historiografia   11

    Palavras e significados   11

    Sociologia do vestuário e história   19

    A "nova história" do costume e da moda na França   27

    A historiografia italiana   34

    A complexidade dos campos de pesquisa   38

Leis e morais contra   45

    Problemas não resolvidos   45

    Tempo de jovens, tempo de autonomia   51

    Curiosidade pelas roupas *versus* devoção religiosa   57

    Natureza *versus* artifício   64

Beleza e prazer da moda   73

    Sedução e aparência   73

    As paixões do corpo   81

    Entre os sentidos e a virtude   91

Consumos, mercados e ofícios 101

A transformação do consumo na Idade Moderna 101

As novas modas: o açúcar, o café, o tabaco 108

O setor têxtil entre o artesanato e a protoindústria 115

Mercadores de moda: o triunfo da aparência 122

Máquinas para produzir, máquinas para sonhar 129

O triunfo do progresso tecnológico 129

Sonhos e desejos em movimento 140

Tempo de música e de dança 153

Viagens e miragens 161

Do prazer à regra 161

Tempo de trabalho e tempo livre 168

A moda da praia 174

A moda do esporte 182

A moda na era pós-industrial 189

Entre moda e antimoda 189

Corpos em movimento 196

Prêt-à-porter versus *haute couture?* 203

Não só moda 209

Bibliografia temática 213

Índice onomástico 221

Nota da edição brasileira

Quem vê a grandiosidade da indústria da moda hoje, com todo o *glamour*, extrema organização e movimentação de cifras altíssimas, não imagina que houve um tempo em que não havia distinção entre roupas masculinas e femininas: homens e mulheres usavam apenas um camisolão.

Houve um tempo também em que o vestuário por si só determinava a classe social: ricos e pobres tinham roupas bem distintas, o que era um reflexo de uma sociedade em que não havia mobilidade entre as classes. Hoje a roupa é um traço de identidade pessoal: denota cultura, sexualidade, enfim, a relação de cada um com o mundo à sua volta.

Numa abordagem muito interessante, cheia de fatos curiosos, Daniela Calanca conta não só a história da moda, mas mostra a evolução histórica do homem pelo viés desta. Uma publicação do Senac São Paulo que deve contribuir para o entendimento da importância que a moda adquiriu na sociedade contemporânea.

Este livro é dedicado a Paolo Sorcinelli, a quem agradeço por ter encorajado e apoiado o projeto de pesquisa "História social do costume e da moda", desenvolvido dentro de seu curso de história social na Università degli Studi di Bologna.

São inúmeras as sugestões recebidas de amigos e colegas ao longo da realização deste trabalho. Um agradecimento especial a Doriano Pela, Diego Morresi, Valeria Confortola, Maria Ramponi e, não menos importante, a Nadia Calanca, por terem colocado à disposição seus conhecimentos específicos.

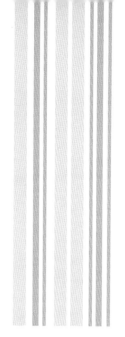

Moda e costume na sociologia e na historiografia

Palavras e significados

Alguns termos da linguagem corrente explicam realidades sociais difusas, que têm sido objeto de abordagens científicas e sistemáticas há tempos e que, justamente por sua visibilidade e dimensão de massa, além de seu grande interesse interdisciplinar, dão grande contribuição à compreensão das experiências de sociedade no seu conjunto. "Moda" é um desses termos que, usados em múltiplos contextos, oferecem um quadro comum de referência e de reflexão para uma série de aspectos da vida social. Alude, numa primeira instância, a uma dicotomia temporal entre o "velho" e o "novo", entre o presente e o passado, entre imobilidade e mobilidade. É a experiência das aparências que pressupõe "objetos" nos quais se manifestar; é função e conteúdo estético. Com o termo "moda", entende-se, especificamente, "o fenômeno social da mudança cíclica dos costumes e dos hábitos, das escolhas e dos gostos, coletivamente validado e tornado quase obrigatório".[1] Em relação à moda, o termo "costume", na acepção de "hábito constante e permanente que determina o comportamento, a conduta, o modo de ser" de uma comunidade, de um grupo social, remete ao conceito de sistema, de estrutura, ou seja, um conjunto de vários

| Moda e algumas definições

---

[1] U. Volli, *Contro la moda* (Milão: Feltrinelli, 1988), p. 50. Cf. *Grande dizionario della lingua italiana moderna*, vol. III (Milão: Garzanti, 1999).

elementos relacionados entre si. Considerados isoladamente, tais elementos estão privados de valor; no entanto, adquirem significado no momento em que são ligados por um conjunto de normas, de regras coletivas. Nesse sentido, o costume é essencialmente um fenômeno de caráter axiológico, isto é, refere-se a uma escala de valores ideais aos quais os membros de determinado contexto histórico-social e cultural tendem a assemelhar-se ao máximo. Ora, quando a "paixão" pelo novo, pelo recente, pelo requinte, pela elegância, etc. e a renovação das formas tornam-se um valor, quando a mutabilidade dos feitios e dos ornamentos não constitui mais uma exceção, mas se torna uma regra estável, um hábito e uma norma coletiva – isto é, um costume –, então se pode falar em moda. Desse ponto de vista, a moda é sempre um fenômeno de costume. Portanto, pode-se dizer que existe moda quando o amor pelo novo se torna um princípio constante, um hábito, uma exigência cultural.[2]

Na linguagem, a palavra "moda" é usada, com diferentes nuanças de significado, em uma série de locuções: "na moda", "da moda", "de última moda", "estar na moda". Mas, sobretudo, é um termo que pode ser comparado, metaforicamente, a um caleidoscópio: assim como neste é possível percorrer uma multiplicidade de caminhos visuais, também a palavra "moda" permite vários percursos semânticos, que dão lugar a outras tantas imagens simétricas, ou seja, extensões de significado. Como afirma Calefato:

> Podemos falar em moda também em relação às diversas linhas e tendências que no tempo influenciaram a mudança de hábitos e de estilos da aparência relativos a funções rituais, religiosas, políticas, militares. Todavia, o que é característico daquilo que chamamos "moda", pelo menos desde 1895, quando Georg Simmel escreveu seu ensaio fundamental ["A moda"], é a dimensão, efetiva ou potencial, de massa do sistema, característica cujos pressupostos, todos eles, já eram nítidos no final do século XIX [...], mas que teve oportunidade de se realizar completamente somente na segunda metade do século XX. É lícito definir a moda como uma "nova mídia", ainda que no jargão dos especialistas essa expressão indique somente a mídia "digital" [...]. Por outro lado, a moda foi impregnada e "reinventada" por novas tecnologias e outras novas mídias. Prova disso é o uso doméstico e cotidiano, como se fossem elementos do próprio *look* ou peças de vestuário,

---

[2] Cf. R. Barthes, *Scritti* (Turim: Einaudi, 1998), p. 65 *passim*; G. Lipovetsky, *L'impero dell'efimero* (Milão: Garzanti, 1989), p. 53 *passim*.

de instrumentos de comunicação, como os telefones celulares, os relógios digitais multifuncionais, as agendas eletrônicas, os computadores portáteis. Para não falar do objeto que se tornou o mais comum e típico do nomadismo metropolitano: o *walkman*. A moda é hoje um meio de comunicação de massa que se reproduz e se difunde à sua maneira e que, ao mesmo tempo, entra em relação com outros sistemas de *mass media*, principalmente com o jornalismo especializado, a fotografia, o cinema, o *marketing*, a publicidade. Assim como alguns desses sistemas, a moda caracteriza-se também como forma de arte reproduzível, arte "mundana", secularizada; nesse sentido pode ser praticada com a mesma dignidade, ainda que com diferente valor estético, tanto no ateliê do grande estilista, quanto diante do espelho doméstico. Há quem prefira falar de estilo e de *look* deixando que o termo "moda" sirva para indicar somente a *haute couture*.[3]

Desde que se tornou possível reconhecer a ordem típica da moda como sistema, com as suas metamorfoses e inflexões, a moda conquistou todas as esferas da vida social, influenciando comportamentos, gostos, ideias, artes, móveis, roupas, objetos e linguagem. Em outras palavras, desde que ela surgiu no Ocidente, no final da Idade Média, não tem um conteúdo específico. É um dispositivo social definido por uma temporalidade muito breve e por mudanças rápidas, que envolvem diferentes setores da vida coletiva. Uma pesquisa histórica do termo é muito esclarecedora. Antes de tudo, "moda" não é uma palavra antiga: apesar de sua etimologia ser latina – vem de *modus* (modo, maneira) –, entra no italiano em meados do século XVII como empréstimo do termo francês "mode". O primeiro exemplo literário do uso desse novo vocábulo é produzido, provavelmente, por Agostino Lampugnani, que, sob o pseudônimo de Gio. Sonta Pagnalmino, na obra satírica *La carrozza da nolo*, de 1646, utiliza fartamente a palavra moda e o termo "*modanti*", para indicar os seguidores da moda, refinados cultores de elegâncias, frequentemente, francesas.[4]

> Etimologia do termo "moda"

Além disso, o uso da palavra moda na Itália do século XVII é amplo e geral, e alude explicitamente ao caráter de mutabilidade e de busca da elegância por parte de uma classe privilegiada, no que diz respeito às roupas, às convenções sociais, aos objetos de decoração, aos modos de pensar, de escrever e de

> Uso do termo "moda" na história moderna

---

[3] P. Calefato, *Mass moda* (Gênova: Costa & Nolan, 1996), pp. 6-7.

[4] R. Levi Pisetzky, "Moda e costume", em *Storia d'Italia. I documenti*, vol. V (Turim: Einaudi, 1973), pp. 937-978.

agir. Os textos literários seiscentistas – alguns deles verdadeiros "romances de costume", como a trilogia de Girolamo Brusoni (1614-c. 1686), as obras de Francesco Fulvio Frugoni (1620-1688), como também as sátiras de Salvatore Rosa (1615-1673) – refletem a ideia de moda em termos morais e antropológicos, e remetem, por meio do filtro da sátira, ao contexto geral dos homens e das coisas do tempo. Assim, com a intenção de compor uma grande alegoria satírica do seu século, Frugoni capta com tom arguto o conjunto proteiforme da moda e o papel que nele desempenha Paris, "chefe" ao qual o mundo inteiro se reporta:

> Então à França, como a seu chefe, submete-se, desdobrando-se para sustentá-lo; e assim ao seu coração, de todas as províncias, como de tantas veias, concorre para levar-lhe alimento com o próprio sangue. Mundo compendiado [síntese de todos os aspectos do mundo], mantém a Europa na civilização, a Ásia na profusão [luxo], a África na extravagância e a América na riqueza. Tem um povo tão misturado quanto volúvel, um clima tão belo como variável, um território tão ameno quanto culto [cultivado], um comércio tão opulento como frequente, uma corte tão admirada quanto exibida. A novidade tem aí seu ambiente; a simulação, o seu reino; o luxo, o seu centro; a coragem tem aí seu cercado [campo de competição]; a beleza tem aí o epiciclo [centro de atração]; a piedade, o seu pasto; a moda, o seu berço; e a bolsa [o dinheiro] tem aí a sua tumba. É o país das sereias, o empório das pompas, a arena das cortesias, o campo das aventuras, o jardim dos prazeres [...] e o meandro das intrigas.[5]

Na própria França do século XVII, o termo "moda" revela um conjunto de atividades humanas, comunicantes e conexas entre si, cujo elemento aglutinante é sempre representado pelo ser proteiforme. À época de Luís XIII e Luís XIV (entre 1610 e 1714), com a palavra "moda" se designam duas coisas: de um lado, os estilos de vida, os hábitos, os usos consolidados, as técnicas; do outro, tudo o que se transforma no espaço e no tempo. Portanto, o conceito não concerne exclusivamente à *parure** e às roupas, mas a todos os meios de expressão e de transformação do homem. No tratado *La mode* (1642), François

---

5   *Apud* M. Pazzaglia, *Letteratura italiana. Dal Rinascimento all'Illuminismo*, vol. II (Bolonha: Zanichelli, 1933), pp. 450-451.

*   *Parure*, em francês no original, designa o conjunto de ornamentos e roupas que combinam entre si. (N. T.)

de Grenaille adverte o leitor a respeito do caráter polimórfico do tema tratado por ele: "A minha se configura como uma descrição geral do século". E quando, ainda em 1642, o senhor De Fitelieu publica uma obra intitulada *Contre mode*, Grenaille declara: "Todo o universo deve prestar contas à moda".[6] Os escritores seiscentistas colhem na moda três temas de particular interesse. Em primeiro lugar, os fenômenos da moda são concebidos em termos de associações miméticas elaboradas no âmbito das aparências, associações que mostram os diferentes *habitus* sociais da corte, da cidade, do povo. Em segundo lugar, pelo jogo da mudança, do artifício e do amor, a moda é considerada como um dispositivo capaz de revelar os lados escondidos da natureza humana. Enfim, os feitios das roupas são relacionados com os ditames contidos nos manuais de boas maneiras, os instrumentos essenciais da pedagogia das *honnêtes gens*. Nos manuais desses tratadistas aprendem-se as normas do decoro, do bom senso, do bom gosto. Além disso, alguns autores da época de Luís XIII concebem a moda como um traço peculiar do caráter nacional. Em 1613, os *Discours nouveau sur la mode*, de autor anônimo, proclamam a universalidade da tirania da moda, a necessidade de se submeter às suas leis e o seu caráter de fator distintivo de uma comunidade. Colocam na boca da própria moda as seguintes palavras:

> Os Franceses, cujo nome é temido e reverenciado
> em todas as partes do mundo habitado,
> estão submetidos a meu império,
> porque eu ordeno os homens segundo meu critério.[7]

Assim, o fato de que a roupa, o pensamento, a palavra, o gesto de galanteria, o cuidado ao sigilar uma carta possam ser incluídos no âmbito da moda autoriza afirmar que, historicamente, ela é:

> um modo de falar: dir-se-á, assim, (1768) que "os burgueses têm empregados domésticos; a gente de respeito, *lacché*; os curas, criados". É um modo de comer: o horário das refeições varia na Europa conforme os lugares e as classes sociais, mas também conforme a moda. [...] Também é uma moda a maneira de caminhar, não menos do que aquela de cumprimentar. É neces-

---

[6] Apud D. Roche, *Il linguaggio della moda. Alle origini dell'industria dell'abbigliamento* (Turim: Einaudi, 1991), p. 48.

[7] *Ibidem*. No original, em italiano: *I Francesi, il cui nome è temuto e riverito/ in ogni contrada del mondo abitato,/ vengono a sottomettersi al mio imperio,/ perché io sistemo gli uomini come mi pare.* (N. T.)

sário tirar o chapéu ou não? O hábito de tirar o chapéu diante dos reis, na França, teria provindo dos nobres napolitanos, cuja reverência surpreendeu Carlos VIII e teria servido de lição [...]. Mas também o cuidado com o corpo, o rosto, os cabelos.[8]

O vestuário: o principal setor da moda

Todavia, ainda que estejam envolvidos diversos âmbitos da vida coletiva, historicamente, o modo de proceder da moda exprimiu-se mais claramente na esfera das roupas e do modo de vestir, setores que podem ser considerados, por sua vez, como o teatro das novidades mais espetaculares. Ainda hoje são esses, por antonomásia, os campos da moda. Na maior parte dos estudos teóricos e históricos relativos à moda e ao costume, o vestuário é considerado como ponto de partida e objeto central de investigação, no qual são visíveis, de forma unitária, os traços mais significativos da temática. Entre as vias de acesso à compreensão da moda e de sua história, o modo de vestir tem um papel preeminente. Como objeto de pesquisa, de fato, a indumentária é um fenômeno completo porque, além propiciar um discurso histórico, econômico, etnológico e tecnológico, também tem valência de linguagem, na acepção de sistema de comunicação, isto é, um sistema de signos por meio do qual os seres humanos delineiam a sua posição no mundo e a sua relação com ele. Nessa perspectiva, pode-se afirmar que o vestir funciona como uma "sintaxe", ou seja, como um sistema de regras mais ou menos constante. A direção na qual de desdobra tal sistema normativo é dupla: de um lado, em relação às roupas tradicionais; do outro, em relação às roupas da moda. São as regras que permitem à roupa e, de modo mais geral, ao revestimento do corpo assumir um significado social codificado no tempo pelo costume, pela tradição, ou um significado social estabelecido pelo sistema da moda.[9]

O corpo e seus significados

Ao mesmo tempo, a importância atribuída à veste como "algo cujo conhecimento nos permite conhecer o outro" indica uma ligação entre indivíduo e sociedade, sobretudo porque o entrelaçamento entre os componentes individual e social fica claro pela presença de um outro elemento: o corpo. Por meio da veste coloca-se em jogo uma certa significação do corpo, da pessoa. Ela torna o corpo significante: "A roupa diz respeito à pessoa inteira, a todo o corpo, a todas as relações do homem com seu corpo, assim como às relações do corpo

---

[8] F. Braudel, *Civiltà materiale, economia e capitalismo secoli XV-XVIII* (Turim: Einaudi, 1993), pp. 296-297.

[9] P. Calefato, *Moda, corpo, mito* (Roma: Castelvecchi, 1999), pp. 5-18.

com a sociedade".[10] O ato de vestir "transforma" o corpo, e essa transformação não se refere a um único significado biológico, fisiológico, mas a múltiplos significados, que vão daquele religioso, estético, àquele psicológico.

Nessa direção, portanto, as roupas, os objetos com os quais cobrimos o corpo, são as formas pelas quais os corpos entram em relação entre si e com o mundo externo. O corpo revestido pode ser considerado, substancialmente, uma "figura" que exprime os modos pelos quais o sujeito entra em relação com o mundo:

O corpo revestido

> Uma personagem que ainda não vimos abre as portas, entra em cena e, antes que tenha pronunciado uma palavra, o seu modo de vestir nos fala da sua condição e do seu caráter. Mais ainda do que a personagem, a roupa exprime um estado de espírito. Por meio da roupa cada um de nós trai, total ou parcialmente, a personalidade, os hábitos, os gostos, o modo de pensar, o seu humor em determinado momento, aquilo que está prestes a fazer.[11]

O vestir expõe o corpo a uma metamorfose, a uma mudança em relação a um dado natural, puramente biológico. A capacidade que uma roupa ou uma indumentária têm de transformar um corpo e uma identidade, de colocar à prova a "natureza", é aquela de realizar uma conciliação entre opostos, como acontece no romance *O amante*, de Marguerite Duras, com a protagonista adolescente, que coloca na cabeça um chapéu masculino de aba reta, de feltro cor-de-rosa com uma larga faixa negra. Funcionando como um verdadeiro meio de transformação, o chapéu faz as vezes de "ponte" entre ela e o mundo:

> Experimentei aquele chapéu, só para me divertir, olhei-me no espelho da loja e vi, sob o chapéu masculino, a minha magreza ingrata, defeito da idade, transformar-se em uma outra coisa. Deixou de ser um dado grosseiro e fatal da natureza. Tornou-se o oposto, uma escolha que contrariava a natureza, uma escolha do espírito. Repentinamente se tornou algo desejado. Vejo-me outra, como teria visto uma outra, de fora, à disposição de todos, de todos os olhares, inserida na circulação das cidades, das ruas, do prazer. Pego o chapéu, o usarei sempre, agora já possuo um chapéu que, sozinho, me transforma completamente, não o deixo mais.[12]

---

[10] R. Barthes, *Scritti*, cit., p. 117.
[11] J. Manuel, "L'art du costume dans le film", em *Revue du Cinéma*, 1949, *apud* N. Bailleux, *La moda. Usi e costumi del vestire* (Trieste: Electa/Gallimard, 1996), p. 1.
[12] M. Duras, *L'amante* (Milão: Feltrinelli, 1985), pp. 18-19.

Representando o oposto da natureza, o chapéu modifica radicalmente de maneira artificial aquilo que a protagonista identifica como "defeito da idade", ou seja, a sua extrema magreza. O chapéu é uma escolha do espírito, da alma, podemos dizer, um sinal desejado, ainda que de início tenha sido experimentado por acaso, como por brincadeira. O prazer, porém, leva a garota a fazer do chapéu um companheiro inseparável, um símbolo da sua transformação em algo diferente daquilo que ela sentia ser antes. Com aquele chapéu ela caminha na direção de uma nova identidade. Nesse sentido, pode-se dizer que a jovem, com aquele chapéu, sente-se exposta ao olhar dos outros, um olhar que a torna imediatamente uma outra também para ela mesma, como se olhasse para si mesma de fora, como se aquele chapéu lhe abrisse o corpo e a expusesse a uma metamorfose.

A maneira pela qual, na prática de revestir o corpo, se instaura a ligação entre signos e sentidos, institui, de fato, um processo que vai além do puro e simples componente físico, como se pode notar, por exemplo, na poesia *La mantellina* de Luciano Erba:

> Se soubesses como se alarma
> sem razão o coração
> quando desces correndo as escadas da casa
> envolta na tua mantilha preta e cinza.
> Se agora me pergunto onde irás
> o que farás quando voltarás
> é porque lembro que nos meus tempos
> a mantilha era uma peça de viagem [...]
> A tua breve saída, a tua longa ausência
> me faz passar a mão sobre o rosto
> olhar distantes telhados de casas
> sentir-me como se fosse atingido
> por um frio e repentino neviscar.[13]

A imagem da adolescente descrita no romance de Marguerite Duras e a da mulher delineada na poesia de Erba podem ser consideradas metáforas da

---

[13] *Apud* G. Davico Bonino (org.), *Lunario dei giorni d'amore* (Turim: Einaudi, 1998), p. 182. No original, em italiano: *Se tu sapessi come si allarma/ senza ragione il cuore/ quando scendi di corsa le scale di casa/ avvolta nella tua mantellina nera e grigia./ Se ora sto a chiedermi dove andrai/ che farai, quando ritornerai/ sarà perché ricordo che ai miei tempi/ la mantellina era un capo di viaggio [...]/ La tua breve uscita, la tua lunga assenza/ mi fa passare la mano sul volto/ guardare lunghi tetti di case/ sentirmi come se fossi investito/ da una fredda folata di nevischio.* (N. T.)

união entre signos e sentidos, à qual sempre induz a prática de revestir o corpo. A roupa expõe o corpo a uma transformação constante, estruturando em signos, isto é, em cultura, aquilo que o mundo natural possui apenas potencialmente. Ainda que não pensemos nisso, quando nos vestimos, trabalhamos sobre a natureza. A roupa, portanto, pode ser definida como a forma do corpo revestido e, a partir dessa definição, a moda, por sua vez, pode ser definida como uma linguagem do corpo.

Sociologia do vestuário e história

Em relação a uma sociologia e a uma história do vestuário, como ciência crítica que não tem uma simples função descritiva, mas indaga todo o espectro das irradiações pelas quais acontece a evolução do costume e da moda, os estudos de Roland Barthes (1915-1980) e Fernand Braudel (1902-1985) podem ser considerados fundadores. Mesmo na especificidade de cada um, nos anos 1950 e 1960 do século XX, ambos realizaram uma guinada decisiva em relação à tendência tradicional, que tinha se delineado na França a partir do final do século XIX, dos estudos teóricos e históricos sobre a questão. A versão renovada desse tipo de estudo, que marca tanto o pensamento de Barthes como o de Braudel, caracteriza-se por ter trazido uma mudança fundamental, uma amplitude e, sobretudo, uma abordagem diferente à temática. Antecipando o que trataremos agora de modo mais detalhado, pode-se dizer que o ponto em comum entre as posições desses dois estudiosos diz respeito essencialmente ao fato de que a história do vestuário não constitui uma espécie de inventário das diferentes formas que se seguiram nos séculos, mas é uma história que se delineia circularmente, na qual as perspectivas econômica, social e antropológica, longe de estarem separadas em compartimentos estanques, estão profundamente interligadas.

Tendências historiográficas e sociológicas dos anos 1960

Entre os principais expoentes do estruturalismo francês, que pode ser considerado mais como uma metodologia do que propriamente uma doutrina, Barthes teve o mérito, entre os outros, de identificar as interpretações psicológicas do vestir e a capacidade que o costume tem de produzir valores sociais. Em particular, ele traçou a diferença fundamental entre costume e roupa: o primeiro configura-se como uma realidade institucional, social, independente do indivíduo particular; a segunda, ao contrário, como uma realidade individual, o ato de vestir-se propriamente dito, pelo qual o indivíduo se apossa da

Costumes e valores sociais: Barthes

instituição geral do costume. A diferença entre costume e roupa, segundo Barthes, recoloca, se observarmos bem, a distinção entre *langue* e *parole*, elaborada pelo linguista suíço Fernand de Saussure (1857-1913): a primeira é uma instituição social; a segunda, um ato individual. A analogia com a esfera linguística concerne fundamentalmente às problemáticas ligadas ao valor social da "indumentária", entendida como conjunto genérico que resulta da combinação da roupa com o costume, e que corresponde à noção de "linguagem" de Saussure. O caso da moda para Barthes, todavia, é muito mais do que a ocasião de mostrar o funcionamento de um sistema análogo àquele linguístico: "trata-se, ao contrário, de um caso emblemático da progressiva tomada de consciência do nexo entre signo e sociedade, semiologia e sociologia".[14]

Mesmo se movendo dentro de uma diretriz de pensamento na qual encontra reconhecimento – a semiótica, ciência que estuda a natureza dos signos –, como traço fundamental, a posição de Barthes acentua a prevalência da dimensão histórica dos fenômenos de costume. De fato, por trás da defesa de um plano de estudos sobre os significados das coisas e do papel central do interesse pelo mundo contemporâneo, nota-se, de maneira inequívoca, a tendência à observação dos fenômenos da cultura entendidos sob o ponto de vista histórico. De modo particular, pode-se observar a importância atribuída, de um lado, ao caráter científico, epistemológico, da reflexão; e de outro, à problemática do conhecimento histórico e à temática dos valores inscritos nela. Isso vale, sobretudo, para a história do costume propriamente dito, a história mais negligenciada, abandonada e vulgarizada, cujo estatuto epistemológico e metodológico Barthes redefine:

Aspecto epistemológico da história do costume e da moda

> A história do costume tem um valor epistemológico geral: de fato, ela propõe ao estudioso os problemas essenciais de toda análise cultural, na qual a cultura é, ao mesmo tempo, sistema e processo, instituição e ato individual, reserva expressiva e ordem significante. Nesse sentido, a história do costume é, evidentemente, tributária não somente das outras ciências do homem que a circundam, mas também do estágio epistemológico das ciências sociais em seu conjunto. Nascida no interior da ciência histórica, a história do costume seguiu de longe o seu desenvolvimento e se deparou com as mesmas dificuldades; e, entre todas as pesquisas culturais, foi a mais negligenciada, abandonada, sobretudo em termos de vulgarização anedótica. A história do

---

[14]   P. Calefato, *Moda, corpo, mito*, cit., p. 12.

costume testemunha, a seu modo, a contradição de toda ciência da cultura: todo fenômeno cultural é, ao mesmo tempo, produto da história e resistência à história. O indumento, por exemplo, é a cada momento um equilíbrio processual, simultaneamente constituído e desfeito por determinismos de natureza, função e amplidão variáveis, uns internos e outros externos ao próprio sistema. O estudo do costume deve preservar sempre a pluralidade dessas determinações. A precaução metodológica principal é, também neste caso, a de não postular apressadamente uma equivalência direta entre superestrutura (a indumentária) e a infraestrutura (a história). A epistemologia atual se entrega cada vez mais à necessidade de estudar a totalidade dos fenômenos histórico-sociais como um conjunto de passagens e de funções. Nós acreditamos que para a indumentária (como para a língua) essas passagens intermediárias e essas funções sejam de natureza axiológica, *valores* que testemunham o poder criador da sociedade sobre ela mesma.[15]

Concentrando-se, portanto, na impostação analítica em que não se podem eliminar a circularidade e a interpenetração entre "palavras-chave" como *história, costume, epistemologia, cultura* e *sociedade*, Barthes funda as bases teóricas de uma renovação epistemológica e metodológica dos estudos de história do costume e da moda. Ele parte da constatação de que os estudos de história do costume seguiram, primeiramente, uma linha arqueológica, inventariante; depois, a partir da segunda metade do século XIX, uma linha mais científica. Apesar disso, Barthes revela, tanto nos estudos do último período do século XIX, como naqueles contemporâneos, a falta de uma perspectiva histórica completa, que indague a dimensão ideológica, econômica, social e sensível da "indumentária".

Até o início do século XIX, afirma Barthes, os estudos históricos sobre o costume foram estudos de arqueologia antiga, inventários de roupas reconstruídos com base nas suas qualidades estéticas. Os primeiros trabalhos científicos sobre o costume, que apareceram por volta de 1860, foram estudos eruditos elaborados por arquivistas como Quicherat, Demay ou Enlart, cujo objetivo era tratar o costume como soma de vestuário e o indumento singular como uma espécie de evento histórico a respeito do qual é necessário, antes de tudo, investigar as circunstâncias da origem e datar o surgimento. Esse tipo de pesquisa é predominante ainda hoje, prossegue Barthes, nas numerosas

> Crítica aos primeiros estudos sobre o costume

---

[15] R. Barthes, *Scritti*, cit., pp. 73-74.

divulgações históricas que se multiplicam com o desenvolvimento do mito comercial da moda. De fato, a história do costume não se beneficiou com a renovação dos estudos históricos que ocorreu na França a partir dos anos 1930. Ela não apresenta a dimensão econômica e social da história, as relações entre a indumentária e os fenômenos de sensibilidade definidos por Lucien Febvre, a exigência de uma compreensão ideológica do passado, postulada pelos historiadores marxistas, e toda a perspectiva institucional relativa ao costume.

As considerações que Barthes desenvolve em torno dos limites da historiografia francesa mostram-se ainda mais radicais no momento em que registram a "confusão" e a "insuficiência" existente tanto no plano da análise quanto no da síntese. As insuficiências das histórias do costume publicadas até hoje, denuncia ele, são as mesmas de qualquer história historicizante. As histórias do costume, tendo de trabalhar sobre as *formas*, tentaram inventariar as *diferenças*: algumas internas ao próprio sistema do vestuário, isto é, mudanças de linhas; outras externas, compartilhadas com a história geral, as épocas, os países, as classes sociais. A insuficiência das respostas é geral seja no plano analítico, seja no da síntese.

No que concerne às diferenças internas, as histórias do costume escritas até aquele momento, na visão de Barthes, não se preocuparam em definir a relação que existe entre um sistema de vestuário e o conjunto de valores de determinado momento histórico. Além disso, a posição da roupa particular nos seus graus de exterioridade também é analisada de maneira vaga demais.

Quanto às diferenciações externas, a história do costume, à primeira vista, parecia mais elaborada, mais sólida do ponto de vista analítico, mas também nesse caso a insuficiência era notável. Barthes registra que as histórias do costume não utilizaram a lei estabelecida pelos estudiosos a respeito dos fenômenos de folclore, segundo a qual todo sistema é regional ou internacional, nunca nacional. Daí decorre que o costume é reconstruído geograficamente como moda da liderança aristocrática. As histórias do costume, assim, se ocupam quase exclusivamente do costume real ou aristocrático. A classe social, afirma Barthes, é reduzida a uma "imagem" (o senhor, a dama, etc.) destituída de seu conteúdo ideológico. Além disso, o costume nunca foi posto em relação com o trabalho desenvolvido por quem o veste; desse modo, todo o problema do caráter funcional da vestimenta deixa de ser tratado. Barthes enfrenta ainda as dificuldades postas pelo problema da periodização histórica, almejando aplicar também à história do costume a proposta de Lucien Febvre de substituir o uso de uma dupla datação (inicial e final) por uma simples datação central, já que o momento do início e do fim de uma moda vestimentária nem sempre é bem definido no tempo. Ainda que seja possível datar a aparição de um indumento mais ou menos em determinado ano, de acordo com as circunstâncias de sua origem, é totalmente arbitrário confundir a invenção de uma moda com a sua adoção, e é ainda mais arbitrário determinar para um indumento um fim rigorosamente datado. Todavia, os historiadores do costume procedem, declara Barthes, dessa maneira, fascinados, na maior parte dos casos, pelo prestígio cronológico de um reino ou unicamente pela porção política daquele reino: "O rei é magicamente investido de uma função carismática: é considerado, essencialmente, como o Portador do Indumento".[16]

Verdadeiro *j'accuse*, a análise crítica realizada por Barthes para a renovação dos estudos da história do costume e da moda encontra, na França, uma primeira fundação concreta na obra de Fernand Braudel. Líder da segunda geração dos *Annales* e professor do Collège de France desde 1949, Braudel adquire um papel central na organização dos estudos históricos na França. Sua notável atividade no plano institucional reforça a incisividade de suas escolhas disciplinares e metodológicas tanto na historiografia francesa quanto na internacional. Ele propõe uma interdisciplinaridade entre historiografia e ciências econômicas e sociais a partir do ponto de vista da "longa duração", isto é, no âmbito de uma temporalidade que vá além do tempo breve do evento. Em 1979 publica *Civilização material, economia e capitalismo, séculos XV-XVIII. As estruturas do cotidiano*, em que, entre outras coisas, mostra concretamente um plano de trabalho, um "protocolo de pesquisa" relativo à história do costume e da moda: "A história do vestuário é menos anedótica do que parece. Ela coloca todos os problemas: o das matérias-primas, dos procedimentos de produção, dos custos, das imobilidades culturais, das modas, das hierarquias sociais".[17]

Essa orientação problematiza a questão, não vê no vestuário somente uma função decorativa e, ao mesmo tempo, indica as linhas de desenvolvimento da pesquisa. Se notarmos bem, o entrelaçamento dessas linhas apresenta a proposta de um "modelo" válido para a história do vestuário. Nesse modelo é possível identificar alguns pontos centrais. O primeiro ponto pode ser identificado na constatação de que o vestuário remete sempre às estruturas e aos

> A renovação dos estudos históricos sobre o costume e a moda: Braudel

> Um novo protocolo de pesquisa

---

[16] *Ibid.*, p. 62.
[17] F. Braudel, *Civiltà materiale, economia e capitalismo secoli XV-XVIII*, cit., p. 282.

conflitos sociais. Isso significa analisar como o vestir-se se relaciona com os vários componentes sociais: o dado básico não é o vestuário como tal, mas a relação que se estabelece com ele:

> Mudando a seu bel-prazer, o vestuário revela claramente, em toda parte, os conflitos sociais. Por isso as leis suntuárias derivam da sabedoria dos governos, mas também do mau humor das classes mais elevadas da sociedade quando se veem imitadas pelos novos-ricos. Henrique IV não podia consentir que mulheres e crianças da burguesia parisiense vestissem seda; e muito menos podia consenti-lo a sua nobreza. Mas nada, jamais, se pode opor à paixão de ascender ou ao desejo de vestir roupas que, no Ocidente, são o símbolo de toda ascensão social, ainda que mínima. Nem os governos puderam alguma vez impedir os excessos de luxo dos grandes senhores, os extraordinários desfiles das puérperas venezianas, ou a ostentação que tinha lugar nos funerais em Nápoles.[18]

Isso também vale para as classes inferiores. De fato, uma vez estabelecido que no Ocidente a roupa está ligada à ascensão social, trata-se de considerar como, historicamente, esse fato também se fazia notar em "ambientes mais modestos". Em Rumegies, uma aldeia flamenga perto de Valenciennes, explica Braudel, em 1696 um cura anota no seu diário que tanto os cidadãos ricos como os jovens e as moças sacrificam tudo ao luxo das roupas e dos penteados. Em todo caso há exceções, como a circunstância da festa religiosa organizada em uma aldeia alemã em 1680, na qual os cidadãos apareceram com o gorjal.* Geralmente, todos, ou quase, iam descalços, e nas feiras da cidade era suficiente "uma simples olhada" para distinguir burgueses e gente do povo.

Um segundo ponto importante surge a partir da constatação histórica do fato de que nas sociedades orientais, ao contrário da sociedade europeia, a mudança contínua das indumentárias e, portanto, da moda como sistema não existe. Na China, antes do século XV, nota Braudel, a roupa dos mandarins é a mesma usada na capital, Pequim, e nas províncias do Sichuane e do Yunnan. A roupa de seda com bordados em ouro que um viajante espanhol desenha em 1626 é a mesma mostrada em numerosas gravuras do século XVIII, como também são idênticos os "calçados de seda de diversas cores". Nas suas casas, os

---

[18] *Ibid.*, pp. 282-283.
* Parte da armadura para a defesa do pescoço. (N. T.)

mandarins vestem-se com simples trajes de algodão, mas nas suas funções eles vestem trajes adequados, verdadeira máscara social que identifica a sua pessoa. Ao longo dos séculos essa máscara não sofrerá grandes transformações. Nem mesmo a conquista manchu, a partir de 1644, violará o antigo hábito. Os conquistadores impuseram aos seus súditos cabelos raspados, com apenas um topete, e modificaram a grande indumentária que havia antes, mas nada mais. "Na China", observa um viajante em 1793, "a forma de vestir-se é raramente mudada pela moda ou pelo capricho. A roupa que convém à condição de um homem e à estação do ano em que é usada é sempre feita do mesmo modo. Mesmo as mulheres quase não têm novas modas, exceto na disposição das flores ou outros ornamentos que colocam na cabeça".[19]

Considerar justa e indiscutível a herança dos antepassados e valorizar a imutabilidade das estruturas sociais impõe, em qualquer parte, como norma, a "estaticidade", a repetição dos modelos do passado, a conservação dos modos de ser e de mostrar-se. Em tais concepções de mundo, pode-se dizer que a própria ideia de moda não tem sentido. Quando a formação social está voltada para as gestas dos antepassados, não pode existir a lógica da moda, visto que ela privilegia o presente e o novo, contrapondo-os ao modelo pelo qual tudo é legitimado por um passado imemorável. Para que haja o reino da moda, é necessária uma concepção do homem que lhe reconheça a capacidade de modificar as estruturas sociais e a autonomia em matéria de estética das aparências. Isso não aparece na história das civilizações orientais, nem mesmo no Japão, que permanece por séculos fiel ao quimono, roupa de vestir em casa, não muito diferente daquele em uso ainda hoje. Em tais sociedades – e a regra, afirma Braudel, é geral – não ocorrem mudanças senão em consequência de reviravoltas políticas que atinjam toda a ordem social. A mesma constatação vale para o Império Turco. Por onde se estende a sua influência, as roupas dos soberanos otomanos se impõem às classes elevadas, seja na distante Argel, seja na Polônia cristã, áreas em que somente bem mais tarde a moda turca cederá lugar à moda francesa do século XVIII. Essas imitações não determinam, em todo caso, variações notáveis: o modelo continua imóvel. Muradj d'Osson, diz Braudel, também nota esse fato, no *Tableau général de l'empire ottoman*, publicado em 1741: "As modas que tiranizam as mulheres europeias quase não perturbam o gênero no Oriente. Lá é quase sempre o mesmo penteado, o mesmo corte de

---

[19] F. Braudel, *Civiltà materiale, economia e capitalismo secoli XV-XVIII*, cit., p. 284.

roupa, o mesmo tipo de tecido". Talvez porque – como pensa o autor – não existam comerciantes de moda nas cidades do Levante? Em todo caso, em Argel, turca de 1516 a 1830, a moda não varia muito por três séculos. A minuciosa descrição que devemos a um prisioneiro, o padre Haedo, feita por volta de 1580, "poderia servir, com pouquíssimas correções, para comentar as gravuras de 1830".[20]

A geografia dos tecidos, as técnicas, os comércios

Um terceiro ponto, que pode ser identificado quando Braudel escreve "duas palavras sobre a geografia dos tecidos", revela-se um projeto construtivo completo, uma vez que implica o estudo dos sistemas de produção do tecido, dos materiais e das técnicas de produção, estreitamente relacionado à destinação de uso. A história da indumentária deveria conduzir àquela dos têxteis e dos tecidos, a uma geografia da produção e das trocas, ao trabalho dos tecelões, às crises regulares que a falta das matérias-primas provoca. Na Europa falta a lã e a seda; na China, o algodão; na Índia e nos Estados islâmicos, a lã fina; a África negra compra tecidos estrangeiros na costa do Atlântico ou do oceano Índico em troca de ouro ou de escravos. Esse é o modo pelo qual os povos pobres de então pagavam as suas aquisições de luxo. Por serem os bens culturais de menor preço, os tecidos conhecem uma amplíssima difusão. A seda chegou no mundo ocidental provavelmente nos tempos do imperador Trajano (52-117 d.C.), enquanto o algodão da Índia alcançou o Mediterrâneo, através do mundo árabe, por volta do século X, e no século XII chega à China.

Nesse quadro, ainda que esboçado brevemente, abre caminho uma nova caracterização dos estudos da história do vestuário. Opondo-se à historiografia tradicional, Barthes e Braudel fornecem as linhas mestras de uma pesquisa que reencontramos na estrutura daquela que pode ser definida como uma "nova história" do costume e da moda. E a imagem que nos é dada dessa nova história é aquela muito sugestiva de Braudel:

> Não estamos, neste caso, somente no âmbito das coisas, mas sim naquele das "coisas e das palavras", compreendendo este segundo termo para além do seu significado comum. Trata-se de linguagens, com tudo o que o homem nisso investe, insinua, tornando-se inconscientemente seu prisioneiro, diante de sua concha de arroz e do pedaço de pão de cada dia.[21]

---

[20] *Ibidem.*
[21] *Ibid.*, p. 301.

A "nova história" do costume e da moda na França

É a partir do impulso exercido por Roland Barthes e Fernand Braudel que toma corpo a linha temática em torno da qual se define na França, a partir dos anos 1970, não tanto uma escola, mas um "programa de trabalho" que pode ser sintetizado em três pontos:

> O "programa de trabalho" francês dos anos 1970

1. Os usos e os costumes do vestir são dados de observação privilegiada para estudar a confluência de numerosos fatores, como a ligação contínua entre o desenrolar da história das ideias e aquela do pensamento econômico; a relação entre as mudanças de gosto, analisadas do ponto de vista antropológico, e a incidência do progresso científico: o mecanismo de influência que caracteriza a atual relação entre *mass media* e consumidores.

2. A história do vestuário não é um simples inventário de imagens, mas um espelho do articulado entrelaçamento dos fenômenos socioeconômicos, políticos, culturais e de costume que caracterizam determinada época:

O estudo histórico do vestuário põe em contato dois níveis da realidade: aquele da roupa, que Roland Barthes atribui à palavra no sistema linguístico de Saussure, ato individual mediante o qual o indivíduo se apropria do que lhe é proposto pelo grupo; e aquele do vestuário, concebido sociologicamente como elemento de um sistema formal, normativo, consagrado pela sociedade [...]. A moda situa-se no cruzamento entre roupa e vestuário, entre aquilo que o indivíduo pode introduzir no sistema até torná-lo patrimônio comum, e aquilo que é introduzido e reproduzido em escala coletiva, por exemplo, a *haute couture*. Nessa relação está talvez escrita a lei das transformações que atuam no setor: o significado daquilo que se veste cresce à medida que se passa do ato pessoal ao gesto comum. [...] Estudar a moda equivale, nessa perspectiva, a estudar as relações sociais e as características da sua evolução.[22]

3. A história das indumentárias coloca uma ampla série de temas, das matérias-primas e das técnicas de produção ao problema dos custos, das hierarquias sociais, das modas e, em um plano mais geral, aos cui-

---

[22] D. Roche, *Il linguaggio della moda. Alle origini dell'industria dell'abbigliamento*, cit., pp. 46-49.

dados que se tem com o próprio corpo e à maior ou menor importância atribuída no curso dos séculos às relações interpessoais e sexuais.

Nesse programa de trabalho está implícito um princípio teórico que encontra seu fundamento na concepção social da história em geral, que se esboça a partir do final da Segunda Guerra Mundial, primeiramente na Inglaterra e na Alemanha, e nos anos 1960 e 1970 também na Itália. Uma nova e mais ampla concepção do documento e das implicações sociais dos acontecimentos, isto é, as consequências que eles têm sobre os indivíduos em termos de vida cotidiana, de sentimentos, de comportamentos privados e de mentalidades coletivas (em relação a todo acontecimento há múltiplos pontos de observação, mas o influxo entre acontecimento e subjetividade é recíproco), a abertura, portanto, para uma história problemática, que se delineia como "nova história", concorre para o surgimento de uma frente comum nos diversos planos da pesquisa histórica. Tal frente comum é constituída, entre outras coisas, pela noção de "cultura material" que:

> também permite aos historiadores de qualquer período e de qualquer área cultural ligar entre si alguns fatos considerados marginais em relação ao essencial – o político, o religioso, o social, o econômico. Em outros termos, permite estudar "as respostas dadas pelos homens às exigências ambientais nas quais vivem". Tais "exigências" permitem uma certa variedade de reações e adaptações pelas quais o que é natural se revela fundamentalmente também cultural, visto que necessidades e desejos se encarnam em objetos e valor [...]. "Qualquer objeto, também o mais cotidiano, contém uma certa engenhosidade, escolhas, uma cultura." Todo objeto traz consigo um saber específico e certo excesso de sentido. Pode-se perceber isso pelo modo pelo qual se toma posse dele, processo no qual, no que concerne à parte de balanço destinada a ele, intervêm moral, princípios distintivos, escolhas pessoais. Pode-se percebê-lo também pelo uso que se faz do objeto, no qual se revelam um ensinamento e uma moral do uso estabelecidos por normas precisas de boas maneiras. E percebe-se, por fim, o saber específico que todo objeto traz em si pelo modo de conservá-lo.[23]

Isso fica particularmente evidente na obra de alguns estudiosos franceses (Michel Pastoureau, Daniel Roche, Françoise Piponnier, Perrine Mane), os

---

[23] D. Roche, *Storia delle cose banali* (Roma: Editori Riuniti, 1999), pp. 8-15. Cf. J. Le Goff (org.), *La Nuova Storia* (Milão: A. Mondadori, 1990).

quais, ao examinar as várias temáticas relacionadas ao vestuário, aplicam suas pesquisas históricas a novos conteúdos. Ao ocupar-se das relações entre iconografia e representações sociais, das relações entre o homem e a cor, Pastoureau, por exemplo, vai na direção de uma história social das cores, indicando o seu *status quaestionis*, suas fontes, o trabalho histórico geral propriamente dito e, sobretudo, os problemas. Somente alguns filólogos e alguns historiadores da pintura tentaram, afirma Pastoureau, em seus campos específicos, percorrer a história das cores nas sociedades que nos precederam. Todavia, nenhum pesquisador tentou elaborar uma síntese sobre a história das relações entre o homem e as cores, que envolve todos os problemas e todas as disciplinas. A contínua expansão do campo e dos objetos da pesquisa histórica e a separação das barreiras entre as diversas ciências sociais estimulam os historiadores a empreender tal síntese. A tentativa de traçar a história das cores é, em todo caso, um exercício difícil, se não utópico. O trabalho do historiador é dúplice, visto que primeiramente ele deve tentar delinear e reconstruir o que foi o universo da cor para uma dada sociedade do passado, levando em conta todos os componentes desse universo. Depois, limitando-se a determinada área cultural, ele deve estudar em termos diacrônicos as mudanças, as aspirações, as inovações que dizem respeito a todos os campos da cor historicamente observáveis, como o léxico, a química dos pigmentos, a tintura dos tecidos, os códigos sociais (vestidos, marcas, sinais e emblemas), as homilias dos sacerdotes, as especulações dos cientistas, as preocupações dos artistas.[24]

> Novos conteúdos historiográficos

Em geral, os estudos de Daniel Roche expostos na obra *Il linguaggio della moda. Alle origini dell'industria dell'abigliamento*, publicada em 1989 e traduzida para o italiano em 1991, podem ser considerados uma verdadeira síntese, uma referência significativa de tal tendência em voga na historiografia francesa que se inclina a uma história social do costume e da moda global totalmente diferente, tanto no aspecto metodológico-epistemológico como no aspecto do conteúdo, da história do vestuário nos séculos XVII e XVIII. Nesse sentido, não há dúvida de que o enfoque dado por Roche a uma história desse tipo exerceu, como se verá, uma notável influência sobre os pesquisadores, justamente pelo modo como são definidas as questões cruciais, das quais, aliás, todos os aspectos são abordados. Recuperando inteiramente a concordância

> As pesquisas e os estudos de Daniel Roche

---

[24] Cf. M. Pastoureau, "L'uomo e il colore", em *Storia e Dossier*, ano II, nº 5, março de 1987. E também F. Piponnier & P. Mane, *Se vêtir au Moyen Age* (Paris: Adam Biro, 1995).

com Barthes, como se respondesse a todas as críticas feitas por ele à história tradicional do costume, o "objeto" de estudo para Roche delineia-se com base em uma categoria dúplice: aquela dos problemas e aquela dos fatos:

> Parti dos problemas e dos fatos. Os problemas eram aqueles postos aos historiadores da minha geração pelas possibilidades e pelos limites de uma história da cultura, de uma história da sociedade atenta à interdependência dos fatos sociais, de uma história da cultura material que não se tornasse vítima do imperialismo técnico-econômico. Os fatos eram aqueles relativos às vicissitudes concretas do vestuário na França, do século XVII ao início do século XVIII. Vicissitudes que se prestavam à pesquisa não somente pela escassez de uma tradição historiográfica que raramente se elevou acima da história dos modelos e das modas, mas também, pelo caráter particular das práticas ligadas ao vestuário, que representam um fato social global. Para mim, não se tratava mais de observar – talvez com satisfação – as mudanças dos modos de vestir da alta sociedade, mas como tais modos se organizavam, em uma cadeia que poderíamos definir cultural, com os hábitos, também eles em mudança, característicos da gente comum.[25]

Um critério operativo assim posto mostra-se particularmente incisivo em duas frentes correlatas. A primeira é aquela relativa à crítica dos estudos de Jules Quicherat, autor de uma *Histoire du costume en France* (uma série de artigos publicados entre 1849 e 1865 na revista *Magasin pittoresque*), que marca uma guinada em relação aos primeiros escritos históricos sobre o vestuário que remontam aos séculos XVII e XVIII. A segunda frente diz respeito à classificação das fontes para o estudo da história do vestuário nos séculos do *Ancien Régime*.

Mesmo querendo abrir novas frentes de pesquisa no âmbito da história do costume, e mesmo utilizando um vasto material documental, Quicherat trata as fontes – observa Roche – como se não refletissem a realidade social e, portanto, negligencia os aspectos enganadores delas. Por um lado, Quicherat superestima a importância relativa das roupas, e, no geral, aquela dos hábitos aristocráticos, além das modas descritas pela imprensa e ilustradas pelas gravuras. Por outro, sua fidelidade à narração cronologicamente ordenada, somada a seus escrúpulos em apresentar não somente as mudanças das roupas, mas também dos detalhes ornamentais, leva-o a interpretar as mudan-

---

[25] D. Roche, *Il linguaggio della moda. Alle origini dell'industria dell'abbigliamento*, cit., p. 501.

ças como fruto das situações conjunturais ou acidentais. Para Quicherat, por exemplo, são as amantes dos soberanos que impõem as novidades que o mundo aristocrático seguirá mais por imitação natural do que por escolha política ou social. Ao contrário, explica Roche recuperando os estudos do sociólogo alemão Norbert Elias (1897-1990), é o sistema de gastos organizado da "sociedade de corte" o contexto histórico necessário para se compreender a história do vestuário aristocrático, visto que no âmbito da corte as roupas servem para os aristocratas como "cartas do jogo das lutas pela distinção. Com modos de vestir diferentes, os nobres exprimem rivalidades internas da aristocracia, introduzindo o papel do vestuário e das aparências privadas na representação social do civismo público".[26]

Nesse sentido, fica evidente como para Roche é necessário relacionar as múltiplas perspectivas dos diversos aspectos sociais que compõem a história do costume. Daí resulta que as próprias fontes também são muitas e variadas, e é em torno de tal multiplicidade que se delineia uma taxonomia de amplo alcance. Tal classificação caracteriza-se não tanto como uma simples lista, mas como um quadro problemático e historiográfico. Em outros termos, Roche mostra as possibilidades analíticas e os limites de cada tipo de documento. Esquematizando, a primeira fonte original e direta são as próprias roupas, mas a pergunta fundamental que se impõe é: "O que é conservado nos museus da moda?". A esse respeito Roche ressalta que os tecidos antigos são raros e frágeis, e, ainda que os especialistas realizem verdadeiros "milagres" de restauração, as roupas que remontam à primeira metade do século XVII são poucas. Por outro lado, foram conservadas principalmente as roupas, muito raramente as roupas íntimas; mas mesmo a roupa íntima conservada nos museus é pouco significativa, uma vez que, tendo sido encontrada quase sempre nos castelos nobiliários, nada nos informa sobre os hábitos de reciclagem ou reaproveitamento dessas peças, hábitos típicos das camadas urbanas mais modestas e das populações rurais. Portanto, as roupas conservadas nos museus se, por um lado, permitem conhecer a combinação dos tecidos, dos ornamentos, dos diferentes cortes, por outro, não permitem uma pesquisa social completa, pois não informam sobre os hábitos da gente comum, mas somente aqueles da classe aristocrática.

As fontes da história do costume

Vestuário

---

[26] *Ibid.*, p. 27.

Tecidos |

O estudo dos tecidos é inseparável do estudo das roupas, mas na operação de reconstrução historiográfica encontram-se numerosas dificuldades: as traças que se aninham na lã não pouparam, ao longo dos séculos, muitas das inumeráveis lãs cardadas, cortadas, trabalhadas na Idade Moderna. Em compensação, a seda, o cânhamo, o algodão e o linho resistiram mais. O conjunto dos tecidos e de todos os materiais que compõem o universo do vestuário é basilar. Um dos momentos cruciais da pesquisa, diz Roche, é a comparação entre o tecido e a roupa cuja datação se conhece e o percurso social. Paralelamente, é fundamental o estudo econômico dos materiais têxteis, o estudo da sua produção, fabricação e comercialização.

Documentação figurativa |

Não menos importante é a documentação figurativa: pinturas, esculturas, moedas, gravuras podem preencher o vazio deixado pelo "desaparecimento" das roupas. Todavia, nota Roche, esse tipo de documentação também nos restitui uma imagem distorcida, na medida em que a representação das roupas desempenha um papel específico de teatralização dos gestos e dos corpos. No retrato de Luís XIV (1701), por exemplo, todo elemento representado é fruto de uma escolha ponderada, nada é deixado ao acaso. A pose elegante e autoritária é acompanhada pela magnificência dos tecidos e amplo manto de arminho, a pele da realeza. Rendas, sedas, veludos, além de completar a roupa do soberano, criam o cenário no qual ele é colocado e que representa as insígnias do poder, o cetro e a coroa, enquanto a espada é o emblema da aristocracia e da nobreza de valor militar. A escolha das cores não é casual: a cor azul, que une, no plano visual, o trono, a figura do soberano, o suporte e a almofada que sustentam a coroa, é a mesma do fundo do brasão do rei da França e, portanto, é prerrogativa exclusiva dos membros da família real. Ninguém mais pode usar, sem autorização, roupas dessa cor. O vermelho que adorna os saltos e as borlas dos sapatos do rei é simbólico e serve para sublinhar a nobreza de sangue de quem se enfeita com essa cor e, portanto, a sua origem aristocrática. A cor das roupas é um dos fatores interpretativos da cena social: designa funções, posições, classes. Nesse sentido, observa Roche:

> Os quadros oferecem também a ocasião para abordar a história do vestuário do ponto de vista das cores [...]. O trabalho dos artistas permite estudar o jogo entre os corantes, a evolução dos processos de trabalho [...], as funções simbólicas [...]. As cores das vestes oferecem uma nova forma de leitura, que deve ser relacionada com os estudos da heráldica e da poética religiosa e amorosa. A cor da roupa representa, antes de tudo, um dos ele-

Moda e costume na sociologia e na historiografia

mentos principais da civilização de corte na França. Uma referência obriga-
tória a partir dos textos que se remetem à tradição renascentista italiana e da
tradução do *Cortigiano* de Castiglione.[27]

No âmbito da documentação iconográfica um lugar à parte é reservado
ao conjunto das gravuras e estampas, pois têm uma difusão maior em relação
aos livros e quadros. Constituem um instrumento de divulgação de modelos,
regras e procedimentos.

Além disso, no amplo rol das fontes da história social da moda e do costume, a grande documentação da história social propriamente dita, da história
da família e da história econômica tem uma função que não é absolutamente
secundária. De modo particular, os arquivos dos comerciantes e dos fabricantes, que no período pré-industrial não são ainda completos e, portanto, permitem apenas uma reconstrução parcial; e também os fundos para o comércio,
que, como objeto de estudo, devem ser relacionados com os consumos sociais.
Esses últimos podem ser estudados, afirma Roche, pela análise das cartas familiares e dos inventários *post mortem*, apesar de serem também eles parciais. Em
relação a Paris, por exemplo, a disponibilidade de um milhar desses inventários – metade remonta ao final do século XVIII, a outra metade às vésperas da
Revolução de 1789 – permite algumas conclusões, mas só depois de confrontá-
-los com livros contábeis, faturas e correspondências. Aceitando a hipótese de
que mil inventários podem constituir uma base estatística suficiente, a documentação permite esboçar, em relação à população parisiense do século XVIII,
um inventário das propriedades, de qualquer modo difícil de se articular em
razão da idade do proprietário, e um inventário dos principais consumos.
Além disso, esses mil inventários permitem, sobretudo para as camadas ricas,
um olhar sobre os usos e conservação dos bens. Esse tipo de fonte, em todo
caso, não permite iluminar as estratégias de consumo das pessoas comuns, e
impede a passagem de uma leitura funcional dos dados a uma interpretação
rigorosa deles. Assim, o historiador das classes inferiores não chega a compreender o que significa a posse de objetos para o homem comum.

Por fim, mas não em último lugar, assumem importância as fontes literárias, entre as quais os dicionários que informam sobre os antigos hábitos e
sobre as práticas em desuso, como a volumosa *Encyclopédie* dos iluministas,

> Arquivos, inventários, livros contábeis

> Fontes literárias

---

[27] *Ibid.*, pp. 11-12.

fundamental para compreender as grandes mudanças relativas a consumos e ofícios no século XVIII. As fontes são tantas, como observa Paolo Sorcinelli, também porque

> hoje consideramos *fontes*, com a mesma dignidade e interesse, todos os testemunhos deixados pelos seres humanos do passado: os documentos escritos e os testemunhos orais (inclusive as fábulas e as lendas), a conformação da paisagem e os objetos manufaturados, as expressões artísticas e a iconografia popular, as ilustrações científicas e os "arquivos da natureza", a fotografia e o cinema, os nomes geográficos, os repertórios arqueológicos, a produção literária que fornece um corte do ambiente social e intelectual em que o escritor viveu e, também, os jornais, publicações oficiais, discursos parlamentares, registros comerciais e cartas particulares, processos e testamentos.[28]

Fontes para a Idade Contemporânea

Isso vale, sobretudo, para o mundo contemporâneo, quando a história do cinema, a do rádio e a da televisão, como também a do esporte e do tempo livre, verdadeiras "invenções" da Revolução Industrial, permitem compreender de que modo, a partir do final da Segunda Guerra Mundial, a moda não é uma questão reservada a poucos, mas tornou-se fundamental para a vida coletiva. Em todo caso, observa ainda Sorcinelli, no plano historiográfico e no plano metodológico é tarefa do historiador tornar o documento o mais completo possível e fazê-lo falar por diversos pontos de vista. E é também sua tarefa desmontá-lo, interpretá-lo no seu grau de confiabilidade e credibilidade.

A historiografia italiana

Os estudos de Levi Pisetzky

Na Itália, incorporando a lição de Barthes e de Braudel, Rosita Levi Pisetzky (1898-1985) – definida por Guido Lopez, em um artigo publicado depois da morte da autora, em 1985, "a senhora do costume italiano" – é considerada a primeira estudiosa "a tratar do tema de modo sério, estudando a roupa como meio de comunicação e documento social".[29] Nos anos 1970, publica na *Storia d'Italia*, da editora Einaudi, um estudo relativo aos campos semânticos aos quais a história da moda remete. Identifica algumas inferências temáticas

---

[28] P. Sorcinelli, *Il quotidiano e i sentimenti* (Milão: Bruno Mondadori, 1996), p. 14.
[29] G. Vergani (org.), *Dizionario della moda* (Milão: Baldini & Castoldi, 1999), p. 454.

que são expressas em binômios específicos, como moda e estilo, moda e ética, moda e sexo, moda e simbolismo político, moda e influência estrangeira, moda e beleza. Tais binômios configuram um *corpus* no qual é possível identificar uma correspondência específica entre as temáticas de fundo, que aparecem, por sua vez, como uma série de círculos concêntricos. Com essa orientação proteiforme, o plano de estudo estético e artístico proposto por Levi Pisetzky é interligado com aquele prático-social. Abordando, por exemplo, a relação entre roupas e arquitetura, por mais que tal aproximação possa parecer paradoxal, a análise de Levi Pisetzky permite ler à contraluz todo possível elemento de contato entre moda e arquitetura, arte dos volumes, que, a cada vez, oferece uma nova imagem do relevo corpóreo, que segue a mudança dos gostos.

Roupas e arquitetura

O esboço do que aparece na relação entre "moralidade e moda" parece ligar-se ao que é apresentado pelo binômio "moda e sexo". A relação entre sexos, elemento importante na estrutura social, tem reflexos na moda. Há períodos históricos em que a diferenciação entre os sexos é marcada, outros nos quais o influxo feminino é determinante nas modas masculinas ou vice-versa. No século XIV, por exemplo, apesar da tendência à verticalidade de influência gótica, somente o comprimento das pontas das meias-calças e uma certa forma apertada do busto são comuns à moda masculina e feminina. Os homens, de fato, mostram um aspecto marcadamente viril, usam barbas e bigodes, cabelos moderadamente longos e penteados com simplicidade, meias-calças aderentes e arma na cintura. As mulheres usam cabelos longos com tranças ornadas de pérolas e flores, vestidos decotados que se alargam abaixo da cintura e fluem até o chão, prolongados pela cauda. No século XV, por sua vez, o aspecto dos homens sem barbas com a "cabeleira ondulada" é influenciado pelas características femininas. No século XVII há uma simbiose entre os dois sexos que será cuidadosamente observada e deplorada pelos próprios contemporâneos. Por outro lado, especifica Levi Pisetzky, a relação entre os sexos é sempre mediada pelo conceito de moralidade, que sofre fortes oscilações em relação à orientação religiosa e cultural do tempo e à maior ou menor distribuição da riqueza. Tais oscilações, em geral, refletem-se sempre nas roupas. As pernas femininas, por exemplo, até à Primeira Guerra Mundial são cuidadosamente escondidas. Quando, no final do século XVIII, elas aparecem fugazmente pela abertura lateral dos vestidos neoclássicos, em um anônimo *Discorso sopra l'odierna moda del vestire delle donne*, impresso em Como, não se arrisca nem

Moralidade e moda

Moda e relação entre os sexos

mesmo a citá-las, mas somente a lhes fazer alusão, descrevendo "os vestidos cobrindo com zelo os braços, para ostentar outras partes mais nefandas do corpo" (ou seja, as pernas). Também os braços são quase sempre cobertos, até a metade do século XVII e o século XVIII, quando se descobrem até o cotovelo. No início do século XIX, eles aparecem completamente nus.

Roupas e política |

Ao delinear a forte caracterização ética que conota a relação homem--mulher, surge uma dimensão moral do juízo também no que concerne "aos artifícios da beleza e de seus significados", considerados imorais e fúteis, e ao discurso relativo ao "simbolismo político", uma vez que a roupa aparece estreitamente relacionada às condições da sociedade do ponto de vista político. Em relação a isso, age deliberadamente a vontade, de um chefe ou dos indivíduos particulares, de exprimir uma opinião política, seja como adesão moral a uma dada forma de ideia política, seja como pertencimento a um grupo organizado, mais ou menos regularmente, que obedeça a um chefe ou a um grupo dirigente.

Estudos e pesquisas para a Idade Medieval: Muzzarelli |

Depois das pesquisas conduzidas por Levi Pisetzky, dedicaram-se à história do costume, e ainda se dedicam, estudiosas como Doretta Davanzo Poli, Grazietta Butazzi, Paola Venturelli, Enrica Morini, Ada Gigli Marchetti.[30] No que tange à Idade Média e ao começo da Idade Moderna, Maria Giuseppina Muzzarelli observa: "Tem sido fraco, até aqui, o interesse dos historiadores, com algumas exceções, pelas roupas e sociedade. Essa via não foi utilizada para se conhecerem melhor as possibilidades, aspirações e gostos dos homens e das mulheres que viveram entre a Idade Média e o começo da Idade Moderna".[31] A própria Muzzarelli supriu essa lacuna. Em 1986 publicou um ensaio no qual desenvolve o tema da luta contra as *mundanas vanitates* [vaidades] *et pompas* na Itália do século XV; estudos sobre as normas suntuárias bolonhesas; em 1996, *Gli inganni delle apparenze*; e, em 1999, *Guardaroba medievale. Vesti e società dal XIII al XVI secolo*. Este último trabalho, especialmente, aparece como verdadeira aplicação, muito eficaz, da lição de Braudel, sobretudo quando renuncia a uma mera descrição dos fatos para dar lugar a uma reconstrução historiográfica complexa:

---

[30] Cf. R. Varese & G. Butazzi (orgs.), *Storia della moda* (Bolonha: Calderini, 1995); A. Gigli Marchetti, *Dalla crinolina alla minigonna* (Bolonha: Clueb, 1995); E. Morini, *Storia della moda* (Milão: Skira, 2000).

[31] M. G. Muzzarelli, *Il guardaroba medievale* (Bolonha: il Mulino, 1999), p. 19.

> Não me interessava tanto realizar uma descrição estanque dos guarda-roupas dos homens e mulheres das diversas partes da Itália, da cidade ou do campo, dos grandes centros urbanos ou de cidadezinhas de dimensões modestas, tendo em vista, no máximo, um recenseamento de roupas e ornamentos. O meu objetivo foi, sobretudo, o de reconstruir o complexo mundo – econômico, social e político – que girava em torno das roupas. Um mundo feito de cores e objetos que marcavam a marginalidade, de tecidos e formas que enfatizavam riqueza e prestígio.[32]

Além de distinguir com clareza o campo de estudo, Muzzarelli não se esquiva de enfatizar como é limitado, para a pesquisa histórica em questão, o número de publicações na Itália. Ainda que hoje em dia seja moda ocupar-se de um aspecto que por anos não pareceu digno de um "verdadeiro" historiador, as publicações sobre o assunto na Itália contam-se "nos dedos de uma mão", e dizem respeito mais à história do costume do que dos homens e das mulheres que amaram, compraram, venderam, emprestaram, conservaram as roupas, e que lutaram para poder usá-las. O fato de que na Itália as publicações sobre esse tema sejam poucas, mesmo para a Idade Contemporânea – se não contarmos os catálogos das mostras, os numerosos *sites* das grandes casas de moda que contêm alguma informação sobre suas histórias –, parece estar ligado à presença de um preconceito, ainda bem radicado entre os historiadores, pelo qual se distingue uma "história maior" e uma "história menor". "Mais uma vez me parece que não se pode simplesmente liquidar o tema considerando-o fútil e apropriado, no máximo, a uma história menor."[33] No mais, também outras estudiosas, ainda que indiretamente, denunciam a presença de tal mentalidade. Gigli Marchetti, por exemplo, abre a introdução do volume *Dalla crinolina alla minigonna* declarando: "A moda não é somente futilidade".

O problema historiográfico da "futilidade" da moda

A desvalorização desse tipo de estudo pode ser compreendida dentro de um âmbito historiográfico mais amplo, que vê, de um lado, alguns historiadores definirem a história social como uma "nova história" e, do outro, como uma "história fraca". Entre os defensores e promotores da "nova história" na Itália, Sorcinelli reconstruiu as linhas do debate em questão e, sobretudo, colocou no centro de suas pesquisas históricas o eixo fundamental em torno do qual gira o pressuposto epistemológico básico do trabalho histórico, já indicado a

História nova e história social: Sorcinelli

---

[32] *Ibid.*, p. 9.
[33] *Ibid.*, p. 15.

seu tempo por Marc Bloch: o historiador não julga.[34] Em outros termos, o mérito de Sorcinelli não é tanto ter colocado tal princípio como fundamento das suas pesquisas para tentar uma conciliação entre as tendências historiográficas discordantes, mas sim tê-lo traduzido concretamente em metodologia temática aplicada. Os estudos sobre a história social da água, sobre as relações e os comportamentos sexuais e sobre a alimentação podem ser considerados exemplos significativos disso. Nesses estudos, o conteúdo histórico torna-se método historiográfico e, vice-versa, o método torna-se terreno fértil para a proliferação da pesquisa histórica.[35]

Ora, mesmo não se ocupando explicita e exclusivamente de "roupas", já há, no panorama historiográfico italiano, diversos estudos sobre o que se pode definir história social da moda e do costume. Um paradigma de estudos que, em estreita correlação com o programa de trabalho francês, leva em consideração, em primeiro lugar, como veremos, o entrelaçamento fundamental entre temáticas próprias da história do vestuário e campos de pesquisa da história social; em segundo lugar, o princípio segundo o qual a história da moda é "história dos projetos de vida", "a história de como éramos e também de como poderemos e poderíamos ser", uma chave para compreender as transformações da cultura.[36]

Uma história desse tipo mostra-se inevitavelmente complexa, no sentido etimológico de abraçar o conjunto, de concatenação – da mesma forma que são complexos os campos de pesquisa. De resto, como poderia ser diferente, já que a moda, no plano prático, não poupa nada nem ninguém?

A complexidade dos campos de pesquisa

A história social da moda e do costume qualifica-se, portanto, como uma história da cultura que encontra a sua expressão máxima na "nova história" francesa, para a qual não existe uma história econômica e social, mas sim a história, pura e simplesmente, que é toda social por definição. Em razão disso, nos centros de pesquisa sobre o vestuário coloca-se a necessidade de unificar

---

[34] Cf. P. Sorcinelli, *Il quotidiano e i sentimenti*, cit., p. 6 *passim*.

[35] Ver, por exemplo, P. Sorcinelli, *Storia sociale dell'acqua* (Milão: Bruno Mondadori, 1998); do mesmo autor, *Gli italiani e il cibo* (Milão: Bruno Mondadori, 1999).

[36] Ver, por exemplo, VV.AA., *La moda italiana*, 2 vols. (Milão: Electa, 1987); F. Tarozzi & A. Varni (orgs.), *Il tempo libero dell'Italia unita* (Bolonha: Clueb, 1992); G. Triani, *Pelle di luna, pelle di sole* (Veneza: Marsilio, 1988); A. Tonelli, *E ballando, ballando. La storia d'Italia a passi di danza (1815-1996)* (Milão: Angeli, 1998).

os múltiplos aspectos sociais e as formas concretas em que chegam a manifestar-se culturalmente:

> Quem faz história do vestuário não se pode contentar com o emprego de oposições cômodas e inadequadas: culto/popular, rico/pobre, cidade/campo, criação/consumo, real/imaginário. Não pode fugir aos problemas essenciais de qualquer análise cultural, em que se entenda por cultura – com Roland Barthes – "ao mesmo tempo um sistema e um processo, instituições e atos individuais, reserva expressiva e ordem significante".[37]

História do vestuário e análise cultural

Um assunto tão básico significa que a história do vestuário, dentro de um sistema cultural global, constituído por instituições públicas e ações individuais, é uma história que deve ser reconstruída indagando-se em numerosas direções que só aparentemente parecem distantes e divergentes entre si. Roche observa, por exemplo, que as formas de aquisição e posse dos bens revelam não somente o mundo econômico ao qual tais bens pertencem, mas também o mundo moral e o político, pois, se de um lado remetem a mecanismos sociais que colocam em movimento um processo de transformação dos comportamentos econômicos, de outro atingem o conjunto das normas sociais, religiosas, políticas pelas quais uma sociedade é regulada. As convicções sobre as quais se baseiam a aquisição e a posse do vestuário documentam a conexão estreita entre alguns aspectos da cultura material e alguns imperativos éticos, filosóficos ou jurídicos, que vão das leis suntuárias a determinadas obrigações relativas às roupas. Disso decorre que o discurso histórico especificamente econômico move-se dentro da rede das normas e dos valores que caracterizam a vida prática de determinada sociedade. Portanto: "O historiador que estuda a indumentária tem que lidar com questões culturais relevantes, como o luxo, o consumo ostentatório, a representação simbólica das hierarquias econômicas e sociais; a distribuição das marcas de origem; questões repletas de conteúdos morais e sujeitas, de um século a outro, a uma evolução contínua e complexa".[38]

Ao aprofundar no sentido social a convergência entre o aspecto factual e o caráter cultural que o vestuário assume, emergem claramente os problemas concernentes ao corpo e à sexualidade. O vestuário, exprimindo determinada corporeidade e determinada sexualidade, rompe os equilíbrios tradicionais

Vestuário e comportamentos sexuais

---

[37] D. Roche, *Il linguaggio della moda. Alle origini dell'industria dell'abbigliamento*, cit., p. 52.
[38] *Ibidem*.

dos papéis sociais e sexuais. Vista nessa perspectiva, a história do vestuário mostra-se como um ponto privilegiado para observar a circularidade entre história da sexualidade e história dos comportamentos sexuais, história das mulheres, história da vida privada e, não menos importante, história dos corpos, das suas paixões, percepções e representações.[39]

Somente a partir de 1859, substituindo os termos "amor" e "paixão amorosa", explica Sorcinelli, a palavra "sexualidade" começa a ser usada e não coincide sempre com aquilo que chamamos "comportamentos sexuais", pois, enquanto a primeira é uma categoria mental, os últimos são sempre condicionados pelas concepções morais, médicas, culturais, religiosas:

> A sexualidade é uma categoria mental; como tal se encontra entre a realidade e o desejo, e a historiografia, que lida mal com os sentimentos, fica ainda mais desconfortável quando se trata de reconstruir percepções e pensamentos ligados a uma gama tão variada de comportamentos e manifestações (do pudor à pornografia, do amor passional aos gestos necessários à procriação, do ato solitário às experiências homossexuais, das relações impostas com violência e opressão às elucubrações eróticas da fantasia). Em um campo tão aleatório para o historiador, o risco permanente é, além disso, cair no anacronismo, a pretensão de usar categorias interpretativas do presente, enquanto a cada época corresponde uma percepção da sexualidade que deve ser lida com os olhos dos protagonistas, seja quando respeitam as regras, seja quando as eludem ou as infringem, seja quando conseguem respeitá-las ou se esforçam para esquivar-se delas.[40]

História do corpo e de seu cuidado

Quanto à história do corpo propriamente dita, uma das vertentes sobre a qual a recente historiografia se tem detido é aquela relativa às múltiplas representações da corporeidade humana, do seu funcionamento, do seu lugar na natureza e no universo. De modo particular, a relação entre alma e corpo, uma relação que muda profundamente a partir do começo da Idade Moderna, foi estudada na sua concreta tradução em comportamentos, práticas, rituais, percepções que caracterizam tanto a cultura douta como a popular. A história social da medicina ampliou sua visão e numerosos campos que lhe são atinentes, pois, como explica Claudia Pancino, as intervenções te-

---

[39] Cf. P. Sorcinelli, *Il quotidiano e i sentimenti*, cit., p. 198 *passim*. E também C. Pancino, *Corpi* (Veneza: Marsilio, 2000).
[40] P. Sorcinelli, *Eros. Storie e fantasie degli italiani dall'Ottocento a oggi* (Roma/Bari: Laterza, 1993).

rapêuticas referem-se – basta pensar nos receituários médicos durante todo o século XVII – igualmente à doença, à beleza e à sexualidade. Trata-se de setores da experiência que com o tempo foram separados e foram objeto de atenção científica e práticas bem diferentes. Mas houve um tempo em que cachear os cabelos e se tratar do estômago faziam parte de um mesmo saber, de um mesmo âmbito de cuidados. Um outro fator importante que deve ser recordado é que as práticas terapêuticas utilizaram por muito tempo saberes, competências, papéis sociais pertencentes a esferas diferentes, destinados a se tornar cada vez mais separados. A religião, a medicina, a cirurgia, a magia e também a astrologia, a fitoterapia, a farmacologia entrelaçavam-se em toda uma série de complexos comportamentos terapêuticos. Sem dúvida intervinham na escolha do tratamento também as diferenças de classe: para curar-se da mesma doença, os ricos normalmente chamavam o médico, enquanto os pobres faziam uma peregrinação. Apesar disso, as "práticas terapêuticas" entrecruzavam-se.[41]

Estreitamente ligados a essa variedade de campos, Pancino mostra os aspectos que têm importância historiográfica no âmbito de dois setores particulares:

> O discurso aqui poderia se dividir em diferentes caminhos, mas indico apenas dois: de um lado, a história dos papéis terapêuticos antes e depois do advento da medicina científica, de outro, a história do cuidado do corpo como cuidado não "medicinalizado", por meio de práticas que visavam a complexidade da relação mente-corpo e que não cuidavam da alma sem cuidar do corpo. Por trás disso tudo, de novo, uma ideia das ideias sobre o corpo que mudam com a mudança dos saberes e das experiências. Os conceitos de beleza, de saúde, de doença modificam-se, como também o conceito de cura, e mudam as relações entre a alma e o corpo; as relações entre a corporeidade humana e o grande cosmo modificam-se. Às vezes simplesmente desaparecem no silêncio da história os símbolos que por séculos enriqueceram de significados algumas partes do corpo humano e que, por muito tempo, falaram daquele universo de crenças e de significados no qual estavam inseridos homens e mulheres reais.[42]

---

[41] C. Pancino, *Corpi*, cit., p. 12 *passim*.
[42] *Ibid.*, p. 14.

Aspecto físico e história dos comportamentos alimentares

Nesse sentido são particularmente significativas as pesquisas sobre a história da alimentação, dos comportamentos alimentares, das representações mentais da comida relacionadas às questões do aspecto físico e estético. É um tema, observa Sorcinelli, que em boa parte se deve ainda explorar, que implica significados e problemáticas ambivalentes e contrapostos: da comida, de fato, dependem tanto a debilidade orgânica como o vigor físico, tanto a saúde como a doença, tanto a própria vida como a morte. A alimentação permanece um tema que "escapa" e que, ao mesmo tempo, sempre revela novas sugestões e novas abordagens. Um campo de pesquisa no qual a economia se entrelaça com o social, o antropológico com o religioso, a cultura popular com a dietética, no qual quem escreve está sempre diante do dilema fundamental de ter de tratar ao mesmo tempo "daquilo que se come", "daquilo que se pode comer" e "daquilo que se quer comer". Ao lado disso, perfila-se uma outra questão, aquela a respeito de como a comida e o ato de comer são percebidos no plano mental, primeiro, e, em seguida, no corporal.

> A comida [...] como uma questão de cabeça e corpo, em uma ligação mais estreita do que parece à primeira vista. A comida, enfim, que não satisfaz somente a fome, o apetite, mas pressupõe e desencadeia também comportamentos e respostas. No nível de indivíduos, grupos sociais e instituições, e em que uns e outros são influenciados e influenciáveis por mecanismos de controle, articulações sociais, gostos, imposições e renúncias, bem-estar e estados patológicos.[43]

A circularidade dos setores de pesquisa

Ao delinear, portanto, ainda que brevemente, o quadro de alguns campos da pesquisa para uma história do vestuário, o que surge como dado fundamental é a circularidade e a interpenetração das "linguagens" e dos setores da história social. Definitivamente, deve-se constatar a profundidade da ligação entre o real e o imaginário, vertentes que devem ser comparadas e não contrapostas, visto que o real é tecido de imaginário, e o imaginário é componente do real, duas vertentes que devem servir de referentes dialéticos às ideias e às maneiras, aos comportamentos e aos modelos, um exercício, adverte Roche, que não é fácil. De outra parte, dados os pressupostos, fica claro como na base da história do fenômeno da moda há a exigência de uma pesquisa que permita investigar historicamente a relação entre os homens e os objetos. Segundo

---

[43] P. Sorcinelli, *Gli italiani e il cibo*, cit., pp. 7-8.

alguns sociólogos, o fenômeno da moda constitui um dos capítulos mais sugestivos do conflito entre as várias culturas do corpo, entre os saberes institucionais, entre as formas do efêmero e as autoridades da cultura. É talvez o mesmo caráter sugestivo que parece transparecer nas palavras do poeta e filósofo americano Ralph Waldo Emerson (1803-1882), quando confessa: "Escutei com um sentimento de humilde admiração a experiência da senhora que declarava que a sensação de estar bem-vestida lhe dava um sentimento de tranquilidade interior que a religião não lhe podia conferir".[44]

---

[44] *Apud Dizionario delle citazioni* (Milão: Rizzoli, 1992), p. 2.

Leis e morais contra

Problemas não resolvidos

As novas linhas de pesquisa da historiografia mais recente colocam os problemas de história da moda e do costume em um quadro que não se limita a considerar os eventos, mas se estende àquele mundo de normas com as quais estão relacionados.[1] Princípio de interpretação social e moral de uma coletividade, o mundo das roupas, e, de forma geral, aquele da moda, não deixa de ter recaídas no plano moral e religioso, e também no legislativo, em relação ao que é considerado razoável, sábio e moderado. Enquanto o costume tradicional tende a manter imutáveis ao longo do tempo as esferas do cotidiano, a moda, por sua vez, introduz as características antitéticas pelas quais ela é normalmente definida: bizarria, ilogicidade, capricho, volubilidade, estranheza. Colocando-se na imprevisibilidade e recusando dogmaticamente a moda que a precedeu, a nova moda rejeita o próprio passado e brinca, por assim dizer, com o tempo: ela, substancialmente, afirma o direito absoluto do presente, de um "eterno presente".

Os conservadores de todas as épocas sempre consideraram a moda a expressão máxima da decadência dos costumes. Os novos estilos e formas abrem caminho não tanto e não somente a novas roupas, mas, sobretudo, a

---

[1] Cf. D. Roche, *Il linguaggio della moda. Alle origini dell'industria dell'abbigliamento* (Turim: Einaudi, 1991), p. 502.

Leis suntuárias | um novo modo de conceber a vida, a religião, a ética. Para os moralistas, tudo aquilo que é novo deve ser rejeitado *in toto*.[2] Analogamente, o plano legislativo exprime-se em posições que não veem uma discrepância, uma separação clara entre questões políticas, econômicas, teológicas e filosófico-morais, mas codificam o entrelaçamento profundo dessas questões. Essa intersecção entre diversos planos, que sob alguns aspectos já está presente nas disposições contra o luxo promulgadas no mundo antigo, exprime-se em uma constante e peculiar tentativa de manter fixo, imóvel, um sistema de valores considerados universais, que funcionam como princípios reguladores da práxis humana. Em geral, pode-se afirmar que as leis suntuárias refletem a firme vontade de manter os consumos adequados às hierarquias da sociedade, limitando a mobilidade social. Conforme as igrejas cristãs, por exemplo, Deus em pessoa é ofendido por aquelas despesas que também os éditos procuram conter. A inteira ordem do mundo é "ameaçada" pela falta de moderação, pela corrida ao supérfluo; portanto, cada um deve consumir conforme a sua classe.[3] Como na Idade Média, especialmente a partir do século XIII, assiste-se a uma difusão capilar de tais leis na Itália e na Europa, assim também na Idade Moderna não se reconhece a legitimidade da mudança em si, mas é elaborado um plano de formas e conteúdos permanentes que fixam um código de aparências. Tal código se mostra hierárquico e imutável, estranho aos princípios de mobilidade social e do devir histórico, que, na realidade, se manifestam com muito vigor.

A disciplina das roupas na Idade Média | Reconstruindo a história das normas suntuárias, que, da segunda metade do século XIII até o fim da Idade Média, disciplinavam o uso de roupas e dos ornamentos e regulavam festas, banquetes e funerais em muitas cidades italianas, Muzzarelli ressalta, por meio de uma análise sequencial, fases distintas que exprimem formas e níveis diversos de elaboração concernentes à relação entre aparências, situações políticas, sociais, econômicas e morais.[4] Na primeira fase assiste-se à formação do problema propriamente dito, como consequência dos progressos alcançados no campo da produção. Desde o final do século XIII, aumenta o número de pessoas que adquirem a possibilidade

---

[2]   Cf. J. M. Lotman, *La cultura e l'esplosione* (Milão: Feltrinelli, 1993).
[3]   Cf. P. Venturelli, "La moda come status symbol. Legislazioni suntuarie e 'segnali' di identificazione sociale", em R. Varese & G. Butazzi (orgs.), *Storia della moda* (Bolonha: Calderini, 1995), pp. 27-54.
[4]   M. G. Muzzarelli, *Il guardaroba medievale* (Bolonha: il Mulino, 1999), p. 268 *passim*; ver também, da mesma autora, *Gli inganni delle apparenze. Disciplina di vesti e ornamenti alla fine del Medioevo* (Turim: Paravia, 1996).

de usar roupas requintadas e ornamentos preciosos. Isso ameaça as barreiras entre os grupos sociais e contradiz abertamente o apelo à renúncia e à penitência evocado, por exemplo, por São Francisco de Assis. Além disso, as normas suntuárias promulgadas ao longo do século XIII, no tempo de Giotto e Iacopone da Todi, e em pleno período comunal, ainda que tivessem, no fundo, um apelo ético, vão ao encontro também da precisa finalidade política de eliminar os privilégios dos detentores do poder anteriores, vencidos politicamente. Os novos protagonistas da cena política querem privar a nobreza tanto dos emblemas de seu poder como de sua fortuna, até então ostentada sem nenhum comedimento. A imposição de uma medida mostra-se, portanto, uma arma política, um instrumento para anular os antigos privilégios e afirmar claramente uma nova ordem política. Ao lado dos progressos do mercado relacionados à produção e, portanto, à oferta de roupas e ornamentos, as leis do século XIV parecem diferentes daquelas do século precedente. Os legisladores não se referem apenas a caudas e guirlandas, mas arrolam modelos e objetos preciosos muito requintados, como bordados, cintos, botões, pérolas, corais, madrepérolas e esmaltes. Além disso, diferentemente da normativa do século XIII, que recomendava a todos os cidadãos a modéstia e vetava os desperdícios, os múltiplos éditos do século XIV têm como traço comum a identificação daqueles que estão exonerados de tais restrições. De fato, afirma Muzzarelli, as normas suntuárias na Idade Média não eram concebidas somente com "o escopo de conter luxos e de limitar importações e despesas, mas também (eu diria, sobretudo) para fixar um código detalhado das aparências".[5] Os modelos e estilos não são proibidos indistintamente a todos, e a norma os reserva a um grupo social definido, constituído pelos cavaleiros e doutores. São posições sociais de relevo, que as normas "protegem" da "vil" atividade econômica e das "baixas" transações comerciais. Em todo caso, pode-se afirmar que na ação do legislador está presente um comportamento ambíguo. Por um lado, veta uma série de objetos arrolados com rigor, por outro, oferece uma saída para quem não consegue renunciar a eles. A "saída" é a indicação da multa que correspondem a cada transgressão específica. No final das contas, trata-se de um sistema válido para harmonizar "consciências e substâncias citadinas". Promulgando as leis, tranquilizam-se as consciências; cobrando as multas de quem não as respeita, restabelece-se o equilíbrio econômico das cidades. Por fim, no século

---

[5] M. G. Muzzarelli, *Il guardaroba medievale*, cit., p. 273.

XV, o último da Idade Média, o traço peculiar das normas suntuárias é o acirramento da subdivisão da sociedade urbana em categorias: pode-se dizer que é o "triunfo" do código das aparências.

Aparências nobiliárias e política econômica na Idade Moderna

Do mesmo modo, na área francesa, Fogel analisa a legislação monárquica, e mostra a relação entre as esferas social e política. Examinando um *corpus* de dezoito éditos promulgados entre 1485 e 1660 relativos ao vestuário e aos ornamentos, Fogel identifica, ao lado de uma política econômica, uma política de defesa das aparências nobiliárias.[6] No preâmbulo do édito de 1514, pode-se observar a identificação explícita entre título nobiliárquico e vestuário. De fato, veta-se de maneira absoluta a qualquer não nobre ostentar insígnias nobiliárquicas, seja no título, seja na indumentária. Por mais de dois séculos a monarquia francesa tentará, com todos os meios, reservar para a nobreza a prerrogativa da seda, definir o *status* das cores, vetar o uso do ouro e da prata nas *parures*, com o objetivo de conter a promiscuidade, muito difundida, das aparências e das condições sociais. Nesse sentido, o procedimento normativo confirma a posição dos tratadistas. Na visão de um homem comum e do leitor de opúsculos, as manifestações do luxo determinam dois efeitos de certo modo opostos. Por um lado, provocam a revolta daqueles que denunciam os desperdícios e suas perigosas consequências. Nesse sentido, Puget de La Serre sarcasticamente observa:

> Todos se esforçam para aparentar o que não são, e não há ninguém que queira aparecer por aquilo que é. Mais cedo ou mais tarde, sem ter nenhum mérito nem o título nem as rendas, alguém decidirá ser príncipe e, com todos os ornamentos da ocasião – tomados de empréstimo –, procurará por toda parte espelhos para fazer amor consigo mesmo.[7]

A condenação do luxo

A vacuidade do aparentar e o narcisismo dão uma visão negativa da moda e tornam o mundo semelhante a um palco. A posição dos moralistas que denunciam a falsidade das "almas" nesse caso é semelhante às prescrições proclamadas pelo Concílio de Trento em plena Contrarreforma. Por outro lado, o luxo e suas proibições desencadeiam um processo que gera inovação, imitação, falsificação.[8] A condenação do luxo sem medida dos *parvenus* e das exibi-

---

6 Cf. VV.AA., *Modèle d'Etat et modèle de dépense*, Colloque CNRS, Paris, 1987.

7 *Apud* D. Roche, *Il linguaggio della moda. Alle origini dell'industria dell'abbigliamento*, cit., p. 51.

8 *Ibidem.*

ções excessivas dos falsificadores contribui para unificar a linguagem típica das aparências: o aperfeiçoamento de uns contribui para a desclassificação de outros. Os textos satíricos insistem na radical diferença que há entre o hábito do cortesão e aquele do burguês: apresentam este último como o "verdadeiro" modelo da tradição, do conformismo, do respeito aos imperativos da moral religiosa e social. Ora, se em linhas gerais esse discurso não é novo, o que há de novo, no começo da Idade Moderna, é a mistura incontrolável dos estratos e a confusão entre as camadas sociais. Aos olhos dos conservadores, tal confusão parece incompreensível, inconcebível. Os moralistas "apontam o dedo" contra o caráter cênico e lúdico da vida, o prazer das transformações, a paixão pela mudança e a inversão dos papéis. Sob esse aspecto, pode-se levantar a hipótese de que eles, mesmo identificando no vestuário e na cidade os emblemas da culpa, na realidade querem denunciar a confusão cada vez mais frequente da semântica social, ou seja, afirmar que a roupa não é culpada em si mesma, mas como sinal de outra coisa. É plausível então afirmar que a preocupação com a mistura dos signos, profundamente radicada na mentalidade do *Ancien Régime*, sobrevive às mudanças concretas das regras e dos comportamentos na sociedade. São testemunhas disso algumas obras do século XVIII (como, por exemplo, *Costume français représentant les différents états du royaume avec les habillements propres à chaque état accompagné de réflexions critiques et morales*, e ainda *Signore di corte* e *Poveri dei due sessi*), que percorrem toda a escala das aparências, oferecendo informações e conselhos sobre a cor, a manutenção das peças de roupa, sobre as opiniões relativas ao aspecto físico e sobretudo aquilo que pode manter estáveis e firmes os critérios da distinção.

> Confusão da semântica social

Todavia, não obstante as tentativas dos historiadores de reconstruir o grau de aplicação das normas que regulam os modelos, os materiais e as despesas à época em que foram promulgadas, as leis suntuárias são, na história do costume, um grande capítulo que ainda deve ser escrito. Como afirma Roche: "Os preâmbulos dos éditos falam claramente [...] mas [...] se acumulam os problemas historiográficos não resolvidos: a relação das leis suntuárias com a conjuntura monetária, e no mercado de consumo normal, as influências dessas leis no comércio, no artesanato, no crédito". Acima de tudo, também permanece irresoluto, em termos de "leis e morais contra", o problema referente à temporalidade, ou seja, à relação entre dois modos diferentes de viver o tempo, o consumo, duas cronologias (a de quem segue a moda e a de quem não a segue) cuja polaridade rege, a partir da Baixa Idade Média, a metamorfose da indumentária na Europa ocidental. Resta resolver também aquilo que está necessariamente relacionado a tal problemática dentro de um discurso da história social da moda.[9] Ampliando o campo de pesquisa à história da mentalidade, é necessário, de fato, ter presente que a moda, cujo traço peculiar continua sendo a contínua mudança, testemunha a presença de um novo tempo reconhecido como legítimo, um tempo denominado moderno. O termo "moderno" (de origem latina, cunhado no século VI d.C.) não significa somente "recente", mas também, e sobretudo, "novo" e "diferente". Difunde-se a partir do século XII graças aos sucessos do movimento urbano, aos progressos da burguesia e dos mercantes, que no século XIV começam a medir diretamente o tempo do trabalho e das operações comerciais e bancárias.[10] O desenvolvimento técnico e a crítica à física aristotélica e tomista contribuem para romper a concepção contínua do tempo, a única considerada legítima, e favorecem o nascimento de uma concepção temporal descontínua, breve. Se até aquele momento o tempo por excelência tinha sido o da salvação, o tempo do "céu", começa a desenvolver-se uma corrente de pensamento que vai ao encontro da dimensão eterna por meio da realização terrena, ou seja, através do tempo da "terra". Em relação a esse processo, Le Goff fala de um "tempo da Igreja" e de um "tempo do mercador"; o primeiro é simbolizado pelo sino que chama os fiéis, o segundo, pelo relógio, que se encontra na praça da cidade, diante do edifício de culto. Isso significa que começa a surgir uma nova concepção do tempo, laica e, sobretudo, perfeitamente mensurável, calculável, que organiza todas as atividades cotidianas.[11]

Nesse sentido, o embate entre antigo e moderno que, na Baixa Idade Média, se dá essencialmente no terreno literário, ou, de forma mais ampla, no terreno cultural, a partir do século XII engloba também a moda, campo de confronto entre pais e filhos, adultos e jovens, em termos atuais, um choque de gerações. Portanto, não somente a literatura, a filosofia e a arte estão no centro do debate, mas também a metamorfose das roupas, dos ornamentos. Em termos de história do vestuário, esse embate "temporal" pode ser observado a partir daquela que é considerada a primeira manifestação verdadeira da moda, quando, pela primeira vez, os jovens parecem esteticamente bem diferentes de

---

[9] *Ibid.*, p. 28; ver também p. 33.

[10] Cf. J. Le Goff, *Storia e memoria* (Turim: Einaudi, 1972), p. 1323 *passim*; A. Placanica, *Persistenze e mutamento* (Cava dei Tirreni: Avagliano Editore, 1995), pp. 53-68.

[11] Cf. J. Le Goff, *Tempo della Chiesa e tempo del mercante* (Turim: Einaudi, 1977), p. 12.

seus pais. O discurso é, em si, conflituoso; se é verdade que no corpo vestido está em jogo também o modo pelo qual o homem está no mundo, como se relaciona com a realidade de seu tempo na dimensão concreta: no modo em que compreendo o meu tempo está em jogo também o comportamento existencial que assumo e os comportamentos que colocarei em prática. A metamorfose das roupas, mais do que um fazer, é um modo de estar no mundo, de se relacionar com a realidade. A questão-problema da temporalidade, nessa perspectiva, não será única e exclusivamente assinalar uma dicotomia entre "velhas" e "novas" roupas, mas, sobretudo, ver o que implica a sua repercussão no plano das "leis e morais contra".

Tempo de jovens, tempo de autonomia

Ainda que tenha raízes ramificadas em um contexto cultural não unívoco, o nascimento "oficial" da moda na Europa ocidental ocorre na metade do século XIV, quando aparece um tipo de roupa radicalmente nova que distingue com clareza o sexo de quem a veste: curto e apertado para o homem, longo e aderente ao corpo para a mulher.[12] Essa diferenciação, que pode ser considerada uma verdadeira revolução do modo de se vestir, estabelece as bases da indumentária moderna. Por séculos os dois sexos vestiram o "camisolão", quase igual para ambos. No século XIV os homens o substituem por uma roupa constituída por um jaleco, uma espécie de casaco curto e estreito, e por meias-calças* (dois tubos de tecido que chegam até a altura da virilha, onde se ligam à barra do jaleco por meio de alfinetes, cadarços e fitas que passavam por caseados) aderentes, que delineiam o contorno das pernas. As mulheres vestem um vestido longo como o "camisolão" tradicional, mas mais apertado e decotado. A grande novidade é que a indumentária masculina põe em evidência as pernas modeladas pelas meias-calças, estabelecendo uma diferença muito marcada entre roupas masculinas e femininas. O abandono de um modo de vestir uniforme aos dois sexos constitui o mais importante fenômeno de uma nova concepção do costume no Ocidente, porque até aquele momento o

O nascimento "oficial" da moda

---

[12] Cf. F. Braudel, *Civiltà materiale, economia e capitalismo secoli XV-XVIII* (Turim: Einaudi, 1993), p. 288; G. Lipovetsky, *L'impero dell'efimero* (Milão: Garzanti, 1989), p. 27 *passim*. Além disso, cf. Levi Pisetzky, "Moda e costume", em *Storia d'Italia i documenti*, vol. V (Turim: Einaudi, 1973), pp. 163-183.

* No original, *calze brache*. Meias masculinas compridas, aderentes como uma malha, usadas na Baixa Idade Média. (N. T.)

vestuário não tinha sofrido grandes transformações, continuava amplo, longo e pregueado, e não manifestava características sociais e geográficas particularmente definidas. A indumentária feminina, a partir desse momento, também se torna aderente e revela o corpo: o alonga com a cauda, coloca em evidência o colo, a cintura e a curvatura dos quadris. O seio é ressaltado pelo decote, e o ventre é acentuado por saquinhos proeminentes, escondidos sob o vestido, como testemunha o *Retrato dos cônjuges Arnolfini* (1434), pintado por Jan Van Eyck. Não se sabe onde a nova indumentária apareceu pela primeira vez, mas é notório que muito rapidamente, entre 1340 e 1350, difundiu-se por toda a Europa ocidental. Desde aquele momento, as variações do modo de se vestir assumem um ritmo sempre mais frequente. É, naturalmente, um fenômeno de longa duração, porque apenas no século XVIII a moda se torna um verdadeiro "império", quando os modos de se vestir mudam "todos os meses, todas as semanas, todos os dias, quase a toda hora". Ainda assim, é a partir da segunda metade do século XIV que se pode falar propriamente de "moda" no sentido em que o mecanismo, tal como o conhecemos hoje em dia, já existe e é percebido pelos próprios contemporâneos, como se pode ver, por exemplo, na descrição do cronista florentino Giovanni Villani (1280-1348):

> Nestes tempos as gentes começaram a mudar de hábitos e roupas desmesuradamente. Começaram a fazer pontas longas nos capuzes. Começaram a usar roupas apertadas à moda catalã, colares e bolsinhas na cintura e, na cabeça, a vestir chapéus sobre o capuz. Além disso, usam barbas longas e cheias. Antes não havia essas coisas. As pessoas barbeavam-se e vestiam roupas largas e honestas. E, se alguém usasse barba, seria suspeito de ser homem de péssima reputação, a não ser que fosse espanhol, ou homem de penitência [peregrino]. Agora se mudou de convicção, usam chapéus na cabeça pela autoridade, têm barba à maneira dos eremitas, bolsa ao modo dos peregrinos. Quem não se veste assim, com chapéu, barba e bolsa, é considerado homem de pouco valor. Quem tem uma grande cabeleira e barba grande é homem temido.[13]

Na descrição se revela como principal característica a mudança desmedida em relação a um "antes" em que determinadas coisas não existiam. Mas, enquanto não há nada de estranho no fato em si, isto é, na variação exterior,

---

[13]   *Apud* G. Mafai, *Storia della moda* (Roma: Editori Riuniti, 1998), p. 51.

não se pode dizer o mesmo para aquilo que aí está implícito. De fato, o dado que se registra de modo mais incisivo é a mudança de "convicção" que subjaz às próprias variações estilísticas. A constatação da diferença entre aquilo que era e aquilo que é – tema de fundo de numerosos observadores – coloca-nos diante da "pouca firmeza dos viventes", de "todo o mundo", uma vez que o fenômeno da variação das roupas é geral, difuso em âmbito europeu, e não limitado ao âmbito italiano:

> Assim como não mudavam com frequência na nossa terra, na maior parte das outras cidades do mundo elas não estavam menos firmes. Assim, os genoveses não tinham jamais mudado os seus estilos e modelos, nem os venezianos, nem os catalães mudavam os seus, nem as suas mulheres. Hoje em dia me parece que todo o mundo está concorde em ter pouca firmeza, porque os homens e as mulheres florentinos, venezianos, catalães, e toda a cristandade, vão do mesmo modo, não se reconhecendo um ao outro [...] de maneira que para o mundo todo, especialmente para a Itália, é mutável e corrente adotar novos estilos.[14]

E tudo isso em perfeita consonância com o fato de que os homens e as mulheres da Baixa Idade Média conferem dignidade e valor ao prazer do luxo, à curiosidade e à admiração por tudo aquilo que brilha (Figura 1). Mais precisamente, o prazer do refinamento e o cuidado com a elegância aparecem como a paixão dos jovens, vividos não somente com euforia, mas também com ansiedade e preocupação, sobretudo quando são lembrados na velhice ou, pelo menos, na idade adulta:

> Você percebe quão grande era a nossa ansiedade pela elegância desmesurada no vestir? Como nos preocupávamos em mudar de roupa de manhã e à tarde, que temores tínhamos que se descompusesse sobre nossas cabeças um chapéu, ou que o leve sopro do vento desfizesse os penteados laboriosamente feitos? Quanta atenção em ficar em guarda contra todo animal que pelas ruas viesse de encontro a nós, ou pelas costas, para que um espirro de lama não sujasse nossa limpeza, ou o choque com uma pessoa não alterasse as pregas das nossas perfumadas garnachas?[15]

---

14   F. Saccetti, *Novella CLXXVIII*; ver também R. Levi Pisetzky, "Moda e costume", cit., p. 30 *passim*.
15   F. Petrarca, *Lettere*, livro X (Florença: s/ed., 1864), p. 461.

Figura 1
Histórias de Alatiel
(c. 1440).

Figura 2
Jovens com jaleco e meias-calças (primeira metade do século XV).

Os alvos *contra* |

Com os jalecos curtos na cintura e as calças divididas, ou seja, não costuradas no cavalo, e com roupas vistosas, os jovens e as mulheres são os principais alvos *contra*, por serem "objeto" de escândalo. Os rapazes, principalmente, são censurados e criticados, porque vestem sapatos com "pontas longuíssimas, como se com elas devessem fisgar as mulheres e tê-las a seu bel-prazer", pelo tempo que desperdiçam

> nos barbeiros para se fazerem pentear a barba, para deixá-la com duas pontas, para tirar este pelo, girar aquele outro para outro lugar, para fazer que nenhum pelo cubra a boca; e em espelhar-se e em enfeitar-se, alisar-se, pentear-se os cabelos, ora à moda bárbara, deixando-os crescer, fazendo tranças, enrolando-os na cabeça, e à vezes soltos sobre os ombros, esvoaçantes, e ora [...] recolhendo-os.[16]

São criticados, os rapazes, porque seguem modas estrangeiras, francesas e alemãs; porque caminham "com os espelhos na bolsa e com frequência à

---

[16] G. Boccaccio, *Il commento alla Divina Commedia e gli altri scritti intorno a Dante*, vol. II, edição de D. Guerri (Bari: s/ed., 1918), p. 153.

mão"; porque competem com as mulheres e não têm escrúpulo em maquiar o rosto; mas o são, sobretudo, por mostrarem a forma das nádegas e da genitália.[17] A maior reclamação contra os jovens, de fato, refere-se ao fato de vestirem casacos coloridos, jalecos estofados, justos e aderentes, que, escondendo pouco as inconveniências no movimento dos jogos e da dança, permitem a eles pôr descaradamente à mostra, com vaidade, os atributos sexuais (Figura 2, p. 54). Portanto, a desaprovação moral contra as meias-calças é geral e amplamente difusa. Sob esse aspecto, a imagem que mais exprime a desaprovação de um costume tão "abominável" estabelece-se na equivalência jovem-animal, na inexistência de "diferença alguma em relação aos animais brutos".[18] E que as coisas são assim é, de resto, confirmado pelo fato de que o jovem, vestindo certas roupas, mostra-se e comporta-se exatamente como um animal:

> Ó jovem, quero começar por ti. Quando tu vais com as pernas esticadas e delineadas, com as pernas à mostra, com as meias apertadas e divididas, e o jaleco no umbigo, certamente com esses trajes tu mostras quem és. Assim quando voltas para casa, tiras a jórnea* [...] Já pensaste em como é feita a jórnea? Ela é feita como uma manta de cavalo com as franjas em uma ponta e em outra, de modo que tu te vestes como um animal. Também o capuz, portando-o alto e arredondado, oh, quanto te parece cair bem.[19]

Desde o final do século XIII, nos manuais de pregação, mulheres e jovens recebem as mesmas advertências; é a partir desse momento que na Itália, por exemplo, a juventude se torna "argumento" ulteriormente organizado em torno das posições do "limitar", do "moderar" e do "governar".[20] Desse ponto de vista, o *juvenis* é motivo de temor assim como a mulher. Ambos, juntos, são identificados com comportamentos condenáveis: o mesmo luxo, a mesma orgia de roupas e de ornamentos os une. Mulheres e jovens cedem a modas indecentes e vergonhosas, juntos participam dos bailes, das diversões, das festas que acompanham os casamentos. Deles se deve esperar o pior, por sua falta de medida, sua fragilidade; e, ainda que o discurso não se desenvolva em torno de

---

[17] Cf. J. De Mussis, "Chronicum Placentium", em L. A. Muratori, *Antiquitates italicae*, vol. II, diss. XXIII, col. 320 a-b (Bolonha: A. Forni, 1965).

[18] G. Boccaccio, *Il commento alla Divina Commedia e gli altri scritti intorno a Dante*, vol. II, cit., p. 154.

* Vestuário em forma de manto largo, aberto dos lados e sem mangas. (N. T.)

[19] Bernardino da Siena, *Le prediche volgari*, edição de P. Bargellini (Roma/Bari: s/ed., 1936), p. 841.

[20] Cf. E. Crouzet-Pavan, "Un fiore del male: i giovani nelle società urbane (secoli XIV-XV)", em G. Levi & J. C. Schimitt (orgs.), *Storia dei giovani*, vol. I (Roma/Bari: Laterza, 2000), pp. 211-277.

um tema central, como as roupas e seus ornamentos, eles são sempre condenados pelas mesmas fraquezas e pela mesma ausência de disciplina na linguagem, no comportamento e nos divertimentos. Mulheres e jovens formam dupla quanto aos "pecados" e às "obstinações". A mulher frívola suspira a semana inteira pela chegada do domingo com as suas danças. O jovem lamenta-se por ficar retido na oficina de todos os dias. Aquela veste roupas de prostituta e passa o dia a divertir-se com os jovens. Este gasta, joga e se adorna, cedendo a todos os apetites. Ambos constituem um obstáculo à paz e à salvação.[21]

O valor da personalidade

Ora, o que é definido pelos moralistas e pelos predicantes como falta de medida, exagero no adornar-se, de que os jovens e as mulheres são o símbolo por excelência, pode ser considerado como consequência de um fenômeno histórico mais amplo que acontece na Baixa Idade Média, sobretudo entre as classes superiores. Tal fenômeno consiste essencialmente em uma mudança de mentalidade no que tange à posição do indivíduo em sua relação com a coletividade. Se antes o grupo e as regras comuns tinham dominado o indivíduo e suas escolhas específicas, a partir dos séculos XII e XIII começa a surgir o valor da personalidade compreendida na sua singularidade. Em outros termos, o que começa a se estabelecer é o desejo de afirmar o valor da personalidade do singular, a valorização social da singularidade individual, da autonomia da pessoa.[22] A expansão da economia e o incremento da agricultura reanimam as estradas, os burgos e os mercados, vão, pouco a pouco, transferindo-se para a cidade os sistemas de controle. A importância cada vez maior da moeda nos aspectos mais comuns da vida de todos os dias e a difusão do uso da palavra "ganho" são fatores que contribuem para determinar tal fenômeno. Duby, que sublinhou seus primeiros sinais, explica que nessa época da Baixa Idade Média se descobrem nos documentos de arquivo e nas escavações arqueológicas numerosas referências a cofres, a bolsas e muitos restos de chaves. Essas fontes podem ser consideradas indícios que confirmam uma certa vontade de ter para si bens móveis, de poupar e de tornar-se independente dos próprios familiares. Desse modo se afirma a liberdade, abre-se espaço para as iniciativas individuais.[23] Esse espírito de iniciativa difunde-se tanto entre as camadas

---

[21] *Ibidem.* Cf. D. Owen Hughes, "Le mode femminili e il loro controllo", em C. Klapisch-Zuber (org.), *Storia delle donne in Occidente. Il Medioevo*, vol. II (7ª ed. Roma/Bari: Laterza, 2005), pp. 166-193.

[22] Cf. G. Duby, "Situazione della solitudine. Sec. XI-XIII", em P. Ariès & G. Duby (orgs.), *La vita privata dal feudalismo al Rinascimento* (Roma/Bari: Laterza, 1988).

[23] *Ibidem.*

populares como entre as classes dominantes. No que concerne às primeiras, se assiste à lavra e preparação para o cultivo de novos terrenos, e ao nascimento de rápidas fortunas econômicas por parte dos comerciantes e artesãos. No que concerne às outras, pode-se observar a rapidez com que fazem fortuna certos clérigos que põem a serviço dos príncipes suas competências administrativas, certos cavaleiros que acumulam grandes somas de dinheiro durante os torneios, embolsando o resgate dos vencidos. A mobilidade das riquezas e o crescimento do espírito de iniciativa contribuem para a valorização da pessoa, da liberdade, da autonomia, da curiosidade tanto pelo que é novo quanto pelo que é diferente. Tal concepção apresenta-se em perfeita sincronia com aquilo que, historicamente, está por trás do fenômeno da metamorfose dos vestidos e dos ornamentos. Tendo em mente que a moda, antes da metade do século XVIII, isto é, antes do nascimento da imprensa especializada no assunto, "é um pretexto para uma reflexão acerca dos princípios que organizam a sociedade",[24] é importante, a esta altura, determo-nos sobre algumas das múltiplas ramificações subentendidas, com a finalidade de descobrir gradualmente o que se aninha na concepção moral e social da moda em pleno século XVIII, quando aos olhos dos contemporâneos já é clara a lógica da volubilidade que é constitutiva da moda em si.

Curiosidade pelas roupas *versus* devoção religiosa

Expressão emotiva de uma consciência que se liberta dos imperativos transcendentes, tornando-se protagonista de sua história, o "amor pos si mesmo" aparece como a paixão dominante da Idade Moderna.[25] Nesse período se forma de maneira sempre mais clara, particularmente nos estudos filosóficos, o tema da subjetividade, da reflexão sobre a interioridade da pessoa, de seu caráter específico de individualidade irredutível a um conceito geral. Pode-se dizer que o que possibilita essa corrente de pensamento – cuja sistematização será fornecida por René Descartes (1596-1650) – é fundamentalmente a dissolução da cosmologia medieval. O humanismo, a descoberta do Novo Mundo, a Reforma protestante, ao lado dos progressos da ciência que desembocaram

> "Amor por si mesmo": paixão dominante da Idade Moderna

---

[24] D. Roche, *Il linguaggio della moda. Alle origini dell'industria dell'abbigliamento*, cit., p. 33.

[25] Cf. E. Pulcini, "La passione del Moderno: l'amore di sé", em S. Vegetti Finzi (org.), *Storia delle passioni* (Roma/Bari: Laterza, 2004), pp. 133-180.

na revolução científica, contribuem inexoravelmente para a desagregação dos fundamentos do universalismo político e social do mundo cristão. Tal dissolução cria uma situação ambivalente no que concerne à natureza humana. De um lado, de fato, o homem encontra-se em um estado de inquietação e desorientação; de outro, descobre a possibilidade de construir um novo sentido de si mesmo, e, pondo em discussão hierarquias e transcendências, de ter acesso a territórios inexplorados. A reforma protestante, trazendo o indivíduo para a interioridade de sua consciência, acelera o processo de valorização da singularidade. O homem encontra seus princípios, seus projetos e seus objetivos em si mesmo e não mais na vasta ordem cósmica à qual, em todo caso, pertence. A gradual erosão dos fundamentos teológico-metafísicos permite ao indivíduo descobrir cada vez mais a sua autonomia e entrever novos horizontes; mas, simultaneamente, o expõe a novos medos, novas tensões e esperanças. Percebendo a instabilidade, a mutabilidade da realidade e do próprio ser no mundo, Montaigne afirma que "não há nenhuma existência constante, nem do nosso ser nem dos objetos. E nós, o nosso juízo, e todas as coisas mortais vamos escorrendo e rolando sem repouso".[26] Em contraposição, propõe a volta a si mesmo, à vida interior, para conhecer-se e aceitar-se na sua natureza íntima: "Quero que me vejam aqui, no meu modo de ser simples, natural, consueto, sem afetação nem artifício, porque é a mim mesmo que pinto [...] sou eu mesmo a matéria de meu livro".[27] O *moi* de Montaigne – que se autoexplora decidido a aceitar-se e a armar-se na própria fraqueza e duvida de toda certeza, encontrando dentro de si o ponto central sobre o qual fundar um equilíbrio, ainda que nunca definitivo – torna-se uma das expressões fundamentais da subjetividade moderna. Liberta da obrigação de corresponder à objetividade do mundo externo, a interioridade do sujeito torna-se o espaço no qual se funda uma nova visão do mundo, uma *Weltanschauung*, regulada por aqueles elementos de mudança, fluidez, acidentalidade que a metafísica tradicional recusou desde a sua fundação. A existência humana é privada de pontos de referencia de tal modo que até mesmo a fronteira entre sono e vigília aparece incerta e fugidia. Aceitando esse eterno devir como uma dimensão constitutiva do nosso ser, pode-se encontrar aquela consonância entre mundo externo e vida interior que parece perdida.

---

[26] M. Montaigne, *Saggi* (Milão: Adelphi, 1992), p. 801.
[27] *Ibid.*, p. 134.

Interpretada na maior parte dos casos como pura abstração conceitual, a subjetividade, como foi delineada há pouco, na verdade se traduz em múltiplas formas concretas e historicamente bem identificadas. De fato, de modo algum isolável em um contexto que avalie exclusivamente sua fundação teorética, o "amor por si mesmo", expressão de uma consciência protagonista da própria história, encontra uma de suas primeiras manifestações objetivas na presença de datas, na divisão das idades da vida e dos lugares de nascimento dos narradores nas memórias dos séculos XVI e XVII. São noções, afirma Ariès, que se tornam comuns na vida de todos os dias e se difundem na mentalidade popular como "objetos" de especial atenção.[28] Assumindo, às vezes, o estilo de uma verdadeira fórmula epigráfica, esses dados pessoais – em particular a data – são também registrados nos retratos e nos móveis da decoração. Difunde-se uma verdadeira "preocupação de exatidão cronológica", na qual parece estar subentendida a necessidade de dar ao indivíduo uma história, de reforçar a sua consistência histórica. Essa "curiosa necessidade de datar" desloca-se do plano individual ao plano comum, chegando a confluir com o sentimento da família. As coordenadas que antes diziam respeito aos indivíduos em si acabam por abarcar todos os componentes do núcleo familiar.[29] Portanto, o fato de colocar a data em um retrato ou em um objeto exprime o mesmo comportamento sentimental, seja individual ou familiar, que tende a consolidar a dimensão histórica. A popular representação das "idades da vida" torna-se, a partir do século XV, um dos temas mais frequentes também da iconografia profana. Nas gravuras, essas idades são chamadas as "escadas da idade", porque mostram pessoas que representam as idades sucessivas, do nascimento à morte, frequentemente retratadas em pé sobre degraus que à esquerda sobem e à direita descem. No centro dessa dupla escada, como sob o arco de uma ponte, aparece o esqueleto da morte armado com uma foice, como para lembrar a relação entre o único dado permanente, a morte, e a mutabilidade de todo o resto. A grande difusão popular das "idades da vida" é documentada também por diversos autores que, pela primeira vez, entre o fim da Idade Média e o início da Idade Moderna, registram para a história a memória das roupas que vestiram ao longo de sua vida. Nesse sentido, *Trachtenbuch*, de Matthäus Schwarz, nascido na Baviera em 1497, pode ser considerada a obra principal:

> A necessidade de "datar"

> As idades da vida

---

[28] P. Ariès, *Padri e figli nell'Europa medievale e moderna* (Roma/Bari: Laterza, 1999), p. 11 *passim*.
[29] *Ibidem*.

são 137 desenhos que o retratam em todas as roupas de sua vida, do primeiro "vestido", constituído pelo ventre materno, até o manto de pano negro usado constantemente nos últimos anos de sua vida.[30]

A fisiognomonia

É necessário, além disso, salientar o impacto do desenvolvimento da fisiognomonia, a ciência que, nascida na Antiguidade, deduz o caráter dos indivíduos de seus traços corporais (especialmente do rosto), estuda os comportamentos e as emoções dos homens e suas analogias com aqueles dos animais. Analogamente, desde o final do século XV, a ampla difusão do retrato psicológico e do autorretrato procura tornar visível os elementos mais íntimos, inefáveis e fugidios da pessoa.[31] O *Retrato de Cecilia Gallerani*, pintado por Leonardo da Vinci nos anos transcorridos em Milão, é um exemplo perfeito de penetração psicológica. A construção volumétrica do busto, com sua torção em espiral, é contraposta à exatidão anatômica do manto de arminho. Seguindo o andamento irregular de tal construção, o espectador é, então, excluído da participação no evento representado, pois a jovem mulher está virada, dirigindo a atenção para algo que a distraiu.

Os traços do que se apresenta à consciência, portanto, não são mais procurados em uma realidade absoluta e transcendente, mas naquilo que é mutável, real e concreto. Cai assim a ideia de um sujeito imutável. Verifica-se, portanto, mais uma mudança na direção de uma temporalidade breve, da mudança como característica constitutiva da existência humana. Uma reviravolta verifica-se também em relação ao conhecimento do mundo. Com as descobertas geográficas entra-se em contato com uma realidade natural que parece estranha, diferente, fabulosa e, em certos aspectos, "monstruosa".[32] As descrições de viagens, cada vez mais numerosas, satisfazem o que pode ser definido como um desejo de conhecer uma realidade diferente, ou seja, a curiosidade por objetos estranhos e diferentes daqueles conhecidos: plantas exóticas, animais raros, indivíduos diferentes. Difunde-se também, especialmente, a "curiosidade pelas roupas", que no início do século XVI é satisfeita, por assim dizer, pela publicação das primeiras coleções de gravuras de indumentárias (Figura 3). Tais coleções, no geral, podem ser efetivamente consideradas

A curiosidade pelas roupas

---

[30] *Ibidem*. Ver também N. Bailleux, *La moda. Usi e costumi del vestire* (Trieste: Electa/Gallimard, 1996), pp. 66-69.

[31] Cf. J. Shearman, *Arte e spettatore nel Rinascimento italiano* (Milão: Jaca Book, 1995).

[32] G. Olmi, *L'inventario del mondo. Catalogazione della natura e luoghi del sapere nella prima età moderna* (Bolonha: il Mulino, 1992), pp. 204-205.

Figura 3
Xilogravura do catálogo de De Bruyn (1581), que classifica o mundo feminino.

a expressão do desejo dos homens de conhecer o mundo. A primeira coleção de *Habiti* [Roupas] é de Enea Vico, publicada em Veneza, em 1558: contém 98 xilogravuras com indumentárias de 98 partes do mundo.[33] A difusão desse material é notável. Em 1562 sai *Recueil de la diversitè des habits qui sont présent en usaige*, de François Desprez, que na introdução assegura aos leitores que as imagens são verdadeiras. Essa obra tem duas edições em três anos, e apresenta 121 gravuras acompanhadas por um breve texto que descreve tanto os detalhes dos vestidos como situações comportamentais. Em 1563, Ferdinando Bertelli imprime em Veneza uma primeira série de imagens de roupas, extraídas da obra de Vico, com o título *Abiti di tutte le genti della nostra epoca mai pubblicati prima d'ora*. Em 1577, em Nuremberg, é publicado o volume intitulado *Abiti dei popoli principali, sia maschili che femminili*: 219 xilogravuras feitas por Hans Wiegel a partir dos desenhos de Jost Amman. Do mesmo artista é publicada em Frankfurt, em 1586, uma nova coleção de gravuras dedicada ao vestuário feminino.[34] Em 1581, De Bruyn publica dois catálogos importantes: *Abiti delle diverse genti del mondo*, 67 xilogravuras que representam 182 indumentárias, e *Abiti delle genti di tutta Europa, Asia, Africa e America*. Em 1589 o italiano Pietro Bertelli, em Pádua,

---

[33] Cf. G. Butazzi, "Repertori di costume e stampe di mostra tra i secoli XVI e XVIII", em R. Varese & G. Butazzi (orgs.), *Storia della moda*, cit., pp. 2-15.
[34] *Ibidem*.

imprime a primeira parte do volume *Abiti delle diverse nazioni*; outras duas partes seguem em 1591 e 1596. No volume *Degli habiti antichi e moderni di diverse parti del mondo*, publicado em Veneza, em 1590, Cesare Vecellio ilustra com uma série de gravuras uma ampla gama de roupas em uso em Veneza, Roma, Nápoles, assim como na França e na Alemanha. Classificando os modos de vestir, Vecellio dá uma descrição do mundo. O pirata turco, a cigana oriental, a mulher do mercador veneziano presentes na obra revelam uma visão geográfica do mundo que atribui a cada um uma colocação bem precisa, exatamente como acontece com os rios, as cidades e os relevos nos atlas geográficos. A importância das coleções de indumentária está, sobretudo, nos textos detalhados em que os autores comentam as gravuras, ricos de informações relacionadas ao vestuário do qual, em alguns casos, foram observadores diretos.[35] Nesse sentido, pode-se afirmar que a roupa se torna o reflexo das coisas e da diversidade dos homens. Mas, se o "curioso" encontra em meio a essa diversidade uma gama de estranhezas e de exotismos, na qual a roupa representa um elemento a ser observado para conhecer os outros, um mundo diferente, o "moralista" está convencido de que é necessário um exaustivo aprofundamento de tais aspectos, com o objetivo de fazer com que apreendamos os *verdadeiros* princípios que disciplinam a consciência e suas leis, e, a partir disso, os fundamentos sobre os quais o homem deve construir sua existência. O destino das coisas é a mudança, a inconstância reina no mundo, o vestuário, símbolo por excelência de tal inconstância, permite ler a condição do homem, tanto em geral como em particular. Para os autores dos quadros de indumentárias, as transformações das aparências revelam as leis universais do coração humano, permitindo assim compreender também os comportamentos do homem diante das mudanças e da novidade. O microcosmo do vestuário encarna o macrocosmo do universo.[36] Por meio de uma verdadeira deformação anamorfótica, Grenaille, por exemplo, na obra de 1646, *La Mode ou caractères de la religion, de la vie, de la conversation, de la solitude, du compliment, des habits et du style du temps*, faz com que convirjam para um único ponto os fenômenos de alteração, bizarria, inconstância, revelando o sentido pelo qual "qualquer coisa participa tanto do todo quanto de si mesma". Manifestando o imutável e o instável, a moda, implicitamente, lembra aos homens não tanto a liberdade, mas sim a inexorabilidade da

O curioso versus o moralista

---

[35] *Ibidem.*
[36] Cf. D. Roche, *Il linguaggio della moda. Alle origini dell'industria dell'abbigliamento*, cit., p. 52.

decadência. "A própria curiosidade, com a qual nós enfeitamos a liberdade das nossas modas, é apenas um defeito, já que acaba sendo, para nós, um contínuo tormento, muito mais que um lenimento para a nossa dor".[37] Para os crentes e os homens de religião, como é possível não condenar essas maneiras artificiais e fugidias? Contemporaneamente, De Fitelieu publica uma obra intitulada *Contre Mode*, que condena, sem possibilidade de apelo, a moda como uma força alienante e demoníaca. Irracional por natureza, a moda testemunha "a loucura do nosso espírito". Sua inconstância contamina todo o universo, ameaça os próprios fundamentos da religião. Rigorosa e em certos aspectos sistemática, a "moral contra" denuncia os efeitos ilusórios, artificiosos, antinaturais da mudança das aparências, a corrupção dos costumes, dos objetivos da natureza, e pede a conversão. Até mesmo o corpo está, afinal, completamente comprometido. Tudo está distorcido. As funções que Deus tinha previsto em seu plano original estão subvertidas: somente renunciando à moda, optando pela natureza e não pelo mundo, pode-se recuperar a liberdade de sermos criaturas divinas.[38] Organizada em torno de conselhos, admoestações e condenações, tal moral é efeito da tentativa da Igreja Católica moderna de definir no âmbito confessional o problema da identidade pessoal.[39] Estabelecendo uma espécie de identificação entre a propagação da fé e a difusão da civilização – tanto na América como na Europa –, o catolicismo tende, de fato, a elaborar todas as modalidades da existência cotidiana. A importância para a sociedade da formação do indivíduo civil e virtuoso, capaz de comportar-se corretamente seja no plano pessoal, seja no plano social, torna determinante o aprendizado dos bons costumes por meio da educação religiosa. Em tal sentido, o comportamento exterior, o modo físico de se comportar, de se relacionar são expressão dos valores substanciais. A educação religiosa para a virtude é, consequentemente, um instrumento de aperfeiçoamento tanto para o indivíduo como para a sociedade civil. Além disso, o que pode ser considerado a criação do moderno registro civil, quando o Concílio de Trento impõe que os párocos registrem batismos e matrimônios, na realidade se insere em um processo de confessionalismo e, sobretudo, de disciplina social. A paróquia, como instituição territorial com os

> Contra a curiosidade

> A educação religiosa para a virtude

---

[37] *Ibid.*, p. 53.
[38] *Ibidem.*
[39] Cf. P. Vismara, "Il cattolicesimo della 'Riforma Cattolica' all'assolutismo illuminato", em G. Filoramo & D. Menozzi (orgs.), *Storia del cristianesimo. L'Età Moderna* (Roma/Bari: Laterza, 1997), pp. 151-290.

limites rigidamente definidos, torna-se uma estrutura fundamental na Igreja e, em certo sentido, da sociedade: torna-se o canal de transmissão e imposição dos modelos de comportamento elaborados a partir do alto.[40]

Da ideia de uma renovação necessária da Igreja, passa-se, portanto, à proposta de um novo modelo de Igreja e de um novo modelo de religião, que deve permear a existência cotidiana dos indivíduos e da comunidade. O "mundo" torna-se o lugar no qual o cristão realiza a sua perfeição, a vida cotidiana constitui o âmbito normal da santidade. Assiste-se ao nascimento da figura do "devoto", cuja adesão espiritual à religião influencia tanto sua vida interior como os aspectos concretos de sua vida cotidiana. A procura do sacro, documentada no catolicismo pela multiplicação dos santuários, pela exigência dos milagres, pela pesquisa das relíquias, é reforçada pelos incitamentos à imitação e à emulação dos santos. Difundem-se cada vez mais formas de rituais coletivos, entre os quais se destacam as procissões, verdadeiros percursos rituais e momentos-chave de agregação religiosa e social. Essas procissões têm o objetivo de reforçar a presença real de Cristo entre os homens. Portanto, se a consciência normativa se traduz no sagrado porque está na posse do absoluto divino, a consciência relativa e mutável que persegue as modas, ao contrário, não consegue redimir-se, uma vez que perdeu a moldura teológica que a funda.

Natureza *versus* artifício

Interrogar-se sobre a moda como símbolo da inconstância e do artifício significa reencontrar a questão do sentido do homem, do mundo, da relação com um Deus que não é nem instável nem artificioso. Por um lado, a economia da moda e a vida da corte, que desde o século XV é o centro de irradiação do luxo e o principal lugar para conhecer as novidades, traçam percursos cujo controle escapa da Igreja; por outro, o artifício e a contínua mudança das roupas contribuem para distanciar o homem de sua autêntica natureza.[41] Ao lado, porém, de uma forte oposição da vertente "contra", começam a circular outras obras nas quais o juízo em relação à moda, e tudo o que ela comporta, é formulado em tons mais amenos e, sobretudo, mais realistas, mais adequados às condições

Novos juízos
sobre a moda

---

[40] *Ibidem*. Ver também A. Prosperi, *Tribunali della coscienza. Inquisitori, confessori, missionari* (Turim: Einaudi, 1996).
[41] Cf. D. Roche, *Il liguaggio della moda. Alle origini dell'industria dell'abbigliamento*, cit., p. 32 *passim*.

efetivas da vida urbana. Nessas obras surge uma tendência conciliadora, um meio termo entre as severas exigências da moral religiosa e os apelos da vida civil. Em 1636, um debate sobre os enfeites, por exemplo, testemunha como a moda e os artifícios que ela comporta são acolhidos de maneira diferente em certos ambientes. As *honnêtes gens*, se, de um lado, condenam as extravagâncias em si mesmas, de outro, indicam uma mediação aceitável tanto para os aristocratas como para os burgueses. Um tal Farel, burguês enobrecido por um cargo de secretário do rei, em seu livro *Honnête homme ou l'art de plaire à la Cour* (1630), apresenta a corte como o coroamento supremo das hierarquias, o lugar de sucesso que se pode frequentar somente se se conhecerem as regras do mundo. O que se esboça aqui, na realidade, é uma nova etiqueta. De fato, a moda não é tanto a curiosidade "de algum jovem cortesão um pouco esquisito que [...] afunda metade do corpo em enormes botas ou se mete das axilas aos calcanhares em calças inverossímeis, ou então põe sobre a cabeça um chapéu grande como um guarda-sol italiano", mas, antes, uma série de "normas relativas ao vestuário que, tendo sido aceitas e acolhidas por gente de qualidade, tornam-se lei para a gente comum".[42] Assim são definidas as regras de um modo de parecer sábio e moderado, que não concede espaço nem às novidades nem às extravagâncias: o que é bizarro fica excluído, o que é razoável torna-se civilizado. Submeter-se aos costumes do tempo, sobretudo em matéria de vestuário, torna-se uma faculdade inerente do ser/estar em sociedade, um princípio constitutivo do *savoir vivre*, o meio para obter cada vez mais a estabilidade social geral. Um tal código de conduta não deixa, por sua vez, de ter recaídas na discussão moral e religiosa. Na medida em que ele tende a promover uma forma de desprendimento em relação à religião e aos costumes sociais, a doutrina da "virtude da moda", que implica a noção de *civilité*, contribui para tornar relativa a consideração da religião na esfera da práxis social.[43] Mesmo alguns tratadistas fiéis à tradição cristã tendem a superar a rígida contraposição entre o mecanismo da moda e a devoção religiosa, a fidelidade à natureza cristã. As mudanças sociais, o desenvolvimento dos valores urbanos, o crescimento do consumo de corte sugerem a oportunidade de um compromisso que, provavelmente, dado o aspecto econômico da moda naquele tempo, aparece aos olhos dos contemporâneos mais do que "necessário". Ao que parece, o fe-

> Sabedoria e moderação da moda

---

[42] *Ibid.*, p. 54.
[43] *Ibidem.*

nômeno da moda, sobretudo a partir do final do século XVII, desenvolve-se até assumir características muito semelhantes àquelas industriais. Do ponto de vista propriamente factual, esse desenvolvimento é, entre outras coisas, testemunhado pelo nascimento da imprensa especializada. No final do século XVII, realiza-se a primeira experiência de informação periódica sobre moda, com a revista *Nouveau Mercure Galant*, que, ressurgida em 1677, após um primeiro período de publicação, entre 1672 e 1674, como *Mercure Galant*, é enriquecida com figurinos das roupas das várias estações.[44] A crescente importância da informação sobre a moda obviamente está relacionada ao aumento da demanda, e o processo continua no século XVIII com a grande difusão de almanaques ilustrados de moda e de catálogos dedicados exclusivamente aos penteados. O jornalismo de moda, observa Roche, é uma grande novidade, na medida em que documenta a presença de uma "nova abordagem da temática da moda". Os novos jornalistas mantêm distância do gênero de produção precedente; é diferente o grau de consciência de quem promove o novo material e o orienta para um público claramente feminino.[45] Em poucos anos as gravuras de moda tornam-se o canal privilegiado para a informação no setor. Mais econômicas e mais móveis do que os manequins, graças também à multiplicação das oficinas de impressão, as gravuras difundem os poderes da imagem além do círculo da nobreza. As imagens de trajes separam-se das gravuras de moda: aquelas reproduzem as indumentárias do passado e os trajes nacionais; estas, a roupa da atualidade (Figura 4).

Os 3.036 verbetes que a volumosa *Encyclopédie* dedica ao vestuário produzido, confeccionado, comercializado e vestido, discutindo suas implicações sociais e seus significados estéticos e morais, atestam, por assim dizer, um "triunfo da moda" em pleno século XVIII. Além do número de verbetes, o tema do vestuário é objeto de uma constante atenção por parte da *Encyclopédie*. No volume VIII, redigido em 1765, a porcentagem de material inventariado chega a 2,2%. No XII volume, publicado no mesmo ano, a porcentagem é de 7,6%. Para avaliar plenamente a relevância de tal presença, observa Roche, seria necessário confrontá-la com a documentação de outros materiais, mas até hoje essa pesquisa histórica não foi feita. Dos aproximadamente 3 mil verbetes, cerca de um terço (1.032) são artigos culturais, históricos, sociológicos, literários

---

[44] *Ibid.*, p. 431 *passim*. Ver também G. Butazzi, "Repertori di costume e stampe di mostra tra i secoli XVI e XVIII", cit., p. 20 *passim*; E. Morini, *Storia della moda* (Milão: Skira, 2000), p. 27 *passim*.
[45] D. Roche, *Il linguaggio della moda. Alle origini dell'industria dell'abbigliamento*, cit., p. 468 *passim*.

ou moralizantes e normativos concernentes à etiqueta, à moda antiga e moderna, às situações exóticas. Os restantes dois terços abordam aspectos mais diretamente tecnológicos, inerentes aos processos de fabricação e comercialização dos tecidos e do vestuário. Em todo caso, as duas abordagens, a cultural e a técnica, estão plenamente entrelaçadas:

> As redes da ordem alfabética recolhem uma infinidade de vocábulos que tinham ficado até então confinados ao jargão do ofício, à esfera técnica, vocábulos que a partir de então adquiriram, graças ao prestígio da imprensa, um *status* mais nobre, uma dimensão cultural, uma vez que as práticas do aprendiz, do artesão, do comércio e os utensílios são expostos ao grande público dos leitores. O progressivo refinamento dos processos produtivos impõe tal esforço de precisão.[46]

Na *Encyclopédie* a imagem do vestuário torna-se "antepassada" da publicidade; assim como esta, a imagem promove o objeto, oferece uma visão atraente

Figura 4
À esquerda: figurino da *Gallerie des Modes et Costumes Français*, 1779. À direita: *Giornale delle Nuove Mode de Francia e d'Inghilterra*, nº XXIII, 20 de abril de 1787.

---

[46] *Ibid.*, p. 431.

dele, exalta um estilo de vida, suscita um desejo. Quanto ao aspecto técnico, 12 verbetes em 24, que são três quartos do total de verbetes dedicados ao vestuário, descrevem especificamente os processos e as técnicas de fabricação, e informam sobre a situação das profissões artesanais, como a tinturaria, o drapejamento, a chapelaria, etc.[47]

O sucesso comercial da *Encyclopédie* e a difusão de seus conteúdos mediante edições mais econômicas e materialmente menos pesadas (com a passagem da forma in-fólio para aquela in-oitavo) contribuem para propagar o modelo mundano do bom gosto e do bom-tom nas burguesias das diversas cidades. A amplidão do inventário enciclopédico, ao lado da invenção lexical levada aos limites extremos, corresponde à precisa vontade dos enciclopedistas de assegurar a comunicação social em um momento em que ela parece ameaçada pela vertiginosa proliferação dos signos da moda, por toda a sociedade, de alto a baixo. A complexidade atingida pelo sistema do vestuário é tanta que torna problemática a decifração da própria linguagem do vestuário. Em uma sociedade na qual é tão importante "ler" como "ser lido", na qual indícios mínimos revelam as posições sociais e as intenções pessoais, é fundamental, em primeiro lugar, saber adequar-se à própria condição; em segundo lugar, saber adotar os instrumentos necessários para informar o outro sobre a própria posição, sobretudo na sociedade de corte e perante os árbitros da moda; por fim, demonstrar ser mais ou menos idôneo para participar do bom gosto dominante.

Todavia, não obstante tais "aberturas", a atitude básica em relação a tudo o que é moda continua a ser formulada com tons negativos, de condenação explícita. Pode-se observar, por exemplo, uma frente comum formada pela posição conceitual dos enciclopedistas e a ética católica. Ambas, fazendo uma crítica dos usos do vestuário então correntes, propõem, como regra básica, a volta a uma natureza simples e sóbria, contra a cultura do artifício, do excesso desmedido e da corrida desesperada pelas novidades. Essas duas posições, ainda que provenientes de diferentes matrizes culturais, são unidas pela exigência de recompor aquela cisão que parece impor-se irremediavelmente entre o plano do parecer e aquele dos valores morais. A mais grave denúncia dos enciclopedistas contra a moda consiste em verificar a falta absoluta de racionalidade, o que acaba por equiparar ao mundo animal a esfera do sujeito e do agir moral:

---

[47] *Ibidem.*

As modas sucedem-se e destroem-se sem a mínima aparência de racionalidade. Frequentemente, prefere-se o bizarro ao belo pelo simples motivo de que é mais novo. Um animal monstruoso aparece entre nós? As mulheres o levam diretamente do estábulo para suas cabeças e outras partes do corpo, e logo não há mulher respeitável que não vista três ou quatro rinocerontes. Outras vezes passam-se em revista, freneticamente, todas as lojas por um chapéu *au lapin*, ou *aux zéphirs*, ou *aux amours*, ou *à la comete*. Por mais que se fale da rápida mudança das modas, é necessário reconhecer que a última durou toda uma primavera, e ouvi dizer de algumas daquelas pessoas que exprimem seu parecer sobre tudo o que é pacífico como tal moda reconquista o gosto hoje dominante. Um recenseamento completo das modas, ainda que limitado só à França, poderia encher – sem exagero – a metade dos volumes que anunciamos, se remontássemos somente há seis ou oito séculos. Ainda que se deva reconhecer que, sob todos pontos de vista, nossos antepassados eram gente muito mais sóbria do que nós.[48]

É substancialmente idêntico o empenho por parte dos religiosos em condenar as tramas do artifício, como, por exemplo, no "caso das perucas", que esconde todo o problema da verdade da doutrina e da disciplina católica. É um problema crucial porque concerne à reforma dos usos e dos costumes do clero entre os séculos XVII e XVIII. Denunciando a distância entre a norma imposta pela Igreja Protestante e os usos concretos, o clérigo Jean-Baptiste Thiers, na obra *Histoire des perruques oú l'on fait voir leur origine, leur usage, leur forme, leur abus et l'irrégularité de celles des ecclésiastiques* (1736), institui um autêntico processo contra o que pode parecer um simples elemento ornamental:

> A Igreja Católica contra a moda: o "caso das perucas"

> Hoje em dia um número enorme de eclesiásticos usa peruca. É de supor que estejam persuadidos, pelo menos na maior parte dos casos, de que esse estranho ornamento não lhes é vetado, que não tem nada de inconveniente em relação ao digno exercício do ministério. Eu escrevi esta obra justamente para fazê-los renunciar a semelhante erro.[49]

No final do século XVII toda a Igreja francesa usava perucas, afirma Thiers, contaminada por um erro contrário à boa doutrina. A Igreja, de fato, desde sempre, condenara os cabelos postiços, seguindo o imperativo de São

---

[48] *Ibid.*, pp. 450-451.
[49] *Ibid.*, p. 31

Paulo, pelo qual, durante a missa, deve-se rezar de cabeça descoberta. Os protestantes tinham cometido um erro ao reconhecer a tal doutrina uma validade somente local; ela tinha um valor universal. Por meio do caso das perucas, pode-se dizer que o prelado francês quer, de fato, retomar a história, mais ampla e mais grave, de uma progressiva decadência da moral católica, desde as origens até a época de Luís XIV. Culpada por ter tolerado os barretes, as mitras, os capuzes, os gorros, as toucas, os solidéus, a própria Igreja tinha aberto o caminho para o escândalo das perucas. Não esquecendo das disposições do Concílio de Trento em relação à tonsura do clero, Thiers condena, sem hesitação nem indulgência, qualquer artifício que modifique o aspecto natural do cabelo: cabelos encaracolados, cabelos tingidos, cabelos postiços. A luta em torno das perucas e do vestuário apresenta-se, portanto, como uma luta decisiva contra, pois está em jogo a credibilidade dos resultados da reforma tridentina.

No entanto, se é a mesma a condenação do artifício e, portanto, da moda em geral, os efeitos são opostos. É sabido que o choque entre Igreja Católica e filosofia iluminista é total. A própria história editorial da *Encyclopédie* é emblemática. A sua publicação foi proibida diversas vezes, porque os religiosos viam nos "ateus" enciclopedistas o inimigo mais perigoso da sua profissão de fé.[50]

É lícito, portanto, perguntar-se o que une a análise religiosa e a enciclopedista contra a tão condenada moda. E por que os resultados são tão diferentes. O entrelaçamento entre a componente teórica e a prática torna plausível a ideia de que o discurso contra a moda projeta um problema essencialmente político em uma dimensão intelectual conforme as linhas de evolução do pensamento moderno. De fato, tendo presente as múltiplas diretrizes do pensamento que se originam de um tal quadro histórico-conceitual, o que se vê é o choque entre uma religião natural, baseada na razão, o deísmo iluminista, e uma religião histórica, revelada, que se funda sobre o dogma, como é o cristianismo. A principal tese deísta é que se deve pensar Deus somente com os atributos que nos indica a razão natural, prescindindo de qualquer revelação, recusando das religiões histórico-confessionais tudo aquilo que não está de acordo com a simples razão natural.[51] Nesse sentido, não se pode deixar de

---

[50]   Cf. P. Casini, "L'enciclopedia illuministica", em P. Rossi & C. A. Viano (orgs.), *Storia della filosofia*, vol. IV (Roma/Bari: Laterza, 1996), pp. 280-297.

[51]   Cf. P.-H. d'Holbach, "Che cos'è un ateo", em A. Tagliapietra (org.), *Che cos'è l'Illuminismo. I testi e la genealogia del concetto* (Milão: Bruno Mondadori, 1997), pp. 315-321.

condenar, por assim dizer, a moda, já que ela é artifício e não natureza. Em longo prazo, a generalização da moda tende a passar da esfera das coisas à esfera das ideias, tornando vã qualquer tentativa de conter seus efeitos. Uma sociedade dirigida por uma semântica do vestuário, em que o consumo e a transgressão dos ricos são transmitidos a todos, é uma sociedade doente, na qual não há mais nem ordem nem controle, uma sociedade que não é mais natural, e, consequentemente, também a sua religião não o é mais. Ela está em contradição com o projeto iluminista de construir uma sociedade racional. Por outro lado, a transmissão histórica do dogma cristão da encarnação do filho de Deus é garantida pelo papel de mediação que a Igreja representa, uma mediação que controla amplamente e em todos os sentidos a relação entre o humano e o divino.[52] Por isso, se os homens pudessem manter autonomamente a sua relação com o sagrado e, em termos de enfeites e adornos, pentear-se, usar peruca como bem quisessem, no plano político institucional, que papel teria a Igreja? Ruiriam os fundamentos sobre os quais se ergue o seu papel. Por aí se entende como, nos últimos decênios do século XVIII, não seja absolutamente possível não *se preocupar* com "aquela torrente de modas, de fantasias, de diversões, das quais nenhuma dura".[53]

---

[52] Cf. C. Ruby, *Introduzione alla filosofia politica* (Roma: Editori Riuniti, 1998), pp. 35-87.

[53] L. S. Mercier *apud* F. Braudel, *Civiltà materiale, economia e capitalismo secoli XV-XVIII*, cit., p. 291.

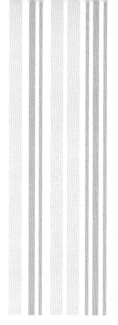

Beleza e prazer da moda

Sedução e aparência

Ao se propor uma definição da moda como lógica complexa que permeia a vida social, cultural e estética, impõe-se a exigência de avaliar, simultaneamente, uma multiplicidade de elementos fundamentais. De fato, a promoção da individualidade, o grande investimento no modo de aparecer, a estetização das formas e a modernização podem ser considerados hoje os traços principais do fenômeno da moda. De modo particular, modernização e modernismo, ou seja, a consciência das rupturas com o passado e da vontade coletiva de torná-las próprias, são conceitos basilares. Substituindo a centralidade do passado pela centralidade do presente, a moda opera uma fratura radical na ordem do tempo legítimo.[1] Nesse quadro se configura uma certa circularidade de fundo com uma expressão de matriz sociológica, a "mundanalidade". Com essa expressão se designa o aspecto da cotidianidade, da comunicação social e dos diferentes discursos nos quais a moda se expressa.[2] Ao exprimir uma correlação entre significados e valores, o binômio moda-mundanalidade não se refere, de fato, apenas à dimensão da indumentária, mas também àquela do corpo "revestido". Um sujeito em formação que constrói o seu estar no mundo, o seu estilo

Os principais traços da moda hoje

Moda e mundanalidade

---

[1] G. Lipovetsky, *L'impero dell'efimero* (Turim: Einaudi, 1993), p. 31 *passim*.
[2] Cf. P. Calefato, *Mass moda* (Gênova: Costa & Nolan, 1996), p. 7 *passim*.

das aparências, por meio do aspecto visível. Concebida como *performance*, a imagem do corpo revestido define-se particularmente como uma construção sempre aberta à identidade material, como dimensão mundana da subjetividade. E isso a partir da concepção segundo a qual não existe um corpo "nu", um corpo humano construído fora das relações de poder presentes na sociedade. Sob esse aspecto, a mundanalidade se delineia como o âmbito no qual a roupa, o imaginário, o estilo e o *look* formam um sistema aberto que corta transversalmente as delimitações estilísticas institucionais consideradas pela tradição.[3] Nesse sentido, desde sempre a mundanalidade é uma parte constitutiva da moda. Seguir uma moda sempre significou exprimir uma relação com o mundo. Só é possível compreender plenamente a essência do processo de mundanalidade se o avaliarmos pela perspectiva da longa duração, isto é, a partir do século XII, quando toma corpo na mentalidade coletiva a legitimação do desejo e do amor profano como novos modos de ser e de fazer.[4]

Mundanalidade e civilização cavalheiresca

Historicamente, categorias desse tipo pertencem à normativa cultural cavalheiresca e de corte, que aspira a alegrias terrenas: alegria de lutar na guerra e num torneio, de caçar, de participar de festas e banquetes luxuosos, prazer do jogo, o *joi* do *gai saber*, a poesia galante. Ao lado dos valores tradicionais, como a força, a coragem e a generosidade, surgem novas exigências expressivas, como as "boas maneiras", a capacidade de conversar, as qualidades literárias, o requinte galante, a dominância feminina celebrada com uma espécie de gozo narcisístico. Em relação a tudo isso, a história das mentalidades revela um paralelismo significativo:

> A Virgem entra majestosamente na piedade do século XII escoltada por uma multidão de santas. Pecadora, esperança das prostitutas, Madalena triunfa em Vézelay e na Provença. E, enquanto no cristianismo se esboça uma guinada em direção aos valores femininos, nas cortes cavalheirescas das regiões do Loire e do Poitou se começa a exaltar a mulher. As canções dos trovadores celebram as graças da mulher do senhor, a dama; e nas contendas do mundo da corte, todos os jovens nobres procuram conquistar o seu coração. O culto da virgem e da dama tem motivações inconscientes e diferentes, cujos desenvolvimentos a história apenas vislumbrou, mas são coincidentes.[5]

---

3   *Ibidem.*
4   Cf. G. Lipovetsky, *L'impero dell'efimero*, cit., p. 60 *passim*.
5   G. Duby, *L'arte e la società medievale* (Roma/Bari: Laterza, 1979), p. 149.

O cavaleiro torna-se literato e poeta, e o prazer pela bela linguagem e pelos objetos vistosos conquista os ambientes mundanos. Refletindo especialmente sobre os novos conteúdos poéticos da lírica provençal, os estudiosos mostraram como a invenção mais original foi aquela relativa ao discurso amoroso. E, a partir disso, explicitaram como a celebração lírica da mulher amada, o culto do amor, a sublimação do instinto sexual determinaram, gradualmente, na vida de corte uma transformação das relações entre os sexos e, mais especificamente, das maneiras de sedução.[6] O heroísmo lírico-sentimental pouco a pouco substitui o heroísmo guerreiro. Desenvolve-se um novo código pelo qual o senhor, por jogo e por divertimento, vive ajoelhado aos pés da mulher amada. A cena dessa "genuflexão" se passa, sobretudo, no espaço circunscrito pelos muros do castelo, mas o amor dos trovadores parece ser um amor impossível. Entre os dois amantes interpõem-se contínuos obstáculos, como o *gilos* (marido) e os *lauzengiers* (maledicentes), que podem espalhar a existência da relação clandestina ou estragar com mentiras a boa reputação do poeta perante sua dama. Parece um amor irrealizável, e, no entanto, a mulher dos trovadores não é descrita somente com traços angélicos ou sublimados. Ao contrário, dotada na maioria das vezes de poderes extraordinários, *midons*, conserva sua dimensão física e a concretude do objeto de desejo – pelo menos no âmbito literário, não estão excluídas as relações sexuais com ela. René Nelli, revelando uma brecha dos costumes da Provença da época, com base em numerosos testemunhos literários, reconstruiu nos detalhes os graus e as formas do *fin'amor*. O amante do grau inicial de *fenhedor* (anelante) passaria àquele de *precador* (suplicante). O *entendedor* é o amante aceito e o *drut*, o amante carnal. Além disso, Nelli deteve-se sobre as práticas amorosas nos séculos XII e XIII, práticas que vão do olhar correspondido ao presente, do beijo até o *asag*, o grau imediatamente anterior à consumação do ato sexual. E tudo mediado pelo cerimonial da corte. No *asag*, que é uma prova moral, mas também um ponto de chegada, o amante é admitido nu na presença, ou no leito, da dama nua. Enquanto Azalais de Porcairagues, uma poetisa que viveu na segunda metade do século XII, anuncia ao amante que "chegaremos logo à prova, porque me colocarei à sua mercê", uma trovadora um pouco posterior, a condessa de Dia, muito concretamente canta:

---

[6] Cf. C. Di Girolamo, *I trovatori* (Turim: Bollati Boringhieri, 1989), p. 41 *passim*; M. Mancini, *La gaia scienza dei trovatori* (Parma: Luni, 2000), pp. 10-32.

Gostaria de abraçar nu, uma noite, o meu cavaleiro entre os braços, e que ele se sentisse feliz por servir-lhe eu de travesseiro, porque ele me agrada muito mais do que Biancofiore agradava a Florio. Eu lhe concedo o meu coração e o meu amor, o meu seio, os meus olhos e a minha vida. Belo amigo, gentil e valoroso, quando o terei em meu poder? Pudera eu brincar consigo uma noite e dar-lhe um beijo de amor. Saiba que eu teria grande desejo de tê-lo como marido, sob a condição de me prometer fazer tudo aquilo que eu quisesse![7]

Secularização do amor

As vicissitudes do amor adúltero de Tristão e Isolda são um outro testemunho do evidente processo de secularização do amor.[8] Na história de Tristão e Isolda se insinua a ameaça que o desejo erótico dos cortesãos solteiros pela mulher do senhor representa para a ordem social e para o processo de civilização. De fato, enquanto a doutrina cristã propõe o matrimônio como única ligação em que é permitida a livre manifestação das pulsões sexuais, a exigência da alta sociedade de evitar a divisão dos patrimônios implica o celibato forçado dos jovens das grandes famílias nobres. Na narrativa, porém, o amor extraconjugal não só é encorajado, mas até mesmo se torna a única expressão autêntica do amor passional, justamente porque estranho à lógica da ordem social. Chamada pelo legítimo consorte para enfrentar o juízo de Deus como sinal de sua fidelidade, Isolda se deixa acompanhar montada sobre as costas de Tristão, disfarçado de mendigo, e supera a prova jurando que nenhum homem jamais esteve entre as suas coxas, com exceção de seu marido e daquele pobre mendigo que lhe tinha acabado de ajudar a passar por aquela prova.[9] Graças à sua astúcia, a prova é superada, com o testemunho da legitimidade moral de sua paixão adúltera, do qual o próprio Deus se torna fiador. Vai-se afirmando, assim, uma nova ética, pela qual é legítimo o amor profano, mesmo extraconjugal, desde que fundado na paixão autêntica e absoluta pelo amado.

Moda e poética da sedução

A sedução exige atenção e delicadeza, palavras e atitudes poéticas. Nesse sentido, o surgimento da moda parece ser inseparável da revolução cultural que entre os séculos XI e XII promove a afirmação dos valores cortesãos.[10] A moda, com suas variações, com a sua sutil engenhosidade das nuanças, pode

---

[7] *Apud* C. Di Girolamo, *I trovatori*, cit., p. 45.

[8] Cf. M. Fumagalli Beonio Brocchieri, "L'amore passine assoluta", em S. Vegetti Finzi (org.), *Storia delle passioni* (Roma/Bari: Laterza, 2004), p. 79 *passim*.

[9] *Ibidem*.

[10] G. Lipovetsky, *L'impero dell'efimero*, cit., p. 62 *passim*.

Beleza e prazer da moda

ser considerada uma espécie de continuação dessa poética da sedução. Dito com outras palavras, o modo de se vestir pode ser entendido como extensão da estilização do amor. Em relação a isso, Lipovetsky afirma:

> O amor cortês está duplamente implicado na gênese da moda. Por um lado, afirmando que o verdadeiro amor deve ser procurado fora do matrimônio, que o amor puro é aquele extraconjugal, desacreditou a instituição do matrimônio e legitimou a livre escolha do amante por parte da mulher, favorecendo a autonomia do sentimento. O amor contribuiu assim para o processo de individualização, para a promoção do indivíduo mundano relativamente livre nos seus gostos e apartado da norma antiga. Há uma ligação íntima e visível entre moda e consagração mundana da individualidade. De outro ponto de vista, e mais diretamente, o amor cortês produziu uma nova relação entre os sexos, desencadeou um mecanismo de sedução galante que contribuiu significativamente para aquele processo de estetização da aparência que é próprio da moda.[11]

As modificações das estruturas da roupa masculina e feminina que se impõem a partir da metade do século XIV são traços da estética da sedução. A roupa, diferenciando-se de modo radical entre masculino e feminino, sexualiza a aparência. O fascínio dos corpos é exibido, acentuando a diferença entre os sexos. O costume da moda torna-se um instrumento de sedução. Desenha os atrativos do corpo, revela e, ao mesmo tempo, esconde a isca sexual, acentua o apelo erótico. A roupa não é mais somente um símbolo hierárquico de *status*, mas se torna também um instrumento de sedução, um luxuoso e original instrumento de prazer feito para se fazer notar. A sedução liberta-se da ordem ritual da tradição, encaminhando-se para o longo percurso mundano que individualiza, ainda que parcialmente, a roupa e idealiza o aspecto exterior. Excessos, crescimento exuberante dos artifícios, requinte ostensivo: a roupa da moda testemunha o ingresso na era moderna da sedução, da estetização da personalidade e da sensualidade.[12]

Os principais lugares do imaginário trovadoresco, que surgiram como lírica, como canto do desejo e do *joi* no início da formação do Estado Moderno e suas leis políticas, religiosas e éticas, podem ser considerados *episteme*, no

---

[11] *Ibid.*, pp. 64-65.
[12] Cf. M. Calvesi, *Storia della seduzione* (Palermo: Sellerio, 1999), pp. 9-26.

sentido foucaultiano do termo. Um conjunto de esquemas que estão na base dos múltiplos conhecimentos de determinada época,[13] vale dizer, um sistema conceitual e de valores que transcende o *status* de simples *tópos* literário. Serviço do amor, distância, desejo, fingimento, galantaria, prazer, beleza e sedução pertencem a um único campo enunciativo, aquele do corpo e das suas concepções. Para entender o ponto de vista social e imaginário dessa perspectiva analítica, é essencial, de fato, considerar como, nos séculos XVI e XVII, era concebido o corpo e tudo o que a ele estava relacionado, dos padrões de beleza às normas de higiene, porque na prática e no gosto eles se revelam algo mais do que simples transformações materiais: "instâncias mais vastas, em relação à crônica instabilidade social e aos conflitos políticos e religiosos, exprimiam um desejo constante e prevalecente de ordem, estabilidade e fronteiras sociais claramente definidas, nos quais o conceito de gênero tinha um papel de destaque e determinante".[14]

A concepção do corpo na modernidade

No início da Idade Moderna temos dois comportamentos contrastantes em relação ao corpo. De um lado, como herança medieval, há ainda uma desconfiança em relação à sua natureza efêmera, suas fraquezas e inclinações perigosas. De outro, em virtude da recuperação neoplatônica da concepção estética amorosa, difunde-se o culto do belo e a redescoberta do nu. Ao mesmo tempo, porém, propaga-se o flagelo da peste e da sífilis, que provoca em todo o mundo europeu ocidental o fechamento dos banhos públicos e dos bordéis, a rejeição da água para a higiene pessoal e o incremento da sexualidade conjugal em detrimento das outras práticas sexuais. Se, antes, a limpeza e a higiene da pessoa baseavam-se nos banhos regulares e no luxo do banho turco, nos séculos XVI e XVII tornam-se um "negócio" sem água. O medo da água, suposto vetor de contágio, dá origem a certo número de substitutos, como o pó de arroz e o perfume, que criam uma nova base de diferenciação social: a

A limpeza seca

chamada limpeza "seca" torna-se prerrogativa dos ricos.[15] Nos século XVI e XVII o medo do contágio faz desaparecer o costume de tomar banho, seja nos estabelecimentos públicos, seja em casa. Nas casas, a desconfiança em relação

---

[13] Cf. M. Foucault, *Le parole e le cose* (Milão: Rizzoli, 1988), p. 10 *passim*.

[14] S. F. Matthews Griego, "Corpo, aspetto e sessualità", em N. Zemon Davis & A. Farge (orgs.), *Storia delle donne in Occidente. Dal Rinascimento all'età moderna*, vol. III (Roma/Bari: Laterza, 1991), p. 54.

[15] Cf. F. Braudel, *Civiltà materiale, economia e capitalismo secoli XV-XVIII* (Turim: Einaudi, 1993), p. 297 *passim*; G. Vigarello, *Lo sporco e il pulito. L'igiene del corpo dal Medioevo a oggi* (Veneza: Marsilio, 1987), p. 17; P. Sorcinelli, *Storia sociale dell'acqua* (Milão: Bruno Mondadori, 1998), p. 60 *passim*.

à água, além do desenvolvimento de novas técnicas "secas" de higiene pesso-al, leva ao desaparecimento da banheira. A eliminação deliberada dos banhos públicos representa um ato de higiene moral e social. Esses estabelecimentos não se dedicavam apenas às práticas de limpeza do corpo, mas ofereciam tam-bém um certo número de serviços que as autoridades viam como uma ameaça moral para as cidades. Aos clientes eram servidos, dentro e fora da água, vinho e comida, e estavam à disposição também leitos para aqueles que desejassem repousar depois das abluções, encontrar seus amantes, ser entretidos por uma prostituta. Embora os estabelecimentos dispusessem de ambientes ou banheiras separadas para homens e mulheres, grande parte dos banhos pú-blicos era verdadeiro lugar de delícias. Na mente dos contemporâneos, esses lugares eram quase sempre associados a prostíbulos e bodegas. Os predicantes dos séculos XV e XVI invectivavam contra os maus costumes dos jovens que gastavam seu tempo e seu patrimônio frequentando "banhos, bodegas e bor-déis". A depravação moral não era, no entanto, o único mal que se suspeitava haver naqueles corpos nus, ou quase, que se misturavam na intimidade dos banhos turcos, compartilhando os prazeres violentos da banheira comum. Os banhos são os primeiros estabelecimentos a serem fechados, juntamente com as tabernas e os bordéis, porque se considerava que qualquer agrupamento de pessoas podia favorecer a difusão da doença. Já no século XV funcioná-rios responsáveis pela saúde pública e médicos desencorajavam os banhos de qualquer tipo durante as epidemias, por causa do temor de que a pele nua e os poros dilatados pelos vapores quentes tornassem as pessoas ainda mais vul-neráveis aos miasmas pestíferos. Nos séculos XVI e XVII, portanto, a crença na permeabilidade da pele e na periculosidade do banho para a saúde em geral contribui para a produção de textos médicos ricos de argumentos contra os males dos banhos públicos e a periculosidade das águas.[16]

Por muito tempo, acreditou-se que, na primeira parte do período mo-derno, o desaparecimento da água e da higiene pessoal cotidiana determinou uma recaída a um estado geral de sujeira. Ainda que a imundice e as roupas sujas permaneçam uma característica da condição das classes inferiores, na realidade, quem dispõe de meios tende a dedicar mais cuidado ao aspecto pes-soal, sobretudo às partes do corpo expostas ao olhar e ao juízo da sociedade. Manuais de boas maneiras (por exemplo, *De civilitate morum puerilium*, obra de

---

[16] Cf. S. F. Matthews Griego, "Corpo, aspetto e sessualità", cit., p. 55.

Erasmo, de 1530) não descrevem simplesmente a conduta refinada que as classes superiores "devem" respeitar ao sentar-se à mesa ou ao assoar o nariz, mas insistem também na limpeza do corpo. Postura sofisticada, comportamento e aspecto pessoal tornam-se indicadores do nível social da nova elite, uma nova hierarquia dos modos que substitui aquela medieval, baseada no nascimento.

As cortesãs | É aqui, no reino das "boas maneiras" e dos comportamentos refinados, que as mulheres aristocráticas e instruídas assumem o papel de *arbitrae elegantiarum* [juízas das coisas elegantes], como "delicadas" musas da conversação das cortes italianas, como "figuras difíceis", requisitadas e muito influentes, ou como hóspedes dos salões literários e filosóficos.[17] Ora, nesse mundo feminino, a categoria das cortesãs é a que mais revela como a moda pode ser considerada uma continuação da poética trovadoresca da sedução, da beleza e do efêmero. Não tanto, nem somente, aquelas idealizadas por Baldassare Castiglione, mas, sobretudo, aquelas que os artistas dos séculos XV e XVI retratam e tomam regularmente como modelos também para pinturas de motivo religioso. Desde o final do século XV o termo "cortesã" é aplicado também às prostitutas, enquanto, até então, segundo o *Thrésor de la langue française tant ancienne que moderne*, de Jean Nicot, havia designado somente as damas de companhia, as "acompanhantes" agregadas às principais cortes.[18] Pesquisas historiográficas recentes mostram que esse desvio semântico começa por volta do pontificado de Nicolau V (1447-1455) e Pio II (1458-1464). A reforma da Cúria iniciada por esses papas introduz nos escritórios de Roma um número cada vez maior de humanistas. Esses humanistas tornam-se *curiales* (curiais) e dão origem aos famosos cenáculos culturais. A esses humanistas logo se juntam presenças femininas, também elas chamadas *curiales*, mas nesse caso a palavra é traduzida pelo termo "cortesã". Todavia, a presença na Cúria de ricos mercadores e banqueiros faz com que os cenáculos intelectuais se tornem bacanais nos quais as cortesãs oferecem serviços não culturais. Gradualmente elas passam a ser identificadas como prostitutas, distinguindo-se, no entanto, destas últimas por seu *status* social privilegiado: *cortegiana, hoc est meretrix honesta*, cortesã, ou seja, meretriz honesta.[19] Essa definição, aos nossos olhos, pode parecer paradoxal. Na verdade, o paradoxo é apenas aparente. A honestidade à qual se alude não se refere à castidade, mas ao modo de vida burguês, à esfera das

---

[17] *Ibid.*, p. 56 *passim*. Ver também R. Levi Pisetzky, "Moda e costume", em *Storia d'Italia. I documenti*, vol. V (Turim: Einaudi, 1973), pp. 206-224.

[18] Cf. P. Larivaille, *Le cortegiane nell'Italia del Rinascimento* (Milão: Rizzoli, 1983), p. 53 *passim*.

[19] *Ibidem*.

boas maneiras e da cultura geral. A certa altura, porém, no uso popular, cortesã torna-se simplesmente sinônimo de prostituta. Daí decorre a necessidade de estabelecer uma distinção idônea para recuperar as hierarquias. Serão todas cortesãs, mas cuidadosamente diferenciadas umas das outras por qualificativos que não deixam dúvidas sobre a sua real situação. No alto da escala se colocam as "cortesãs honestas", seguem depois as "cortesãs de lume" e mais abaixo as "cortesãs de vela". Essa terminologia impõe-se nos primeiros decênios do século XVI e continuará substancialmente a mesma também depois. Em Roma, como no resto da península, o termo "cortesã", de fato, será usado como sinônimo de prostituta e, por toda parte a expressão "cortesã honesta" terá o mesmo valor.

De resto, também o mundo libertino do *alegre* século XVIII retoma o diálogo com alguns aspectos da lírica provençal.[20] Para o escritor francês Stendhal (1783-1842), por exemplo, a civilização trovadoresca mostra-se singularmente afim aos modos da galantaria setecentista, à Paris dos anos 1760-1780. Uma mistura de formalismo e espontaneidade, uma sutil e desencantada procura da *bonheur*, da cortesia, do refinamento. Aquela Provença do amor-gosto, paradoxo feliz da inteligência e da sensibilidade, *occasion à sensations*, pertence afinal ao passado, mas se parece também com a brilhante Milão de 1769-1799, invadida, em um clima de euforia e de festa, pelos oficiais das primeiras armadas napoleônicas. Amizade galante, mas sem limites, um avanço da ligação sentimental fora das leis sagradas da moral, entre formalismo e espontaneidade, entre ritual e transgressão, situam-se no próprio ritmo da vida. Uma civilização, escreve Stendhal, que possuía o frescor e o gosto pela novidade, caracterizada por uma "sedutora" forma de vida. É aquela mesma sedução que também para o filósofo alemão Friedrich Nietzsche (1844-1900) evoca a imagem do espírito liberto, o lugar da leveza, da dança e do politeísmo das aparências, onde "para viver é necessário deter-se amorosamente na superfície, no encrespamento, na casca, adorar a aparência, acreditar nas formas, sons, palavras, em todo o Olimpo das aparências!".[21]

| Os libertinos

As paixões do corpo

Na nossa documentação sobre o mundo das cortesãs, no Renascimento italiano sobressai a obra de Pietro Aretino (1492-1556) e de seus discípulos, entre

---

[20]   Cf. M. Mancini, *La gaia scienza dei trovatori*, cit., p. 86 *passim*.
[21]   *Ibid.*, p. 130.

os quais emerge o jovem patrício veneziano Lorenzo Venier. Inserindo-se na concepção de literatura do século XVI como "catalogação" e "ilustração" de toda possível atividade do homem, os *Ragionamenti* de Aretino mostram a capacidade de tratar explicitamente o que pertence ao aspecto considerado, desde sempre, o mais obscuro do homem. Com um tom concreto, que fotografa realidades sociais precisas, Aretino encontra o modo de falar do sexo nas suas várias formas, ordenadas em relação às condições de quem o pratica. A monjas, com frades e padres, nos monastérios; as mulheres casadas, inclusive as viúvas; as prostitutas e as rufionas. Escritos em forma de diálogos entre Nanna, ex-cortesã que no passado conheceu também o convento e a vida conjugal, e Antonia, os *Ragionamenti* tiveram sua primeira parte publicada em 1534; ela se conclui com um elogio da honestidade do meretrício:

> A monja trai a sua consagração, a esposa assassina o santo matrimônio, mas a puta não ataca nem o monastério nem o marido, aliás, ela faz como um soldado que é pago para fazer o mal, e, quando o faz, não se dá conta de que o faz, porque sua bodega vende aquilo que ela tem para vender. [...] Satisfazendo uma penitência, com duas gotinhas de água benta todo meretrício irá embora da alma; e depois [...] os vícios das putas são virtudes. Além disso, é bom ser chamada de senhora até pelos senhores, comendo e vestindo-se sempre como senhora, continuamente em festas e banquetes nupciais [...]; e é importante poder satisfazer qualquer pequena vontade, podendo favorecer todos.[22]

Tipos de cortesãs

Escolhendo os casos extremos em que o contraste entre aspecto e comportamento, entre condição social e ação é forte, Aretino traça assim um autêntico vade-mécum da perfeita cortesã desde baixo. Nesse sentido, é necessário ressaltar a distância da abordagem de Baldassare Castiglione (1478-1529), que, no *Cortegiano* (ainda que dirigido a um público masculino), não negligencia as palavras de ordem da cortesã ideal a partir do alto: "à mulher fica bem ter uma ternura tenra e delicada, com doçura feminina em cada movimento seu, que o andar, o estar parada e o falar o que for a faça parecer mulher, sem nenhuma semelhança" com o homem, e por isso delicadeza e feminilidade definem a sua ética de ser e de parecer.[23] Ao contrário, a norma fundamental

---

[22] Pietro Aretino, *Ragionamento. Dialogo* (Milão: Rizzoli, 1988), p. 275.
[23] Baldassare Castiglione, *Il libro del cortegiano* (Milão: Mursia, 1981), p. 211.

Beleza e prazer da moda

do comportamento feminino ditada por Nanna parece ser: "A cada um o seu engodo". Portanto, astúcia e capacidade de enganar delimitam o efetivo ser cortesã.[24] Fica evidente como as duas visões são opostas. O que determina tal oposição é a diferença do postulado básico, ao qual se segue naturalmente uma diferença de comportamento. No caso de Castiglione, o fundamento pode ser sintetizado na expressão "somente pelo amor da virtude". A verdadeira virtude não se distancia daquelas

> condições que convêm a todas as mulheres, como ser boa e discreta, saber governar os bens do marido, a sua casa e os filhos quando for casada, e todas aquelas qualidades que se exigem de uma boa mãe de família, digo que àquela que vive na corte parece-me que convém, mais do que qualquer outra coisa, uma certa afabilidade agradável, pela qual saiba entender todo tipo de homem com discursos gratos e honestos,

que um século antes Leon Battista Alberti tinha traçado tanto para a mulher burguesa como para a mulher de corte.[25] E aqui o comportamento mais virtuoso é aquele que chega até o sacrifício de si mesma, como no caso da jovem aristocrática que, obrigada pelo pai a abandonar o noivo amado para casar com outro, não querendo fingir "primeiramente quis recusar os seus contentamentos e prazeres tão desejados, e por último a própria vida".[26] No caso de Aretino, o postulado baseia-se na expressão "no mundo tudo é engodo", e o comportamento mais natural consiste em usar todas as artimanhas e todas as astúcias com a máxima discrição, a fim de nunca comprometer aquele que é o objetivo da cortesã e a condição de seu sucesso: a integração mais perfeita possível na vida social. Para atingir tal objetivo a cortesã deverá ser, portanto, conforme à definitiva fórmula de Nanna: "tanto puta na cama como mulher de bem em outros lugares".[27]

Para a perfeita integração social das cortesãs são importantes também as condições materiais da vida. À diferença das moças de baixa extração, sobre as quais se sabe pouco, as cortesãs de sucesso vivem em apartamentos em bairros bem localizados. Em Roma, as mais célebres conseguem até mesmo ganhar palacetes ou viver perto da Cúria. Também as suas colegas venezianas se alojam

---

[24] Cf. Pietro Aretino, *Ragionamento. Dialogo*, cit., p. 108 *passim*.
[25] Baldassare Castiglione, *Il libro del cortegiano*, cit., p. 212.
[26] *Apud* G. Davico Bonino (org.), *Lunario dei giorni di quiete* (Turim: Einaudi, 1997), p. 281.
[27] Cf. Pietro Aretino, *Ragionamento. Dialogo*, cit., p. 248 *passim*.

em suntuosas habitações no Canal Grande, suscitando por isso o escândalo da população e das autoridades.

> É visto com profundo desprazer por muitos que as habitações das meretrizes nesta cidade não só estejam misturadas com aquelas das mulheres de vida honesta, mas, contrariamente ao costume alhures, são frequentemente localizadas nos mais conspícuos lugares e belos sítios desta cidade.[28]

As moradas das cortesãs

Pelo testemunho de alguns escritores daquele tempo, somos informados sobre o luxo das moradas das cortesãs. O senês Pietro Fortini descreve detalhadamente em uma novela o apartamento de uma cortesã em um edifício decorado com gosto e elegância, localizado em um dos bairros mais elegantes de Roma: "Ela guiou-me por uma grande e espaçosa escada e conduziu-me em uma sala enfeitada, que dava para o rio e da qual se via o Belvedere e o edifício do Vaticano. Aquela sala estava toda enfeitada com couro dourado com belíssimas pinturas". Não está muito longe desse cenário o quarto de dormir todo forrado com vários drapejados de seda, com o leito coberto em modo real e, sobretudo, "com lençóis tão finos e brancos que pareciam até uma finíssima, delicada e cândida casca de ovo".[29]

Igualmente principesca é a morada da bela Imperia, que Matteo Bandello relembra no terceiro livro das *Novelle*:

> Era uma casa apartada e provida de tudo, qualquer estrangeiro que nela entrasse, vendo o aparato e a ordem dos servidores, acreditaria que ali vivesse uma princesa. Havia, entre outras coisas, uma sala, um quarto e um camarim muito pomposamente ornados de veludos e brocados, e, no chão, finíssimos tapetes [...] No camarim, para onde ela se retirava quando tinha a visita de alguma grande personagem, havia os paramentos que cobriam as paredes, todos drapejados em ouro com belos e diversificados trabalhos. Havia, além disso, uma moldura toda de ouro e azul marinho, majestosamente feita, sobre a qual havia belíssimos vasos de variados e preciosos materiais, com pedras de alabastro, pórfiros, mármores serpentinos, e de mil outras espécies. Viam-se ao redor muitos baús, cofres ricamente entalhados, to-

---

[28] *Apud* P. Larivaille, *Le cortegiane nell'Italia del Rinascimento*, cit., p. 90.

[29] *Ibid.*, p. 91. Ver também P. Thornton, *Interni del Rinascimento italiano 1400-1600* (Milão: Leonardo, 1992).

dos caríssimos. Via-se, além disso, ao centro, uma mesinha, a mais bela do mundo, coberta de veludo verde.[30]

No que diz respeito à aparência e à beleza que marcam a vida exterior da cortesã, parte da manhã e vários momentos do seu dia são dedicados ao cuidado do corpo. Nesse ponto, seus hábitos são semelhantes àqueles das outras damas da sociedade. Antes de levantar-se, seguindo o conselho de Nanna, esfrega várias vezes os dentes com uma ponta do lençol, para eliminar o depósito que se formou neles durante a noite, antes que o ar o endureça. Depois, em jejum, enxágua a boca com água pura, operação que repetirá depois das refeições, tomando o cuidado de limpar antes os dentes com o guardanapo. Mesmo em um contexto de limpeza "seca", a seguir vem o banho. No século XVI a água continua a ser usada para as abluções matinais, enquanto no século seguinte será considerada apropriada somente para enxaguar a boca e as mãos, mesmo assim, misturada com vinagre e vinho. A literatura sobre o tema, de fato, vai desencorajar, sobretudo, o uso da água no rosto, porque era considerada nociva à vista, causa das dores de dente e do catarro, e também da palidez invernal e do excessivo colorido do rosto no verão. Depois do banho seguem os pequenos cuidados ilustrados na metade do século XVI por Tintoretto na série de pinturas intitulada *Susanna e i vecchioni*. As servas enxugam a patroa, lixam e lustram suas unhas dos pés e das mãos e a perfumam. A heroína dos *Ragionamenti* prefere água aromatizada para o banho, um pouco de água de talco para o corpo e um pouco de lavanda para as mãos. Diferentes opiniões se registram acerca da maquiagem. Para Nanna há "aquelas que se pintam e se envernizam como as máscaras de Módena, envermelhecendo tanto os lábios que quem as beija sente-se incendiar". À cortesã dotada de bom gosto, por sua vez, "um tantinho de nada de ruge basta para tirar aquele pálido que muito frequentemente põe nas faces uma noite maldormida, uma indisposição, e os excessos".[31] Os cuidados não terminam aqui. Há também os cabelos e o seu colorido. É moda o loiro, sobretudo em Veneza, onde todas as damas, não somente as cortesãs, se submetem a uma série de operações que permitem dar

As curas do corpo

Bom gosto e beleza

---

[30] Apud P. Larivaille, *Le cortegiane nell'Italia del Rinascimento*, cit., p. 91.

[31] Cf. P. Sorcinelli. *Storia sociale dell'acqua*, cit., p. 20. Ver também M.-C. Phan, "Pratiques cosmétiques et idéal féminin dasn l'Italie des XVème et XVIème siècles", em D. Menjot (org.), *Le soins de beauté. Moyen Age. Temps Modernes*, Actes du III Colloque International, Centre d'Etudes Médiévales, Grasse, 1985/Nice, 1987, pp. 109-110.

e conservar em seus cabelos aquela cor oscilante conhecida justamente com o nome de "louro veneziano". Tiziano descreve uma fórmula com a qual se obtém uma tintura para os cabelos denominada "cabelos fios de ouro", que provavelmente é aquela necessária para obter o louro veneziano: 2 libras de albume, 6 onças de enxofre negro, 4 onças de mel destilado com água. Depois de ter enxaguado os cabelos com esse preparado, é necessário ficar no terraço e deixar que o sol faça a sua parte:

> Costuma-se ter em Veneza, sobre os telhados das casas, umas construções quadradas de madeira, em forma de galeria aberta, chamadas *altane*, onde, com muito artifício e assiduamente, todas ou a maior parte das mulheres de Veneza aloiram seus cabelos com diferentes espécies de água ou lixívias feitas para tal finalidade, e o fazem quando o sol está mais forte, sofrendo muito por isso. Ficam lá sentadas com uma esponjinha amarrada na ponta de um fuso e assim se refrescam.[32]

Cuidados estéticos

São conhecidas outras fórmulas. Uma das mais comuns recomenda uma mistura de borra de vinho branco e óleo de oliva, que se esparge sobre os cabelos, sob o sol, e, depois, para fazer com que ela penetre bem, penteia-se o cabelo por um longo tempo. Mas, no século XV já se usavam outras receitas de fácil preparo, e que ofereciam a vantagem de não exigir longas horas de exposição ao sol. A base dessas receitas era sempre uma lixívia, mistura de carbonato de sódio e de potássio, que, antes da invenção dos detergentes modernos para roupa, se obtinha derramando água quente em um pano coberto de carvão de lenha ou cinzas. Às vezes, na lixívia ferviam-se sementes de urtiga; ou cozinhavam-se endívias até que se desfizessem, e depois se preparava a lixívia-tintura com a água dessa fervura; ou então se ferviam folhas de hera e depois se jogava o caldo da fervura sobre cinzas de hera. O resultado é garantido. Com a primeira receita é suficiente uma lavagem, a segunda receita tem uma eficácia menos imediata, já que, por um certo período, é necessário lavar o cabelo duas vezes por semana.

Paralelamente, é preciso lembrar que a dialética das aparências sociais entre os séculos XVI e XVII encontra uma de suas expressões máximas no universo das roupas brancas e íntimas. Elas contribuem para traçar uma fronteira

---

[32] Apud P. Larivaille, *Le cortigiane nell'Italia del Rinascimento*, cit., p. 94.

entre público e privado.[33] Por meio dessas roupas articulam-se dois tipos de pedagogia: aquela do nu e do vestido de um lado, e aquela do sujo e do limpo de outro. As novas regras do decoro, que se ocupam mais da aparência do que da higiene, legitimam a concepção segundo a qual um aspecto limpo é a garantia de uma probidade moral e de posição social. O símbolo de tal condição é constituído pelas roupas brancas. A sua superfície branca é identificada com a pureza da pele que ela cobre. As roupas íntimas, portanto, uma segunda pele, substituem a água como agente de limpeza. Considera-se que as roupas brancas podem absorver facilmente o suor, conter as impurezas, preservar a saúde de quem as veste. A partir do século XVII a troca da camisa ou da camiseta constituirá um dos elementos essenciais da higiene diária, tanto para os burgueses como para os aristocratas. [34]

Após os cuidados com o corpo vem a vestição. A moda varia de uma cidade para outra, mas em todos os lugares as damas da boa sociedade e as cortesãs em maior evidência usam vestidos e *parures* luxuosíssimos.[35] Nanna, porém, recomenda à filha sobriedade, sinal de bom gosto: nada de bordados e cordões que custam uma fortuna e estragam-se logo. A jovem cortesã descrita por Pietro Fortini, ao contrário, "vestia riquíssimos vestidos, com um número infinito de detalhes em ouro e grupos de pérola, e por ter ela uma admirável beleza, com os esplêndidos e ricos vestidos, com joias e correntes de ouro, parecia um esplendoroso sol".[36] O visitante fascinado faz novas descobertas no momento em que a serva despe a patroa e a prepara para a noite. Descobre uma "anágua de cetim liso toda adornada com rendas douradas", uma "rede de ouro e pérolas tecidas juntas", uma "tiara feita com um belíssimo trabalho em ouro e, ligadas a ela, mil joias riquíssimas de grande valor" que lhe cingem a cabeça como se fossem uma fita e criam em seus cabelos loiros e ondulados um certo efeito, "um rico e caríssimo colar de pérolas orientais, maiores do que os maiores grãos de bico que se podem encontrar", sem contar "um robe todo bordado de flores de diferentes tipos e estrelas de ouro" que substitui as roupas de uso diurno. Ainda que à época da Contrarreforma se reforce a proibição às corte-

| A vestição

---

[33] Cf. D. Roche, *Il linguaggio della moda. Alle origini dell'industria dell'abbigliamento* (Turim: Einaudi, 1991), pp. 153-182.

[34] Cf. P. Sorcinelli, *Storia sociale dell'acqua*, cit., p. 66.

[35] Cf. M. Cataldi Gallo, "Abbigliamento e potere. La corte come centro di diffusione della moda", em R. Varese & G. Butazzi (orgs.), *Storia della moda* (Bolonha: Calderini, 1995), pp. 58-65.

[36] *Apud* P. Larivaille, *Le cortigiane nell'Italia del Rinascimento*, cit., p. 96.

sãs de usar vestidos demasiadamente luxuosos, sua aparência não é diferente daquela das mulheres honestas observadas pelos viajantes:

> A indumentária das damas venezianas esposadas é muito graciosa, e os seus vestidos são, atrás e na frente, reforçados com ossos de baleia. Usam cabelos loiros, no mais das vezes trançados e levantados sobre a cabeça como dois chifres de quase meio pé de altura, sem nenhuma armação de metal que os sustente por dentro além das tranças. E nada usam na cabeça senão um véu crespo e negro que vai até a metade das costas e não impede de ver a beleza dos cabelos, dos ombros e dos seios, que mostram até o estômago. Parecem ser um pé mais altas do que os homens, porque usam tamancos de madeira recobertos de couro altos pelo menos um pé, de modo que são obrigadas a ter junto a si uma mulher que as ajude a caminhar e uma outra que lhes levante a cauda do vestido. E caminhando de modo grave vão mostrando o seio, tanto as velhas como as jovens.[37]

É difundida também a moda de usar roupas masculinas, que invade todo o mundo feminino. Conforme Brantôme, tal jeito de vestir-se é apreciado também pelas damas francesas. Margarida de Navarra, por exemplo, veste-se de tal modo que, ao vê-la, ainda que apenas o rosto, é difícil dizer se é um belo jovem ou uma belíssima dama. Na Itália, uma moda assim é rigorosamente proibida pela Igreja e pelas autoridades locais, mas em vão: também a heroína dos *Ragionamenti* de Aretino mostra ter um fraco pelas roupas masculinas.[38]

Novos padrões de beleza | Em geral, o esquema conceitual implícito nos cuidados com o corpo e com o aspecto exterior é formado por novas concepções da beleza feminina e da forma ideal de feminilidade que se difunde na Idade Moderna.[39] Enquanto a cultura clerical na Idade Média teme a beleza feminina como "lugar" do pecado, o neoplatonismo renascentista, como já se disse, atribui um novo valor à beleza. Concebida como sinal, ela manifesta exteriormente uma "bondade" interior e invisível. A exterioridade do corpo torna-se um espelho da interioridade da pessoa. Nesse sentido, a beleza não é mais considerada como um elemento perigoso, e torna-se um atributo indispensável da posição social e do rigor moral. Daí vem a obrigação de ser belo, já que a feiura se torna sinal de inferioridade e de depravação moral. Não somente os manuais de boas maneiras

---

[37] Cf. D. Roche, *Il linguaggio della moda. Alle origini dell'industria dell'abbigliamento*, cit., p. 100.
[38] *Ibidem.*
[39] Cf. S. F. Matthews Grieco, "Corpo, aspetto e sessualità", cit., p. 66 *passim*.

e os receituários de cosmética, mas também as poesias de amor e esquemas reguladores codificam o tema da beleza feminina. É um costume geral, difundido na Itália, França, Espanha, Alemanha e Inglaterra, cujos princípios estéticos são os mesmos: pele branca, cabelos loiros, lábios e faces vermelhos ou rosados, sobrancelhas escuras, pescoço longo e mãos longas e finas, pés pequenos, cintura sinuosa, seio firme redondo e branco, com os mamilos róseos. Essa é a imagem canônica da mulher, que permanecerá essencialmente a mesma por trezentos anos. Tal codificação está relacionada àquela mudança da estética do corpo que coincide, historicamente falando, com uma importante evolução dos hábitos alimentares dos grupos aristocráticos daquele tempo.[40] Enquanto os receituários do fim da Idade Média mostravam uma nítida preferência pelos molhos ácidos e acres, sem açúcar e gorduras, aqueles dos séculos XVI e XVII estão cheios de manteiga, creme e doces. Em termos estéticos, isso significa que as mulheres aristocráticas são mais robustas em relação às suas antepassadas medievais, como se pode perceber, por exemplo, da comparação entre as sutis figuras femininas representadas nas miniaturas dos séculos XII-XIII e a *Vênus ao espelho* de Tiziano, de *c.* 1550.

Belas, sedutoras e espertas, as cortesãs são também exploradas, maltratadas e, sobretudo, vítimas da sífilis, a doença que reina soberana naqueles tempos; na Itália, conhecida como "mal francês", e vice-versa na França, e na Espanha, chamada "mal napolitano". Muitos autores deixaram descrições precisas dessa doença, sobretudo o médico e poeta de Verona Girolamo Fracastoro (1483-1553), a quem se deve o próprio nome da doença.[41] Os médicos não se limitam à diagnose, mas dão também conselhos terapêuticos. Naquela época, a sífilis era curada com a chamada "prata líquida", isto é, com os sais de mercúrio, uma terapia que sobreviverá até o século XX. Mas somente as classes mais ricas podem se permitir cuidados médicos. Fica logo clara para os contemporâneos a ligação entre relação sexual e difusão do contágio, e a doença é considerada assim uma punição decorrente do pecado carnal. Rapidamente a infecção adquire o adjetivo "venérea", para indicar sua relação com Vênus e o amor. As cortesãs e todas as categorias de prostitutas são banidas, acusadas de favorecer a luxúria e as doenças, de fomentar rixas e outras formas de desordens públicas e de incentivar o adultério. Elas se

> As cortesãs: belas e maltratadas

---

[40] Cf. J.-L. Flandrin, "Scelte alimentari e arte culinaria (secoli XVI-XVIII)", em J.-L. Flandrin & M. Montanari (orgs.), *Storia dell'alimentazione* (Roma/Bari: Laterza, 1996), p. 521 *passim*.

[41] Cf. P. Larivaille, *Le cortigiane nell'Italia del Rinascimento*, cit., p. 167 *passim*.

tornam parte da população criminal, dos marginalizados.[42] Multiplicam-se as iniciativas voltadas a provocar as conversões, obrigando as prostitutas a assistir a pregações especiais, como acontece em Mântova no último domingo de novembro de 1566, quando todas as cortesãs são intimadas à força a assistir a um sermão na igreja de Santo Ambrósio. Para os religiosos, o único comportamento sexual aceito é o conjugal praticado em função da procriação. Nem todos, porém, respeitam as normas prescritas pelos teólogos, pelos médicos, pelos funcionários da cidade, nem todos esperam o casamento para experimentar os prazeres eróticos. Nessa questão vale o pressuposto básico segundo o qual, observa Sorcinelli, "na reconstrução da vida sexual do passado é necessário ter bem claro que nenhuma constrição moral, econômica, ideológica pode uniformizar completamente os comportamentos de homens e mulheres". Sobretudo,

> trata-se de verificar, nos diversos momentos históricos e culturais, a divergência entre modelos teóricos e comportamentos efetivos, investigando também nos espaços da transgressão e da censura. Mas, frequentemente, também dessa maneira o que se consegue recuperar é ambíguo e contraditório, como se a subjetividade de cada sentimento, de cada emoção se divertisse em misturar continuamente as cartas sobre a mesa.[43]

Ora, a "diversão" de que fala Sorcinelli, se olharmos bem, pode encontrar uma expressão concreta, em termos históricos, na livre busca do prazer, misturada a fortes componentes culturais e filosóficos, típica do mundo libertino, tanto masculino como feminino. Na continuidade do jogo poético que abre caminho entre desejo e transgressão, de um lado, e ser e aparecer, de outro, o corpo reforça sua fisionomia como campo da sedução, como negação ética da tradição, como lugar da linguagem simulada, do *esprit* e do gozo. Para as mulheres, no entanto, fica sempre a tarefa mais pesada de conseguir uma perfeita integração social. De resto, como é possível atingir o objetivo, no rastro do que Nanna, a seu tempo, já tinha intuído, senão por meio do fingimento e do engodo das aparências? (Figura 1)

---

[42] *Ibidem.*
[43] P. Sorcinelli, *Storia e sessualità* (Milão: Bruno Mondadori, 2001), p. 15.

Figura 1
Debucourt, *Le lever des ouvrières en modes*. Paris, século XVIII.

Entre os sentidos e a virtude

A tentativa do filósofo e cientista francês Pierre Gassendi (1592-1655) de recuperar positivamente a imagem do filósofo grego Epicuro (431-270 a.C.), símbolo negativo do hedonismo em toda a tradição cristã, não ajudou nada, ou bem pouco, a reabilitar o mundo libertino. Do mesmo modo, a distinção introduzida por um outro filósofo francês, Pierre Bayle (1647-1707), entre libertinos desregrados e ateus ascéticos capazes de se submeterem às leis que governam a vida civil não absolve os libertinos da acusação de desregramento do coração e do espírito, "*déréglement de coeur et d'esprit*".[44] Tal desregramento, para os ortodoxos rigorosos, manifesta-se em uma espécie de *libertinage de l'esprit* que não renuncia a nada no reino da imaginação e dos sentidos. A liberdade que se concedem de pensar tudo o que quiserem – afirma o grande predicador Jacques-Bénique Bossuet (1627-1704) – os faz acreditar que respiram um novo ar. Imaginam usufruir de si mesmos e de seus desejos e, no direito que se arrogam de não recusar nada, acreditam obter o máximo bem. O retorno a

Contra os libertinos

---

[44] Cf. M. Mancini, *La gaia scienza dei trovatori*, cit., p. 71 *passim*.

uma condição sem normas, além do bem e do mal, perseguida pelos libertinos, significa o retorno ao princípio do prazer. Nesse sentido, a reivindicação da liberdade sexual eleva-se a símbolo da liberação radical, total, uma vez que sobre o prazer do corpo pesa o mais forte tabu da sociedade. Daqui se origina, a partir da Idade Média e por toda a Idade Moderna, a condenação teológica do epicurismo, da sua física e da sua visão de mundo. O epicurista é, por excelência, o amante do prazer, sempre dedicado à vaidade das coisas terrenas e não aos valores transcendentes. Na sua alma a inconstância é dominante, ele não investe nunca, por assim dizer, na estabilidade do "bom objeto", ao contrário, a sua lei é a "variação". O hedonista é, assim, na medida em que não acredita na vida após a morte – afirmam os doutores da Igreja – e que não crê no além, um ímpio por princípio, e não por erro, e somente um ímpio pode crer no fascínio das coisas terrenas. A escolha entre vida mundana e vida espiritual, a escolha decisiva para o destino e a salvação do homem, dá-se sobre o fio da *voluptas*, do desejo. Quem se abandona ao amor por este mundo, no qual quer gozar o prazer, cai no desespero e na danação eterna. Desse ponto de vista, o comportamento do libertino mostra-se como um desafio à divindade e ao finalismo, e a sua leviandade é um pecado que compromete o espírito.

Reflexões sobre estética e gosto

Por outro lado, a influência das reflexões sobre a subjetividade estética e sobre o problema do gosto, que no século XVIII orientam a avaliação da arte, contribui para a formulação das normas conceituais da vida libertina. Conforme tal perspectiva, o elemento predominante se torna o elemento emotivo e passional, em que está subentendido o entrelaçamento entre beleza, natureza e imaginação. Isso fica especialmente claro se consideramos o fato de que a beleza, como sustenta o filósofo escocês David Hume (1711-1776), não é uma qualidade intrínseca às coisas, mas existe apenas na mente de quem contempla o objeto. Portanto, o sentido do belo, entendido como prazer desinteressado, reside no ânimo humano. Daí resulta que o prazer deriva do livre jogo das paixões e dos afetos individuais.[45] Essas avaliações são reforçadas pelas considerações que Immanuel Kant (1724-1804) expõe na *Crítica do juízo*.[46] Kant coloca como fundamento do fato estético o prazer desprovido de interesse.

---

[45] Cf. D. Hume, "Trattato sulla natura umana", em E. Lecaldano (org.), *Opere filosofoche*, vol. I (Roma/Bari: Laterza, 1987), p. 264 *passim*. Ver também E. Franzini, *Filosofia dei sentimenti* (Milão: Bruno Mondadori, 1997), p. 160 *passim* e pp. 202-243.

[46] I. Kant, *Critica del Giudizio* (Milão: Tea, 1995), p. 97 *passim*. Ver também E. Franzini, *Filosofia dei sentimenti*, cit., p. 123 *passim*.

Da contemplação da beleza surge um prazer puro, um livre sentimento do belo. Por sua vez, tal sentimento, diferente daquele moral e daquele útil por seu caráter desinteressado, é o que funda o juízo do gosto. O gosto, portanto, define-se como faculdade de julgar desinteressadamente um objeto ou uma representação mediante um prazer ou um desprazer. Em outros termos, uma "coisa" agrada ou não agrada, é bela ou feia, independentemente da motivação que acompanha o juízo. O prazer e o sentido do belo são assim originados por um livre jogo das capacidades do intelecto e da fantasia e, portanto, são subjetivos. Nesse quadro, a identidade que parece amadurecer entre as reflexões sobre o pensamento estético e o que "disciplina" a vida libertina não pode deixar de promover o reconhecimento da própria autonomia em relação às normas morais da sociedade. De fato, antes mesmo de se configurar no plano especificamente estético, esse reconhecimento se configura no plano geral da existência. A esse propósito, o autorretrato de Giacomo Casanova (1725-1798), o libertino que declara ter sido aluno de si mesmo e considera um dever amar o seu preceptor, é emblemático.[47] Tecendo a apologia do próprio temperamento e declarando nunca ter resistido a ele, Casanova recusa todo compromisso com o ambiente do tempo e traça a relação entre a própria realidade subjetiva e a concreta possibilidade de experimentá-la como o fruto de uma interação natural. Todavia, isso não significa que ele pode se subtrair à opinião dos outros. A liberdade do juízo, nesse sentido, corre sobre uma pista dupla. Mantendo distintos, com muita perspicácia, o plano do que acontece por causa de uma necessidade natural de ordem superior e o plano do que é válido conforme certas regras, o libertino pode afirmar:

A autonomia do libertino

> Os defeitos do temperamento são incorrigíveis, porque o temperamento não depende das nossas forças. Mas o caráter é outra coisa. O que forma o caráter são o coração e o espírito, e, como o temperamento tem muito pouca influência sobre o caráter, daí resulta que este depende da educação e é suscetível de correção e mudança. Deixo aos outros decidir se o meu caráter é bom ou mau, mas assim como ele é pode facilmente ser percebido por quem disso entende, por meio da minha fisionomia. De fato, somente pela minha fisionomia pode-se ver o caráter do homem, porque é aí que o caráter tem a sua morada. De resto, os homens que não têm fisionomia, e são mui-

---

[47] G. Casanova, *Storia della mia vita* (Milão: A. Mondadori, 1984).

tíssimos, não têm também caráter. Consequentemente, à diversidade das fisionomias corresponderá a diversidade de caracteres.[48]

Por trás do recurso à diversidade de fisionomias é possível perceber, de maneira inequívoca, uma primeira tentativa de Casanova de justificar o *esprit*, a burla, a ternura ou a melancolia que invadiram a sua existência, cuja narração está para iniciar. Verdadeiro diário sobre o amor, a história de sua vida aparece como uma contínua evocação dos prazeres e dos amores que o acompanharam na França e em outros lugares. O estilo evocativo lança-se a misturar o perfume das mulheres amadas com o aroma das comidas preferidas, de modo que a recordação olfativa das mulheres dá, às vezes, lugar à lembrança da torta de macarrão e do queijo bem fermentado. Na aguda sensação do prazer pelo engano e na paixão pela mudança contínua, o libertino está completamente submerso na mundanalidade do século XVIII, mas, sobretudo, põe as suas reflexões em relação com os seus afortunados encontros amorosos. E é aqui que, metaforicamente falando, o manto estético reveste completamente seu sentimento do belo e do prazer. O fascínio pela beleza feminina o envolve a tal ponto que o prazer está presente também quando Casanova é simplesmente espectador, como, por exemplo, na fase inicial do encontro com a aristocrática figura de M. M., monja veneziana, "feliz" por ser contemplada em todas as poses e "fascinada pelo prodígio dos espelhos", que refletem, mesmo estando imóveis, a sua figura em cem maneiras diferentes. A imagem da mulher, que os próprios espelhos refletem multiplicada, oferece um espetáculo novo. M. M. enamora-se de si mesma, mas, ao mesmo tempo, o amante fica enredado por essa intriga de beleza real e refletida. Sentado sobre um banquinho, ele admira com atenção uma certa "elegância dos sentidos" que transparece do próprio jogo das roupas femininas e dos adereços:

> Tinha um vestido de veludo liso bordado com lantejoulas douradas nas bordas, um colete elegantemente bordado e excepcionalmente rico, calcinhas de cetim negro, rendas feitas com a agulha, brincos brilhantes, um solitário valioso no dedo mínimo e, na mão esquerda, um anel do qual se notava apenas uma superfície de tafetá branco coberta por um cristal convexo. A túnica com capuz de renda negra era maravilhosa pela fineza do tecido e pelo desenho. Para consentir-me vê-la melhor, veio colocar-se diante de mim. Olhei nos seus bolsos e encontrei uma tabaqueira, uma bomboneira, uma ampola,

---

[48] *Ibid.*, p. 9. Ver também M. Calvesi, *Storia della seduzione*, cit., pp. 26-33.

um estojo de palitos de dentes, uns óculos, lenços que exalavam perfumes balsâmicos. Examinei com atenção a riqueza de seus dois relógios finamente trabalhados e dos pingentes que trazia amarrados à corrente incrustada de diamantes. Nos bolsos laterais encontrei duas pistolas de pederneiras chatas à mola, finíssima obra inglesa.[49]

O libertino paga o seu tributo ao demônio feminino a ponto de reconhecer seu domínio absoluto: a impossibilidade de viver, respirar, ser feliz ou infeliz senão em relação às mulheres. Nesse sentido, evocar uma a uma as conquistas é o costume libertino mais comum. O mesmo que confluirá na cena do catálogo escrito por Da Ponte para a música de Mozart no *Don Giovanni*. Com a máscara ou com o rosto descoberto, o libertino está sempre mascarado, porque sob a brilhante imagem mundana esconde não somente o objetivo da conquista erótica, mas a própria identidade social de seu personagem. No romance *As relações perigosas* (1782), de Pierre Choderlos de Laclos, a protagonista, marquesa de Martenic, punge o cínico sedutor Valmont com as observações sobre as suas qualidades: uma elegância que se adquire com "os usos do mundo", uma inteligência que pode ser suprida por uma "conversação vulgar", e uma louvável insolência, devida talvez apenas à facilidade dos primeiros sucessos.[50]

A "máscara" do libertino

Não distante dessa descrição, no que concerne ao mundo feminino, é aquela de um estranho ser bem aninhado nos salões da boa sociedade da civilizadíssima Europa. Um ser anômalo, de traços animalescos: "vê-se geralmente espalhado pela Europa um animal feminino do qual não se tem nenhuma ideia na Ásia, na África e nos desertos da América [...] esse animal se chama mulher galante", ou seja, mulher de qualidade, mulher de espírito, da qual é difícil falar, pois:

A "mulher galante"

> O seu espírito está sempre em agitação e o seu corpo em perpétuo movimento. Ela gira continuamente, detém-se em toda parte sem fixar-se em lugar algum. Certos belos espíritos naturalistas pensam que o coração de uma mulher galante tem a forma de um labirinto, outros o comparam a um pedaço de cera, que toma todas as formas, mas não fixa nenhuma. Mas, seja composto do que for, todos concordam que ele é extremamente leve, o que faz crer que seja vazio. Aqueles que estudaram a sua anatomia supõem

---

[49] G. Casanova, *Storia della mia vita*, cit., pp. 983-985. Ver também D. Roche, *Il linguaggio della moda. Alle origini dell'industria dell'abbigliamento*, cit., p. 407 *passim*.
[50] Cf. M. Calvesi, *Storia della seduzione*, cit., p. 33 *passim*.

que ele não tem nenhuma relação com o cérebro, e que as operações do
primeiro são de fato independentes daquelas do outro.[51]

Misoginia |

Vazia no coração e no cérebro, a mulher galante tem, todavia, uma paixão na alma que a ocupa continuamente. É a paixão de despertar o amor em todos os homens sem tomar parte dele, sem deixar-se envolver. Uma tal descrição jornalística, que se inspira em uma noção moral de estabilidade e firmeza, está em pleno acordo com a reflexão iluminista sobre a mulher e sobre a sua condição, entendida como realidade defectiva e essencialmente inferior ao homem por natureza.[52] Já por sua fisiologia é mais fraca do que o homem. O fluxo periódico de sangue a enfraquece, assim como a gravidez, o aleitamento e a criação dos filhos, um conjunto de fatores que a tornam pouco apta para os trabalhos peados. A sua inferioridade em relação ao homem é, portanto, legitimada pela própria natureza. É nessa direção que Jean-Jacques Rousseau, investigando a esfera sexual, afirma que o instinto sexual prevalece nas mulheres.[53] A sexualidade as rende "naturalmente" escravas a ponto de nutrirem desejos ilimitados, devoradores e devastadores. Uma verdadeira ameaça para os homens que, para poderem ficar tranquilos, têm de trancá-las à chave. Mas, por sorte, a natureza previu os meios para deter os excessos femininos. Dotou as mulheres da vergonha, do pudor, daquele comedimento modesto que se baseia na consciência das próprias imperfeições e mitiga os excessos. A função do pudor, porém, não é apenas a de regular os furores femininos, mas permitir também às próprias mulheres que dominem o homem de modo sutil, delicado. Em todo caso, o problema é e continua sendo da mulher: é a lei da natureza que decreta tal situação. De fato, o homem, por natureza, não tem necessidade de prazer, lhe basta "ser". A mulher, ao contrário, por causa de sua natureza, é cativada pelo ornamento desde o nascimento: desde menina já é "vaidosa". É, portanto, *natural* que a mulher exista somente para o olhar dos outros, dos homens em particular. Consequentemente, é também *natural* que ela tenha sido feita para ser objeto do juízo, das opiniões alheias, para ser submetida à

Mundo das mulheres é igual a mundo das aparências

crítica de outras pessoas. Nessa perspectiva, a mulher corresponde, de certa

---

[51] *Giornale delle dame*, Florença, 1781, p. 161. Ver também A. Gigli Marchetti, *Dalla crinolina alla minigonna* (Bolonha: Clueb, 1995), p. 13 *passim*.

[52] Cf. Crampe-Casnabet, "La donna nelle opere filosofiche del Settecento", em Zemon Davis & A. Farge (orgs.), *Storia delle donne in Occidente. Dal Rinascimento all'età moderna*, vol. III, cit., p. 318 *passim*.

[53] Cf. J. J. Rousseau, *Emilio*, livro V, edição de E. Nardi (Firenze: La Nuova Italia, 1995).

maneira, ao conjunto do gênero humano que a corrupção social "reduziu" a simples aparência, máscara sem profundidade, um ser não mais presente em si mesmo, que vive só para os outros.[54] Charles de Montesquieu (1689-1755), por sua vez, sublinha, porém, que o desejo de prazer, intrínseco à natureza feminina, tem uma utilidade social específica.[55] Com efeito, esse desejo, determinando o mundo das "aparências", torna-se função social fundamental, porque introduz a possibilidade de aumentar o comércio e, portanto, a riqueza geral da sociedade. Em resumo, a beleza é um privilégio que pertence a mulheres, mas, apesar disso, elas são desprovidas de raciocínio, têm uma faculdade intelectual inferior. Não podem pertencer à dimensão da genialidade devido a um princípio psicológico perfeitamente "natural": a mulher é o ser da paixão, da imaginação e não o ser do conceito. Encontra-se perenemente no estado infantil e é incapaz de ver além do mundo fechado da esfera doméstica, que lhe foi imposta por herança natural. Com base em tal princípio, não pode praticar as ciências exatas. Daí resulta que, para ela, a única ciência a ser conhecida, além de seus deveres (conhecidos intuitivamente), é aquela que se baseia nos sentimentos pelos homens, sobretudo por seu esposo. As mulheres, portanto, não têm nenhuma necessidade de literatura.[56] Incapazes de raciocinar, de entender as razões profundas das coisas, podem estudar somente aquilo que diz respeito ao mundo concreto, à prática. Da inferioridade sexual e intelectual da mulher, do seu papel natural na reprodução da espécie e de seus cuidados com os filhos deriva naturalmente a sua função social de esposa e mãe. A mentalidade da época custa a entender uma mulher que não é casada e não tem filhos.

No século XVIII a opinião corrente, bem sustentada pela reflexão filosófica, considera, portanto, que a mulher foi criada para a felicidade do homem, para o uso e serviço do homem. A mulher galante – de extração elevada, aristocrática ou da alta burguesia – não dispõe de muitas chances de se realizar.[57] Não lhe resta mais que se concentrar na própria aparência e potencializar ao máximo a sua capacidade de sedução sobre o homem, para atingir o único objetivo que a sociedade lhe permite: a conquista de um marido e, portanto, de um *status* social. Para obtê-lo, a dama emprega os mais variados instrumentos. Seria necessário

A mulher a serviço do homem

---

54 *Ibidem.*
55 Cf. C. Montesquieu, *Lo spirito delle leggi*, livro XVI, edição de G. Macchia (Milão: Rizzoli, 1989), cap. XII.
56 Cf. M. Crampe-Casnabet, "La donna nelle opere filosofiche del Settecento", cit., p. 329.
57 Cf. A. Gigli Marchetti, *Dalla crinolina alla minigonna*, cit., p. 14.

aqui todo um volume para explicar os diferentes meios que usa para se fazer amar por aqueles (os homens) que ela não ama. Serve-se do ar lânguido e terno, dos adornos mais brilhantes, das feições mais sedutoras, ora com vestes de cor lilás, da aurora, de *pompadour*, ora de branco, de rosa. As joias, os véus, as pérolas não são poupados.[58]

Na realidade, os "diferentes meios" aos quais as mulheres recorrem para conquistar o homem e o marido e, portanto, seu papel social, são apenas, como observa Gigli Marchetti, "as velhas e bem testadas, antigas como o mundo, armas da sedução: um rosto bonito, um corpo bonito e, armadilha para encantar ingênuos, um vestido bonito" (Figura 2).[59] Que a beleza, e não o intelecto, é a arma para ser ou se tornar "alguém", as mulheres já o sabem há tempos. Mas esse conhecimento assume conotações de certeza definitiva ao longo do século XIX, quando a afirmação da sociedade burguesa consegue fixar papéis rigidamente separados para os homens e para as mulheres. O próprio modo de se vestir espelha essa rígida divisão. Passando dos salões para o escritório e a loja, os homens abandonam as fantasias da moda, que até aquele momento tinham escrupulosamente seguido, para assumir um vestuário sóbrio, de origem inglesa. As mulheres, por sua vez, permanecem entre as paredes domésticas, que a sua presença deve absolutamente embelezar para tornar feliz o chefe da casa, e acentuam a atenção no seu corpo e na sua beleza. O problema do vestuário, visto tanto como instrumento de sedução como símbolo de *status*, continua por todo o século XIX a ser uma questão central no universo feminino, diferentemente do que ocorre com os homens, para quem a simplicidade e a praticidade tornaram-se há tempos exigências estéticas primárias. Contemporaneamente, são acrescentadas ao papel da mulher outras prerrogativas. Além de agradar o homem, a mulher deve ser também uma boa companheira, uma boa mulher e uma mãe perfeita. Assumindo esses novos papéis, a mulher torna-se a "rainha do lar"; e no total conformismo com as normas da boa sociedade e da boa aparência pode-se identificar a razão pela qual as senhoras das classes altas continuam a se angustiar por seu corpo e vestuário, não hesitando em recorrer também a práticas e artifícios muitas vezes proibidos e condenados pela moral comum.[60]

---

[58]   *Giornale delle dame*, cit., p. 162.

[59]   Cf. A. Gigli Marchetti, *Dalla crinolina alla minigonna*, cit., pp. 15 e 27-29. Ver também E. Coppola, "Dall'uomo soldato al cortigiano al borghese: l'evoluzione dell'abbigliamento maschile dal XVI al XIX secolo", em R. Varese & G. Butazzi (orgs.), *Storia della moda*, cit., p. 132 *passim*.

[60]   *Ibid.*, p. 113 *passim*.

Beleza e prazer da moda

Figura 2
À esquerda, dona Vittoria Torregiani (1897). À direita, princesa Sophie Strozzi (1898).

Elas se tornam, portanto, "vitrines" do homem, vitrines de grande elegância e beleza, visto que é esta última que conta para a mulher, como especifica a famosa bailarina e aventureira Lola Montes (1820-1861), ao fornecer conselhos e segredos para manter-se jovem e bela:

> Todas as mulheres sabem que a beleza é, mais do que o talento, a característica do nosso sexo que por todas as gerações dos homens foi honrada. Qual a surpresa então se dedicamos tanta atenção aos meios para desenvolver e conservar os nossos atrativos? Observem com que tom de fria e árida crítica os homens falam do intelecto da mulher, mas façam com que falem dos fascínios de uma bela mulher: suas palavras, seus olhos emitirão lampejos de entusiasmo, mostrando-nos que eles estão profundamente comovidos, se também não o são até o ridículo. A natureza nos dotou da sagacidade necessária para perceber todas essas coisas, e seríamos inimigas de nós mesmas se não procurássemos empregar todas as artes possíveis, desde que lícitas, para nos tornar deusas de tal adoração. Meu propósito é discutir, neste livro, as diferentes técnicas empregadas pelo meu sexo para atingir este que é o objetivo principal da vida de uma mulher.[61]

---

[61] Lola Montes, *L'arte della bellezza* (Milão: s/ed., 1990 [1885]), pp. 13-15.

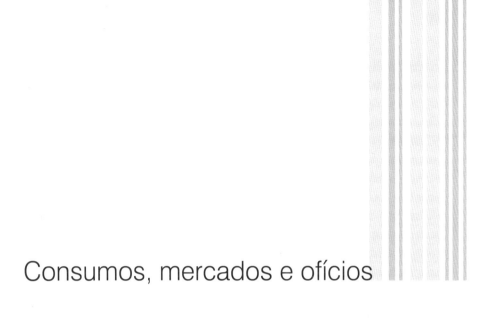

Consumos, mercados e ofícios

A transformação do consumo na Idade Moderna

Em seu projeto de história cultural orientado para a compreensão de como ideias e usanças entram em relação com o mundo social, a *nova história* há tempos pesquisa o nascimento e o desenvolvimento das economias de consumo e de comercialização. De modo particular, investiga as épocas que as separam das sociedades em que se originaram e às quais se opõem.[1] Em um quadro mais geral, deve-se constatar tanto a inadequação das interpretações que os economistas elaboraram a respeito do consumo, como a escassa atenção dedicada ao tema em si. Nesse sentido, Paul Ginsborg ressalta: "Tradicionalmente os historiadores e os economistas [...] dedicaram-se, sobretudo, à análise da produção e dos gastos públicos, negligenciando em grande parte a outra face do capitalismo moderno, isto é, o mundo do consumo".[2] Por exemplo, o *boom* econômico que os países capitalistas avançados conhecem desde o final da Segunda Guerra Mundial até os anos 1960 é uma onda de desenvolvimento que atinge tanto a produção como o consumo privado das famílias. Portanto, não é somente, e sobretudo, um fenômeno de promoção de um elevado nível de demanda interna incentivado pelas autoridades de política econômica, como sustenta a maior parte dos teóricos da

| A história do consumo

---

[1] D. Roche, *Storia delle cose banali* (Bolonha: Clueb, 1995), p. 7 *passim*.
[2] P. Ginsbor, *L'Italia del tempo presente. Famiglia, società civile, stato 1980-1996* (Turim: Einaudi, 1998), p. 161.

macroeconomia contemporânea.[3] Nessa perspectiva, toma forma uma história do consumo que considera como setores de pesquisa inter-relacionados a produção, o consumo, a dimensão econômica e a distribuição social. Essa linha de pesquisa é reforçada pela consideração de que o desenvolvimento do produto e o desenvolvimento do consumo são dois aspectos da mesma realidade, vista do lado da oferta e do lado da demanda. Sendo assim, observa Roche, a história dos comportamentos em relação aos objetos e às mercadorias na nossa sociedade aparece como fundamental.[4]

Para reforçar essa abordagem, contribui o postulado segundo o qual a história do consumo pode configurar-se como um ponto de encontro, uma mediação entre sujeito e objeto, interioridade e exterioridade. Isso significa que o mundo externo dos objetos não é concebido como o lugar da nossa total alienação, mas como um meio pelo qual se desencadeia um processo criativo. A relação entre indivíduo e ambiente social passa pela reificação. Nesse sentido, a história do consumo permite evidenciar a correspondência entre material e simbólico, o nexo entre representações simbólicas e a realidade concreta. De fato, o consumo não esgota a história dos objetos, ao contrário, dá lugar à análise antropológica de uma época e permite respeitar a ligação entre história e ciências sociais. Roche, ao mostrar como entre os séculos XVII e XIX é possível ver uma primeira multiplicação do consumo no mundo europeu, reconstruiu a passagem de uma economia de subsistência e da frugalidade a uma economia de relativa abundância e da conveniência, utilizando os progressos da história econômica e social que foram trazidos por Braudel e Labrousse.[5] As considerações sobre tais desenvolvimentos levam Roche a afirmar que o consumo constitui uma realidade já muito antes da revolução industrial e comercial iniciada no século XVIII. Se pensarmos bem, o consumo é inseparável do contexto familiar: é na família que são organizadas as despesas, as escolhas que caracterizam a economia cotidiana. Tratando-se de opções, nas despesas intervêm não somente fatores econômicos, mas também e, sobretudo, fatores culturais, antropológicos e de socialização. O consumo familiar mostra-se, assim, como um modo de se definir e de se comportar segundo normas de identidade e de conhecimento de naturezas diferentes. A

Correspondência entre material e simbólico

O consumo: não somente economia

---

[3] Cf. S. Somogyi, "Il boom dei consumi", em V. Castronovo (org.), *Storia dell'economia mondiale*, vol. V (Roma/Bari: Laterza, 2000), p. 158.

[4] D. Roche, *Storia delle cose banali*, cit., p. 13 *passim*.

[5] *Ibidem.*

consequência é que a economia, ainda que constitua o cenário global em que se instaura o mercado no começo da Idade Moderna, não explica totalmente o nascimento do consumo a partir do século XVII no Ocidente. Em termos concretos, na sociedade do *Ancien Régime* a relação entre produção e consumo aparece baseada em uma relação assimétrica.[6] Por um lado, pode-se consumir somente aquilo que é produzido, e, nesse sentido, o *Ancien Régime* é uma sociedade caracterizada pela frugalidade. Por outro lado, faz-se presente uma outra sociedade, a sociedade aristocrática urbana, cujos modelos não parecem tanto, nem somente, ligados à capacidade econômica, mas sim, e principalmente, à dinâmica social da diferenciação e da imitação. Esse é um ponto essencial para se entender a evolução geral do consumo na época moderna. Em resumo, nela agem simultaneamente dois princípios: aquele da economia estática, cujas aparências e regras são fixadas pelas condições sociais ("o hábito faz o monge", cada um deve consumir de modo adequado à sua classe, tema central das regras educativas a partir de Erasmo); e o princípio da economia do luxo, no qual os especialistas e exegetas da moda celebram o desejo de distinguir-se daqueles que são considerados inferiores. Esses dois princípios encontram a sua explícita realização prática na corte régia, que se torna, principalmente a partir do século XV, o termo de referência obrigatório para medir a própria justificação simbólica e social.[7]

Manifestando as estruturas do poder por meio de seu esplendor, a corte serve como instrumento de domínio do rei em relação à nobreza, como expressão de magnificência em relação ao povo e, ao mesmo tempo, como sede privilegiada da barganha política, lugar de distribuição de favores e de formação das decisões. Na Espanha, Filipe IV (1605-1665), graças à obra do ministro Olivares, torna-se o primeiro "Rei Sol" da Europa: um exemplo perfeito do monarca para cerimônias. Mas é Luís XIV (1638-1715), na França, que cria o modelo de corte que será imitado em toda a Europa. O país, no geral, assume o modelo e é submetido a ele, enquanto as classes dirigentes são neutralizadas e integradas a ele. Na magnificência da corte, a nobreza é submetida ao controle em uma vida de fausto e exageradamente dispendiosa, que a obriga a aceitar tanto as pensões oferecidas pelo rei quanto a vontade dele. Considerando o valor que assume o nascimento, os conceitos de honra, de poder e

A corte e seu mundo

---

[6]   *Ibid.*, pp. 21 e 27 *passim.*
[7]   Cf. N. Henshall, *Il mito dell'assolutismo. Mutamento e continuità nelle monarchie europee in età moderna* (Gênova: il Melangolo, 2000), p. 81 *passim.*

de riqueza, e o próprio estilo de vida, é possível afirmar que no século XVII as nobrezas europeias revelam, ainda que com diferenças relativas, semelhanças substanciais. O estilo de vida dos aristocratas e dos conservadores é regulado pela corte, pela linguagem obsequiosa que a caracteriza, pelo respeito ao estamento que a reforça.[8] O autocontrole e a prudência, como observou o historiador alemão Norbert Elias, são as regras fundamentais da vida na corte, regras que escondem uma lógica de relações orientada para o controle e o exercício do poder. Como o silêncio, o segredo e a duplicidade protegem das insídias da competição na corte, assim também os divertimentos mundanos e as despesas de prestígio aumentam a fama e o valor individual, isto é, o poder simbólico e real dos cortesãos.[9] O estabelecimento definitivo das cortes nas principais capitais europeias produz mudanças notáveis também nas características das cidades. Com milhares de habitantes e centenas de acomodações e apartamentos, a corte torna-se para a capital uma grande ocasião de enriquecimento, um mercado de consumo extenso com enormes possibilidades financeiras. A própria arquitetura da cidade é envolvida. Com seu estilo de vida luxuoso e refinado, a corte atrai grandes famílias nobres e as obriga a uma vida muito dispendiosa. O luxo é uma afirmação social e política, por isso para os nobres a aparência é essencial.[10] Essa exigência de manter um estilo de vida adequado ao próprio *status* conduz a maior parte da nobreza a endividar-se consideravelmente. Um dos itens de gastos, que, sobretudo a partir do fim do século XVI, pesa mais no orçamento familiar é a construção, a reforma e o embelezamento das habitações da cidade e do campo. O palácio e a vila tornam-se cada vez mais o símbolo concreto do poder e da durável supremacia de uma família aristocrática.[11]

Luxo e endividamento nobiliário

Consumos alimentares

Outro item fundamental nas despesas são os alimentos. O consumo de alimentos é acrescido pela presença dos empregados e pelos frequentes ban-

---

8   *Ibidem.* Ver também C. Donati, "I nobili dal Medioevo all'Ottocento nelle società europee", em *Storia e dossier*, ano II, setembro de 1987, p. 10 *passim*; C. Donati, *L'idea di nobiltà in Italia, secoli XIV-XVIII* (Roma/Bari: Laterza, 1988).

9   N. Elias, *La società di corte* (Bolonha: il Mulino, 1980), p. 106 *passim*. Ver também S. Bertelli & G. Calvi, "Rituale, cerimoniale, etichetta nelle corti italiane", em S. Bertelli & G. Crifò (orgs.), *Rituale, cerimoniale, etichetta* (Milão: Bompiani, 1985), pp. 11-27.

10   C. Donati, *L'idea di nobiltà in Italia, secoli XIV-XVIII*, cit., p. 26 *passim*. Cf. J.-P Labatut, *Le nobiltà europee* (Bolonha: il Mulino, 1982).

11   *Ibidem.* Ver também A. Dal Lago, *Le ville antiche* (Rimini: Elite Arte e Stili, 1995).

Consumos, mercados e ofícios

quetes nos quais se ostenta riqueza e opulência.[12] Calcula-se que durante o *Ancien Régime* as despesas dos ricos com a alimentação variavam entre 15% e 35% dos gastos totais, e pesquisas historiográficas específicas confirmam esse dado geral. A família Riccardi, de Florença, por exemplo, gastava no período 1690-1719 uma média anual de 4.144 escudos com alimentação, o que corresponde a 23% dos gastos correntes totais.[13] Todavia, não é sempre fácil estabelecer o custo dos gêneros alimentares, porque os documentos contábeis não indicam se são produtos provenientes das propriedades da família, produtos recebidos como rendas anuais ou produtos adquiridos nos mercados. Dos documentos relativos a algumas casas aristocráticas inglesas, constata-se que a quantidade de comida consumida é muito elevada. Segundo cálculos aproximados, uma unidade doméstica de oitenta pessoas consumia por semana um boi e cinco ovelhas. Em um ano, cada família aristocrática, além de alguns milhares de coelhos e frangos, consumia também entre trinta e quarenta porcos. Os cálculos exatos do consumo *per capita* são difíceis de reconstruir, porque, com frequência, se ignora o peso médio dos animais naquela época, o número exato dos hóspedes, a quantidade das sobras distribuídas aos pobres fora das portas do castelo.[14] Deve-se ter presente também que o hábito de distribuir os restos é uma característica típica do comportamento aristocrático. No século XVIII em Paris, por exemplo, existia um mercado especializado em vender os restos das mesas reais.

Em geral, pode-se dizer que é enorme o consumo de carne, manteiga, queijo, cerveja e peixe, e, portanto, pode-se falar de uma cultura do excesso e da abundância.[15] Como contrapeso, no entanto, há uma cultura da escassez e da carestia; nesta última encontram-se as camadas populares de toda a população europeia, obrigadas a uma dieta cada vez mais miserável do ponto de vista quantitativo e qualitativo.[16] E isso a partir dos primeiros séculos da Idade Moderna, quando o consumo de carne na população mais pobre e entre os

---

[12] Cf. A. J. Grieco, "Alimentazione e classi sociali nel tardo Medioevo e nel Rinascimento in Italia", em J.-L. Flandrin & M. Montanari (orgs.), *Storia dell'alimentazione* (Roma/Bari: Laterza, 1996), pp. 371-380; D. Roche, *Storia delle cose banali*, cit., pp. 280-292.

[13] C. Donati, *L'idea di nobiltà in Italia, secoli XIV-XVIII*, cit., p. 26 *passim*.

[14] *Ibidem*.

[15] Cf. J.-L. Flandrin, "I tempi moderni", em J.-L. Flandrin & M. Montanari (orgs.), *Storia dell'alimentazione*, cit., pp. 427-448.

[16] Cf. J.-L. Flandrin, "L'alimentazione contadina in un'economia di sostentamento", em J.-L. Flandrin & M. Montanari (orgs.), *Storia dell'alimentazione*, cit., pp. 465-489.

camponeses se reduz consideravelmente e a ração cotidiana de víveres é quase exclusivamente composta de farináceos (frequentemente farinhas de cereais inferiores, como a cevada, o painço, o milho, etc.) e outros vegetais.[17] No mundo dos ricos, porém, a quantidade não é tudo. O refinamento do preparo das comidas, exóticas e estranhas, é acompanhado, na maioria das vezes, por verdadeiras "arquiteturas culinárias". Lorde Berkeley, por exemplo, apresenta a seus comensais um javali inteiro fechado em um recinto em forma de paliçada, obra realizada por um cozinheiro de Bristol. O conde de Cumberland manda vir um pintor só para dourar e pintar os assados e os raminhos de alecrim de sua mesa. Nesse ponto os aristocratas ingleses não se afastam de uma civilização da festa e da mesa em voga havia muito tempo. O banquete organizado em 1454, em Lile, pelo duque de Borgonha, com a intenção explícita de convencer os hóspedes a pegar em armas contra os turcos, que no ano anterior tinham conquistado Constantinopla, pode ser considerado uma das primeiras manifestações dessa civilização. Sobre as mesas desse banquete podia-se admirar um prato com uma fonte circundada por árvores, um castelo, um navio mercante, um bosque com animais ferozes móveis, um moinho, uma igreja com um órgão e um cantor que fazia música alternando-se com uma orquestra de 28 pessoas sentadas dentro de um enorme empadão de carne.

A tipologia das despesas

Ao lado da comida, outro item fundamental dos gastos é o vestuário, ao qual se pode acrescentar a compra de joias, símbolos da condição social. As despesas com roupas, assim como aquelas com alimentos, não dizem respeito apenas aos membros da família nobre, mas se estendem à família alargada pelos domésticos e empregados.[18] Além disso, há as despesas com transporte: cavalos, carroças, liteiras.[19] Acrescentam-se as despesas com a educação dos filhos, os serviços notariais, os tratamentos médicos, os funerais e as sepulturas, as despesas com diversão e as despesas extraordinárias, como aquelas para organizar festas que celebram algum evento particular da família. Entre as despesas extraordinárias estão também os dotes das filhas que se casam ou entram para um convento. Outro gasto à parte, que, no entanto, incide sobre a renda total, são os jogos de azar, desastrosos não somente para o patrimônio dos nobres, mas também para quem se envolve com os aristocratas em tal ati-

---

[17] Cf. M. Montanari, *La fame e l'abbondanza. Storia dell'alimentazione in Europa* (Roma/Bari: Laterza, 2000), pp. 77-188.

[18] Cf. D. Roche, *Storia delle cose banali*, cit., p. 240 *passim*.

[19] Cf. C. Donati, *L'idea di nobiltà in Italia, secoli XIV-XVIII*, cit., p. 27.

vidade. Frequentemente, trata-se de artesãos e comerciantes, os quais, mesmo vencendo, na maioria das vezes não conseguem receber o que ganharam e permanecem eternos credores. Esse afluxo maciço de despesas de consumo e de luxo favorece, de certa maneira, uma parte da população: os empregados que, em grande número, são contratados para os trabalhos domésticos. Também nesse setor as diferenças entre os países europeus não são notáveis. Se em 1612 os empregados da casa do conde de Salisbury somam 84 pessoas, por volta de 1730 os empregados do palácio florentino dos Riccardi são 63.[20] Entre os empregados domésticos é necessário distinguir aqueles cuja atividade está diretamente ligada ao funcionamento da casa daqueles a quem é atribuída uma série de tarefas gerais que confirma o prestígio social da família. Entre estes últimos estão os ajudantes de cozinha, estribeiros, escudeiros, camareiras. E entre os primeiros estão os professores particulares, o escrivão, o bibliotecário, os preceptores, o guarda-roupeiro, o despenseiro, os jardineiros.

Para estudar o funcionamento da sociedade e a relação entre consumo e produção, é necessário, portanto, utilizar duas abordagens cruzadas: a econômica e a análise social e cultural, que leva em conta as obrigações da vida pública e privada.[21] Do lado sociocultural, o consumo coloca o problema de conhecer as suas regras e compreender como elas são interiorizadas. O consumo nunca está desvinculado da profunda ligação que se estabelece entre o mundo e a pessoa, é um fato social de comunicação, que traduz também as transformações da cultura, da sensibilidade, das técnicas, as capacidades dos produtores e as respostas dos consumidores. Um exemplo disso é a história de alguns gêneros de consumo totalmente novos, como o açúcar, o café, o chá e o tabaco, produtos que tiveram um impacto significativo sobre a transformação dos costumes e dos estilos de vida na Europa da Idade Moderna. Juntamente com o milho, a batata, o tomate, o abacaxi, o feijão, a mandioca, o pimentão e a abóbora, trazidos da América, esses produtos amplificaram e modificaram profundamente os costumes do "Velho Mundo", determinando uma importante mudança nos consumos sociais. É uma transformação geral, que começou a se afirmar no decorrer do século XVII e se completou no século seguinte. Ainda que esboçada brevemente, a reconstrução histórica de tal transforma-

Consumo e produção

---

[20] *Ibidem.*
[21] D. Roche, *Storia delle cose banali*, cit., p. 28 *passim*.

ção nos permitirá ver como no surgimento da moda de beber café e usar tabaco atuam simultaneamente o fator econômico e o fator sociocultural.

As novas modas: o açúcar, o café, o tabaco

Novo Mundo e novos consumos

A partir do século XVI, mercadores, empreendedores e colonos europeus organizam no Novo Mundo economias agrícolas orientadas para a satisfação de uma demanda crescente de gêneros de consumo tropicais.[22] As culturas de exportação do Novo Mundo, como o açúcar, a partir de um modesto começo na ilha Hispaniola (São Domingos), passam por um crescimento constante até o século XIX. Mesmo sendo impossível calcular com exatidão a quantidade de açúcar consumido na Europa, sabe-se que o consumo passa de 2.470 toneladas

O açúcar

em 1600 a 20.400 por volta de 1643.[23] Ligado à difusão das três novas bebidas, café, chá e chocolate, que são ingeridas sem edulcorantes, o consumo do açúcar aumenta no século XVIII. Calcula-se que, por volta de 1730, a Europa importa 75 mil toneladas de açúcar e no fim do século, 250 mil. Tal crescimento do consumo determina, de um lado, o desenvolvimento do relativo setor manufatureiro e, do outro, a celebração do açúcar como substância "tipicamente moderna" por parte da cultura daquele tempo.

> O açúcar é também um produto de distribuição, cuja moda anima a gulosa imaginação das pessoas da corte e das cidades. Doces, geleias e gelatinas lhe abrem as portas da arte da sobremesa, e ele garante o sucesso dos sorvetes e dos *sorbets*. Traz a multiplicação e o aperfeiçoamento dos utensílios para a sua preparação, em cobre ou em outro metal, em vidro e em porcelana; da panela do doceiro ao cozinheiro de casa, conquista todos os ambientes parisienses. A *Encyclopédie* confere ao açúcar a sua virtude festiva, associando-a a uma celebração da oralidade alegre, enquanto a literatura relaciona o seu consumo aos momentos da socialização feliz, de alegria honesta, em contraste com as robustas grosserias [...] da classe camponesa [...] O açúcar é o alimento totem da civilização das Luzes, da qual ele é capaz de tornar manifesta as duas faces: uma, obscura e custosa, que liga a sua produção e o seu comércio à escravidão e a todos os seus

---

[22] Cf. M. Carmagnani, "La colonizzazione del Nuovo Mondo", em V. Castronovo (org.), *Storia dell'economia mondiale*, vol. II, cit., pp. 81-98.

[23] Cf. A. Huets de Lemps, "Bevande coloniali e diffusione dello zucchero", em J.-L. Flandrin & M. Montanari (orgs.), *Storia dell'alimentazione*, cit., pp. 490-500.

horrores; a outra, clara e alegre, que a une ao conhecimento, à civilidade dos costumes e também ao prazer.[24]

No final do século XVIII, em São Domingos, a produção de açúcar chega a 80 mil toneladas e, na Jamaica, a 60 mil. No século XIX, nas cidades europeias, o açúcar constitui uma das bases da alimentação. Calcula-se que na Inglaterra o consumo anual por habitante chegava a mais de 40 kg, na França, 15 kg, na Alemanha, 14 kg e na Itália, 3 kg. Em 1850 foi comercializado mais de um milhão de toneladas de açúcar; em 1900, 8.350.000 toneladas.

Situação semelhante é a do café.[25] Conhecido pelos venezianos desde 1570, graças às relações comerciais dos portos mediterrâneos com o Oriente, o café turco começa a ser consumido nas cidades italianas somente no início do século XVII. Na França, o café aparece em Marselha em 1664 e, a partir daí, difunde-se até Paris. Em poucos anos o café é conhecido em toda a Europa, e em toda parte surgem lugares para a sua degustação. Da curiosidade pelo exótico, da qual se fala principalmente nas narrativas de viagem realizadas no Oriente, passa-se ao consumo estrepitoso. Em 1726 o Iêmen exporta 19.267 sacas de café de 280 libras cada uma; 54% dessa produção é importada pelos árabes e pelos turcos, 26%, pelos ingleses, 10%, pelos holandeses, 7%, pelos franceses e 3%, pelos persas e indianos. No entanto, a Arábia sozinha não consegue mais satisfazer a demanda de café. Depois de terem obtido algumas mudas de café, os holandeses começam a sua produção no Ceilão e em Java e, sucessivamente, no Suriname. A operação, em termos comerciais, revela-se um sucesso. Por volta da metade do século XVIII a Europa importa 33 mil toneladas de café. O consumo continua a crescer vertiginosamente no século XIX. Em 1835 a imensa produção comercializada chega a 100 mil toneladas, e supera um milhão às vésperas da guerra de 1914-1918. A produção mundial hoje oscila entre 5 milhões e 6 milhões de toneladas.

| O café

Conforme uma pesquisa histórica específica que, reconstruindo a história dos gêneros voluptuários, tenta responder a perguntas do tipo: "Qual foi a influência de tais gêneros sobre o homem?", chá, café e tabaco vêm satisfazer necessidades novas de tipos de consumo diferentes.[26] O café e o tabaco, de modo

| Aspectos sociais dos gêneros voluptuários

---

[24] D. Roche, *Storia delle cose banali*, cit., p. 305.
[25] Cf. A. Huetz de Lemps, "Bevande coloniali e diffusione dello zucchero", cit., pp. 494-496.
[26] Cf. W. Schivelbusch, *Storia dei generi voluttuari* (Milão: Bruno Mondadori, 1999), p. IX *passim*.

particular, permitem a uma burguesia emergente dos países mais importantes da Europa ostentar de maneira nova o seu *status* e a sua riqueza. Comparando as fontes relativas a áreas geográficas diferentes, o café, por exemplo, difunde-se principalmente onde é maior o desenvolvimento burguês e capitalista da sociedade, isto é, na Europa norte-ocidental: Inglaterra, Holanda e França.[27] É nesses países que surge a literatura médica e poética sobre o café, é neles que o café assume uma importância social e econômica desconhecida em outros lugares, e é neles, por fim, que o café se torna a bebida-símbolo da burguesia. Nessa linha interpretativa, o café é considerado a bebida "nórdica" e "protestante" por excelência. De fato, desde a época da Reforma protestante começa a se fazer presente uma concepção até então inédita do beber. Estabelecendo uma nova relação entre o homem e Deus e constituindo-se, sobretudo, como uma concepção religiosa baseada na ética do trabalho, a Reforma dá passos decisivos para regular de maneira nova a relação dos homens com o álcool, muito difundido naquele tempo. Beber álcool começa a ser fortemente criticado, e, com ele, os bêbados e os que bebem imoderadamente, que trabalham pouco e não são eficientes. Reformam-se assim os hábitos de comer e beber herdados da Idade Média, que sofrem uma crítica radical. Difunde-se, entre outras coisas, uma quantidade enorme de caricaturas satíricas contra o beber sem moderação.[28] Circulam imagens, motes, piadas que representam ou descrevem de modo animalesco o bêbado, como um ser ornado de cabeças de macaco, porco ou asno. Graças à ajuda do café, por outro lado, os homens readquirem a completa capacidade de trabalho. Pode-se então compreender como no começo do século XVIII beber café, em quase todos os países do norte da Europa, torna-se uma moda, e como, consequentemente, os serviços de porcelana criados para a degustação do café, o mouro que o serve, o hábito de degustar café vestindo roupas turcas tornam-se características típicas do costume aristocrático, no momento em que começam a se difundir as análises da "substância" café e das suas propriedades fisiológicas.[29] Em poucos anos o café passa a ser considerado uma panaceia universal: estimula o apetite, purifica o sangue, acalma o estômago, fortalece o fígado, mantém quem o bebe desperto. Nos textos ingleses do século XVII começa a circular aquela que pode ser definida como a ideologia do café, que opõe a moderação e a operosidade do bebedor de café, como quali-

---

[27] *Ibid.*, p. 17 *passim*.

[28] Cf. M. Montanari, *La fame e l'abbondanza. Storia dell'alimentazione in Europa*, cit., p. 137 *passim*.

[29] Cf. W. Schivelbusch, *Storia dei generi voluttuari*, cit., p. 44 *passim*.

dades positivas, à incapacidade e ao ócio dos bebedores de álcool. A qualidade mais celebrada do café é aquela de manter sóbrio quem o bebe. O café desperta a humanidade, como se pode perceber na poesia inglesa anônima de 1674:

> Já que o doce veneno do insidioso vinho contaminou o mundo, afogando a nossa razão e a nossa alma em copas escumosas, já que a turva cerveja fez subir vapores impuros para o nosso cérebro, os céus nos enviaram esta baga regeneradora [...]. O café chegou, bebida importante e salutar, curativo do estômago, estimulante do espírito, reforço da memória, tranquilizante dos tristes, revigorante dos humores vitais, que não nos deixa descomedidos.[30]

Símbolo da sobriedade e meio para reprimir os impulsos sexuais, o café torna-se a bebida da Inglaterra puritana, e a avaliação acerca dos efeitos do café sobre o organismo humano é relacionada ao modo de considerar o progresso. É, sobretudo, a burguesia, fomentadora do progresso, que aprecia as propriedades do café e, de modo particular, a sua capacidade de estimular o espírito e manter artificialmente desperto, porque isso representa um aumento do tempo disponível para o trabalho.[31] Ao lado dessa posição favorável, há outros pontos de vista que oscilam entre a hostilidade e a recusa em relação ao café. Às vezes, a hostilidade se mantém mais no plano ideológico, como no caso do biólogo Francesco Redi (1626-1698), que apresenta motivações de ordem estética para exprimir a sua hostilidade ao uso da bebida negra:

> Pede-me que eu lhe diga se o uso do café possa ser-lhe de proveito, ao tomar uma boa xícara imediatamente depois do almoço ou depois do jantar. Respondo-lhe que o café lhe sujará a boca de preto, e também os dentes, o que será uma bela vergonha. Em segundo lugar, não vejo em que possa ser útil a Vossa Senhoria Ilustríssima beber toda manhã, ou mesmo toda noite, uma xícara de carvão pulverizado e diluído na água, o que de fato é o café, bebida digna para restabelecer aqueles turcos acorrentados nas galés de Civitavecchia e de Livorno.[32]

| Contra o café

A aversão ao "carvão pulverizado", expressa às vezes também com imagens mitológicas relativas ao mundo pagão dos ínferos, com ênfase no "pouco

---

[30] *Apud* W. Schivelbusch, *Storia dei generi voluttuari*, cit., p. 39.
[31] *Ibidem.*
[32] F. Redi, *Consulti medici* (Turim: Boringhieri, 1958), p. 199.

juízo" do mulçumano, que bebe muito café, assume um significado ideológico que serve para indicar a superioridade do mundo europeu sobre aquele oriental, uma ideia muito difusa naquele tempo. Não por acaso o café é digno de orientais encarcerados. O biólogo italiano preferiria tomar veneno ao "amargo e perverso café". A sua visão negativa encontra um testemunho definitivo no fato de não reconhecer nenhum mérito à ação de beber café e, ao mesmo tempo, em decantar as virtudes das bebidas alternativas. Pode-se abster de beber uma tal "porcaria" e beber, de manhã e de noite, depois das refeições, água fresca, "água *cedrata*,* ou água preparada com casca de limão ou com Limoncello de Nápoles". Para não falar do chá, de manhã cedo e em outros momentos do dia, também à noite, depois do jantar. Uma vez que, ao contrário do que o vulgo acredita na Holanda, o chá não impede o sono, e, sobretudo, é uma bebida benéfica. O chá pode "confortar as fibras e as glândulas do estômago, adoçar o ácido e o falso dos fluidos, e ainda pode ser bom para as pernas [...] que estejam um pouco inchadas e intumescidas".[33] Deixando de lado as oposições ideológicas, pode-se afirmar, concordando com Roche, que o café, assim como o açúcar, "exprime a modernidade e o triunfo do comércio".[34] Mas, longe de ser apenas um produto comercial, o café que "dá energia àqueles que fazem uso dele" constitui também um triunfo da inteligência: uma vez que tem a capacidade de manter acordado, também a atividade intelectual tira dele um notável proveito. Assim como o Século das Luzes assegura o pleno sucesso sociocultural e econômico do açúcar, do mesmo modo garante o sucesso do café e, ao mesmo tempo, o sucesso dos gestos a ele relacionados, e também dos lugares e de seus vendedores. A venda onde se comercializa o café, como lugar de sociabilidade, é contraposta à taberna, indigna e popular, e também àqueles que a frequentam. O cafeteiro é representado como um homem de gosto e a sua clientela, como a mais elegante pelos modos comedidos; no seu estabelecimento há pouco barulho e, portanto, pode-se ler, conversar, jogar xadrez e dama. O café parisiense ou provinciano, mostrando-se decoroso e refinado, torna-se um espaço de civilidade, que se contrapõe à grosseria. Se observarmos bem, a tais lugares correspondem claramente dois modos de vida: àquele agitado e festivo da taberna se contrapõe o do tempo livre bem ordenado e pouco tumultuoso do café, de uma sociedade integrada nos hábitos cotidianos

---

*   Bebida refrescante feita com essência de cidra. (N. T.)

[33]   *Ibid.*, p. 199.

[34]   D. Roche, *Storia delle cose banali*, cit., p. 305.

de todos e um mundo organizado para o silêncio, o decoro e para as aparências sociais.[35]

Com a moda de beber café, aparece quase ao mesmo tempo uma outra moda, aquela de "beber fumo". Referindo-se a uma nova moda em voga nos Países Baixos, o embaixador do Palatinado, Johann von Russdorf, escreve em 1627:

Uma outra moda: "beber fumaça"

> Não posso deixar de contar brevemente uma nova, espantosa moda introduzida há poucos anos da América na nossa Europa. Poderíamos chamá-la de uma grande bebedeira de névoa que supera todas as outras paixões, velhas e novas, pelo beber. De fato, costuma-se beber a fumaça de uma planta que denominam "nicotina" ou tabaco, com uma avidez incrível e com um inextinguível entusiasmo.[36]

No começo da Idade Moderna, o tabaco, na sociedade europeia, é o gênero voluptuário mais "estranho", pois traz consigo formas de consumo completamente novas. Enquanto o café, o chá e também o chocolate são degustados de maneira familiar, no que concerne ao tabaco, ao contrário, por muito tempo faltou um vocábulo apropriado. O verbo "fumar" entra na linguagem corrente somente no século XVII, até aquele momento se usa a analogia com o beber, diz-se "beber fumo" e "beber tabaco". Considerando o fumar como um "beber seco", a medicina dos séculos XVII e XVIII descreve os efeitos do tabaco do mesmo modo que descreve aqueles do café, e as semelhanças entre as duas substâncias são ressaltadas até à formulação de interpretações idênticas. De modo particular, lê-se em um folheto que faz propaganda do fumo que o tabaco seca o fluido corpóreo específico, o fleuma; além disso

> faz bem para hidropisia porque, eliminando os fluidos, torna o corpo fino e magro. O fumo, aspirado pelo cachimbo, é um remédio eficaz e seguro para o fôlego curto e afanoso, para as afecções pulmonares, a tosse crônica e também para o combate de todos os líquidos e humores viscosos, densos e fleumáticos.

Outra semelhança entre as duas substâncias é provocar efeitos antieróticos, dirigindo "para outros lugares as fantasias lúbricas que comprometem tanto os homens ociosos".

---

[35] *Ibidem.*
[36] *Apud* W. Schivelbusch, *Storia dei generi voluttuari*, cit., p. 107.

Fumo e trabalho intelectual

Além disso, fumo e trabalho intelectual constituem, para os autores dos séculos XVII e XVIII, uma dupla: o fumo é um exercício útil para combater os inconvenientes de uma vida sedentária, porque mantém desperta a mente que julga e reflete: "O tabaco torna mais secos e resistentes o cérebro e os nervos. A consequência disso é uma capacidade de juízo mais segura, um modo de raciocinar mais perspicaz e claro e uma maior resistência do espírito".[37] O tabaco, junto com o café, é explicitamente indicado para desenvolver trabalhos intelectuais. Ambas as substâncias predispõem a mente para o trabalho reflexivo, a parte do corpo humano, observa Schivelbusch, que mais interessa à cultura burguesa. O corpo, nesse sentido, é necessário somente como suporte da cabeça. O café estimula a mente, o tabaco, acalmando o resto do organismo, induz ao mínimo a sua mobilidade, o que é necessário à atividade sedentária.[38] O fumo hoje é o modo mais difundido para saborear o tabaco, mas no século XVIII o principal modo de consumo é aspirá-lo na forma de rapé, uma ação que se executa em toda parte, na cidade, nas cortes, nos cafés, nos salões. Todos aspiram-no do mesmo modo: príncipes, personagens de alta extração, o povo.[39] É também uma das ocupações prediletas das mulheres aristocráticas, e as mulheres da burguesia, que as imitam em tudo, seguem-nas também nessa atividade. Além disso, "cheirar rapé" é uma das fraquezas dos prelados, dos abades e até dos monges. Apesar da proibição papal, os padres na Espanha aspiram até durante a missa! Mantém a tabaqueira aberta sobre o altar, diante deles. Aspirar tabaco torna-se um símbolo de *status* das classes elevadas europeias. O próprio procedimento de aspirar tabaco corresponde a um importante cerimonial da sociedade: o modo de segurar a tabaqueira é uma apresentação, por meio dele se entra em contato com os outros e se reconhecem os outros, pelo modo como se oferece a tabaqueira se revela o próprio caráter, a própria personalidade. Em um universo simbólico no qual a cerimônia e o rito já assumiram um importante valor conotativo, as instruções de 1759 mostram de que modo ao senso estético e do refinamento corresponde um senso ético que se deve atribuir à representação social:

Aspirar o tabaco

> 1. Tome a tabaqueira com os dedos da mão esquerda; 2. Faça com que fique na posição justa na mão; 3. Bata com os dedos sobre a tabaqueira; 4. Abra a tabaqueira; 5. Ofereça a tabaqueira; 6. Traga de novo a tabaqueira

---

[37] *Ibid.*, p. 109.
[38] *Ibid.*, p. 120.
[39] *Ibid.*, p. 143 *passim.*

Consumos, mercados e ofícios

para si; 7. Mantenha a tabaqueira sempre aberta; 8. Ajunte o tabaco dentro da tabaqueira, batendo na sua lateral com os dedos; 9. Pegue cuidadosamente o tabaco com a mão direita; 10. Mantenha por um certo tempo o tabaco entre os dedos antes de levá-lo ao nariz; 11. Leve o tabaco ao nariz; 12. Aspire de igual modo com as duas narinas sem fazer nenhuma contração do rosto; 13. Espirre, tussa, expectore; 14. Feche a tabaqueira.[40]

Elemento imprescindível dos hábitos rococós, assim como o leque e a bengala de passeio, a tabaqueira, além do valor prático, como recipiente para o tabaco a ser aspirado, tem valor também como joia. Está entre os mais preciosos objetos de joalheria do século XVIII, e é usada até mesmo como presente oficial. Pode-se afirmar que a tabaqueira representa, em termos contemporâneos, o "consumismo" e, em particular, a cultura do luxo característica do cortesão. Se as funções básicas do fumar, acalmar e aumentar a concentração, permaneceram inalteradas nos últimos três séculos, as formas como essa função se realiza mudaram. Nos séculos XVII e XVIII o cachimbo é o principal instrumento para fumar. No início do século XIX aparece também o charuto, que se torna símbolo da indústria capitalista, e na segunda metade do século surge o cigarro. Tal evolução pode ser | O cigarro
atribuída à aceleração dos ritmos de vida – tanto de trabalho como de lazer – que começará a manifestar-se a partir dos anos da Revolução Industrial.

Vai-se esboçando, portanto, à luz do que foi dito anteriormente, uma relação entre as coisas e os indivíduos, uma relação que se configura com base nas necessidades a serem satisfeitas (naturais, de opinião, de ostentação, luxo e de comodidade) e estrutura assim uma grande parte das relações socioeconômicas e culturais. A partir dessa consideração, será visto como a cadeia das estruturas materiais e mentais de um mundo sujeito aos imperativos do mercado contribui para desenvolver o setor têxtil; setor que, da produção dos tecidos à confecção das roupas, domina toda a indústria até a Revolução Industrial.[41]

O setor têxtil entre o artesanato e a protoindústria

No início da Idade Moderna a sociedade europeia é fundamentalmente rural: cerca de 90% da população vive no campo, em aldeias ou vilas disper-

---

[40] *Apud* W. Schivelbusch, *Storia dei generi voluttuari*, cit., p. 145.
[41] Cf. P. Bairoch, *Storia economica e sociale del mondo. Vittorie e insucessi dal XVI secolo a oggi*, vol. I (Turim: Einaudi, 1999), p. 91.

sas.[42] Uma sociedade pobre, caracterizada pela extrema divisão entre umas poucas pessoas ricas e um grande número de indigentes. Ainda que o percentual da população que vive na cidade seja muito baixo, essa minoria urbana tem um papel dominante que não está em proporção direta com o número de habitantes. O dinamismo econômico e social do campo é alimentado e regulado pela demanda exercida pelos mercados urbanos próximos e mais ou menos distantes. Ricos mercadores e grandes proprietários de terras gerem o comércio da produção agrícola e dos produtos artesanais, sobretudo têxteis. A cidade tem necessidade do campo para o fornecimento de comida e para a instalação da produção têxtil rural. A maior parte das condições materiais da produção agrícola e têxtil é fruto de decisões, em grande medida, urbanas. O universo camponês, pode-se dizer, encontra a sua definição no mercado e nas suas leis, nas suas exigências e nos seus privilégios. Nessa perspectiva, é no campo que se desenvolve o fenômeno definido como *protoindustrialização*, isto é, aquela forma de organização do sistema industrial que precede e acompanha a industrialização.[43] Esse fenômeno acentua-se principalmente no século XVII e se diferencia do artesanato tradicional e da pequena indústria doméstica (*domestic system*) que representa a forma de produção dominante na Europa desde a Baixa Idade Média, porque está voltada para mercados muito mais amplos e distantes do lugar de produção. Esse fato representa uma característica particularmente importante porque põe em destaque a novidade histórica do fenômeno da protoindustrialização e a sua diferença em relação à pequena produção precedente. A proto-indústria insere-se em uma rede mercantil nova e de dimensões cada vez mais amplas. A dimensão transoceânica que o comércio europeu assumiu e a ampliação das áreas de mercado em relação àquelas de autoconsumo determinam um aumento da demanda por produtos de qualidade média-baixa e de custo limitado. As premissas do fenômeno da protoindustrialização são constituídas por dois elementos básicos: 1) a atividade industrial doméstica; 2) a atividade dos mercadores empreendedores em condições de comercializar os produtos acabados. Desde sempre a sociedade rural hospedou atividades artesanais. Os arquivos a respeito oferecem numerosos testemunhos, particularmente sobre a fabricação dos tecidos de lã e ou-

---

[42] *Ibid.*, p. 84 *passim*.

[43] Cf. P. Deyon, "Il sistema del mercante imprenditore", em V. Castronovo (org.), *Storia dell'economia mondiale*, vol. II, cit., p. 389 *passim*. Ver também R. Leboutte, "I sentieri della protoindustrializzazione", em C. Castronovo (org.), *Storia dell'economia mondiale*, vol. III, cit., pp. 153-177.

tros panos durante a Idade Média.[44] Esses testemunhos mostram como a fiação da lã era uma atividade essencialmente localizada no campo. Em Lubeck, a partir do século XIV, os mercadores de panos põem as populações rurais para fiar e tecer. Os mercadores de Augsburgo e Nuremberg importam fardos de algodão e produzem para toda a Alemanha meridional o fustão, tecido criado a partir do entrelaçamento de um fio de linho e um fio de algodão. A produção do século XV em Flandres e na Toscana é organizada de modo simples. A Corporação da lã de Florença adquire a lã bruta, faz com que seja lavada, cardada e penteada em suas oficinas, e, por fim, manda fiá-la nas pequenas cidades. Enquanto as antigas oficinas de drapeamento de Bruges, Gand e Courtrai começam a declinar sob o efeito da concorrência no século XV, no campo aparece uma nova produção de tecido mais leve e de lã penteada. Em pequenos vilarejos são instaladas centenas de indústrias domésticas, subtraídas às regulamentações urbanas e à concorrência dos tecelões citadinos. Por iniciativa dos mercadores de Antuérpia, essa difusão atinge bem cedo as zonas rurais de todos os Países Baixos meridionais. Esse modelo de produção têxtil existe também, à mesma época, na China e na Índia; a manufatura do algodão é também ali dispersa em pequenos vilarejos. Os mercadores do lugar e os agentes das companhias europeias recolhem os tecidos produzidos e os mandam para os mercados distantes da Europa e da Ásia. As indústrias domésticas aparecem assim estreitamente ligadas ao alargamento das áreas comerciais e às atividades intermediárias. Justamente no momento em que ocorre uma forte expansão dos mercados, descobre-se que a relação entre produção e troca pode ser organizada de forma diferente do que foi no passado, quando, na maioria das vezes, era o próprio artesão que vendia o seu produto no mercado local. O artesão tem então duas possibilidades: ou mantém sua posição independente e vende o seu produto em um mercado livre, ou então trabalha para um mercador que lhe providencia a matéria-prima (lã, rocas de fio, teares, ferramentas) e fica exposto aos riscos do mercado. No segundo caso, na verdade, o protagonista é o mercador empreendedor, cuja intervenção é essencial, sobretudo quando a matéria-prima vem de longe e é particularmente cara. Um dos critérios pelos quais se avalia a "bravura" de um mercador é saber reconhecer tanto a proveniência geográfica das mercadorias, como a sua qualidade. Para avaliar as melhores qualidades do algodão, por exemplo, havia tempos circulavam informações como as que estão em uma *Prática do comércio*, de 1340:

|A produção têxtil

|O mercador empreendedor

---

[44] *Ibidem*.

Algodão felpudo, isto é, com paina lanosa, pode-se obter de várias regiões como diremos agora em ordem. Amã, na Síria, é a melhor região. O de Alepo, na Síria, é como o algodão de Amã. O da Armênia vem depois daquele de Amã e Alepo. O de Damasco, na Síria, vem depois daquele da Síria, e é algodão de fibra mais curta. O de Acre, na Síria, vem depois do algodão de Damasco. O algodão do Chipre vem depois daquele de Acre. O algodão de Laodiceia, na Síria, depois do de Chipre. O de Basilicata, da Pulha, vem depois do bom algodão de Laodiceia. O algodão da ilha de Malta vem depois daquele da Basilicata. E o algodão da Calábria vem depois daquele da Basilicata.[45]

Ao lado do conhecimento da proveniência geográfica, coloca-se o conhecimento propriamente técnico:

E qualquer tipo de algodão deve ter, seja lá de onde vier ele, as painas bem brancas e cheias de fibras, limpas de sementes, cascas, de folhas de sua planta e tachas [manchas]. As tachas prendem-se ao algodão quando ele está ainda na noz aberta e chove. Com a chuva, a terra espirra no algodão que está na noz aberta e ele fica com uma cor de terra, sujo, com muitas tachas. Além de estar limpo de tudo o que se disse antes, além da brancura e da grandeza, também deve ser seco, e quanto menos tiver do que foi dito acima, e além da qualidade, melhor é. Deve-se lembrar também que quase todo algodão se compra em grande quantidade, ensacado, e quanto melhores e firmes forem os sacos, tanto melhor. Assim, quando se vê que o vendedor descose a boca do saco [para mostrar o algodão], e não se pode ver o interior do saco, deve-se lembrar de fazer com que o vendedor garanta que o algodão será tal como a mostra que se viu, tanto no meio como embaixo do saco, para que o comprador não seja enganado.[46]

O papel do mercador empreendedor generaliza-se no século XVI, quando a abertura dos mercados americanos traz novos mercados para a produção europeia de panos e tecidos. As fontes documentais revelam que, apesar das crises monetárias e das guerras que caracterizam os séculos XVI e XVII, as indústrias rurais crescem continuamente em toda a Europa. O fenômeno é geral, e pode ser observado em Veneza, Cracóvia, Zurique, Lile e Amsterdã.

---

[45] F. Balducci Pegalotti, *La pratica della mercatura*, edição de A. Evans (Cambridge (Mass.): The Medieval Academy of America, 1936; reimpressão anastática, 1970), pp. 366-367.

[46] *Ibidem.*

Dois fatores explicam as razões do sucesso das oficinas domésticas rurais. O primeiro diz respeito à relação com as corporações de ofício urbanas; o segundo, ao custo da mão de obra, que no campo é mais baixo, pois os trabalhadores aos quais é fornecida a matéria-prima conseguem encontrar recursos complementares na atividade agrícola.[47] Um dos fatores que teria favorecido a difusão territorial da indústria seria a presença de pequenos agricultores que não tinham condições de viver apenas da terra por causa da exiguidade de seus terrenos. Essa constatação não nos deve fazer esquecer o fato de que a produção rural continua sujeita às iniciativas dos mercadores da cidade. São eles que fornecem a matéria-prima, que distribuem as ferramentas, importam a lã e o algodão, oferecem o material antecipadamente, subdividem o trabalho, controlam as operações e garantem tanto a exportação do produto como a venda em lugares distantes. Na maior parte dos casos, o mercador empreendedor está no centro de um sistema do qual fazem parte a cidade e o campo. Ele compra a lã bruta, faz com que a lavem em grandes estabelecimentos na cidade e a manda para o campo para que seja fiada. Daqui a leva para a cidade para a urdidura e, depois, distribui de novo os urdidos para as oficinas domésticas dispersas nos arredores, de onde os tecidos retornam para serem tingidos, alisados e preparados para a expedição.

As oficinas domésticas

No âmbito das técnicas de fabricação dos tecidos estamos bem informados sobre a produção da lã e da seda.[48] No que concerne à produção da lã, o problema mais difícil naquela época era conseguir um produto macio e uniforme. O tecido de lã que saía do tear, muito áspero, precisava ainda de um longo tratamento para que melhorasse em maciez. As operações necessárias para torná-lo macio são a carda, ou cardagem, e a calcadura. A primeira exige a imersão do tecido na água com substâncias como sabão e alguns tipos de argila; a segunda prevê a pisadura com os pés de homens imersos na água. Quanto à produção da seda, possuímos livros sobre um dos mais ricos produtores de seda florentinos do século XV, Andrea Bianchi, pelos quais é possível identificar as fases de produção da seda, além de esclarecer aspectos da sua atividade comercial.[49] Os momentos principais da produção consistem na "torção", na tintura, na urdidura e na tecedura. A maior parte da atividade de Bianchi era realizada fora do ateliê, nele, porém, se realizava a primeira operação de

A manufatura da lã e da seda

---

[47] Cf. P. Deyon, "Il sistema del mercante imprenditore", cit.
[48] Cf. M. G. Muzzarelli, *Il guardaroba medievale* (Bolonha: il Mulino, 1999), p. 147 *passim*.
[49] *Ibidem*.

manufatura, a desfiadura dos novelos de seda, entregues depois a uma artesã, chamada dobadeira, que enrolava a seda em carretéis que eram inseridos nos fusos dos torcedores. A dobagem e a torção eram realizadas, sobretudo, por mulheres. Depois da torção, a seda é desengomada e tingida. A desengomagem, processo que, geralmente, acontece nas tinturarias, consiste em ferver os fios de seda em água e sabão; é uma prática que serve para tirar a goma natural da seda. Uma vez fervidos, os novelos são enxaguados e pendurados para secar. A essa altura, a seda torna-se macia e assume a cor branco-pérola. Para deixá-la ainda mais branca, ela é exposta à fumaça do ácido sulfúrico em um lugar fechado. Em geral, a seda é tingida, quando ainda está na forma de fios, por tintureiros especializados nesse tipo de material. O custo dos corantes empregados e as dificuldades da operação incidem notavelmente sobre os preços. Um fio de seda tingido uma só vez com quermes – tonalidade de vermelho extraída do *Coccus ilicis*, uma conchinha de origem oriental – na oficina florentina de Bianchi custa 34 soldos a libra, e custa dez vezes mais se é tingido duas vezes, como normalmente se faz com os veludos. As tinturas de menor preço são aquelas em cinza, marrom e preto, que custam 15 soldos a libra, enquanto a verde custa 20 e a azul, 24 soldos. Sabemos que Andrea Bianchi recorre ao serviço de três tintureiros diferentes, que trabalham às margens do Arno – cada um deles tem também outros clientes –, e que a cada um dos três Bianchi entrega os mesmos fios de seda para tingir em várias cores. Dentro da caldeira são colocadas para ferver as substâncias relativas à cor que se quer obter. Para obter a gama de azuis, que vão do turquesa ao celeste claro, chamado "*allazzato*", é necessário dissolver na água fervente o pastel e os fixadores. Os tecidos a serem tingidos, conforme a tonalidade da cor desejada, são imersos por um tempo variável em um pastel e em alume. O pastel [ou ouro azul] é o mais importante dos corantes utilizados desde o final da Idade Média. É extraído de uma planta herbácea, a *Isatis tinctoria*, formada por pequenas flores amarelas unidas em uma espiga.[50] As folhas da planta são trituradas e reduzidas a uma pasta por meio de uma moenda, conhecida também como "moinho de pastel", e depois são misturadas e secas em forma de pão. No momento do banho para a tintura, extrai-se dos tecidos o pó que é umedecido e posto para fermentar, transformando-se em "argila" de cor escura, que, por sua vez, é seca, amassada

---

[50] Cf. C. Leonardi, "Il commercio del guado tra Marche e Toscana nei secoli XV e XVI", em S. Anselmi (org.), *La montagna tra Toscana e Marche. Ambiente, territorio, cultura e società dal Medioevo al XIX secolo* (Milão: Franco Angeli, 1985), pp. 169-203.

Figura 1
Antoine Raspal, *L'atelier de couture*, século XVIII.

e peneirada; e, assim, está pronta para o uso. Usam-se também outras substâncias corantes, como o cinabre (sulfato de mercúrio), pelo qual se obtém o vermelho; o cominho (uma pequena planta semelhante à erva-doce), para obter o amarelo; o índigo, que permite tingir em verde e turquesa. Obtida a gradação desejada, o tintureiro fixa a cor com um mordente potássico ou tânico. Uma vez tingidos, os novelos voltam para as mãos das mestras artesãs, que os enrolam em rocas a serem fixadas no tear para proceder à urdidura. Se a maior parte dos trabalhos acontece fora, no ateliê se efetua a venda de pelo menos uma parte dos tecidos produzidos, aquela que obviamente não é destinada ao comércio nacional ou internacional.

Ora, não há gráfico que não documente o *boom* da produção europeia dos tecidos de lã, de algodão e seda entre os séculos XVII e XVIII.[51] Isso significa, de um certo ponto de vista, admitir a pressão dos mercados de consumo. Se

| O *boom* dos produtos têxteis entre os séculos XVII e XVIII

---

[51] Cf. P. Bairoch, *Storia economica e sociale del mondo. Vittorie e insucessi dal XVI secolo a oggi*, vol. I, cit., p. 173; P. Malanima, *Il lusso dei contadini. Consumi e industrie nelle campagne toscane del Sei e Settecento* (Bolonha: il Mulino, 1990), pp. 8, 161 e 166; D. Roche, *Storia delle cose banali*, cit., p. 255 *passim*.

admitirmos tal pressão, devemos admitir também que o *boom* não é somente uma questão de comércio internacional (produz-se mais, para se exportar mais), mas também de uma demanda interna que cresce cada vez mais. A presença de uma demanda interna em contínuo aumento pressupõe, por sua vez, que não se admite mais uma resposta automática do mercado à oferta de produção. Em termos de pesquisa histórica, esse estudo implica não tanto a investigação da produtividade, mas dos comportamentos sociais e, de uma perspectiva sociocultural, a investigação das mudanças de gosto, admitindo que sejam essas mudanças que modificam o volume da produção, a forma dos produtos e o seu valor. Pelo que é possível constatar, com base nas pesquisas feitas sobre o caso de Paris, lugar da produção de indumentos mais famoso da Europa no século XVII, pode-se dizer que é o mundo de alguns ofícios urbanos ligados ao vestuário que promove novos gostos e cria novos hábitos. Um mundo no qual, como veremos, disputa-se uma batalha decisiva pela moda e sua evolução histórica.[52]

Mercadores de moda: o triunfo da aparência

Não é pouca coisa, afirma Roche, vestir 150 mil parisienses da cabeça aos pés no final do século XVII, e 800 mil pessoas às vésperas da Revolução, e satisfazer ao mesmo tempo o consumo de luxo.[53] Um tal empenho induz todo o setor produtivo a defrontar-se com as novas exigências da economia, com o objetivo de conquistar mercados cada vez mais vastos. Sob esse aspecto, em matéria de vestuário e tecidos, no entrecruzamento da produção com a clientela, são os alfaiates, as costureiras, as *lingères* e as *merchandes de modes* que ocupam uma posição-chave. A primeira categoria profissional é constituída essencialmente por homens, os quais vestem os dois sexos, enquanto as mulheres desempenham as funções mais simples, como remendar (Figura 1, p. 121, e Figura 2).

Alfaiates e costureiras

Fortalecidos por uma tradição que se consolidou no século XVI, quando o governo régio definitivamente reuniu em uma única corporação o conjunto de ofícios envolvidos na confecção de roupas, tanto masculinas como femininas, os alfaiates parisienses gozam de notável celebridade.[54] A partir de 1588 e por

---

[52] D. Roche, *Il linguaggio della moda. Alle origini dell'industria dell'abbigliamento* (Turim: Einaudi, 1991), pp. 269 e 294.

[53] *Ibid.*, p. 295 *passim.*

[54] *Ibidem.*

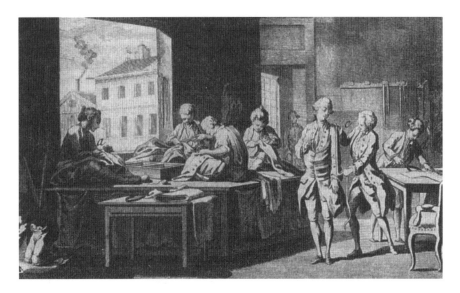

Figura 2
Prancha da *Encyclopédie*, "Tailleur d'habits", século XVIII.

todo o século XVII são os alfaiates que dirigem a fabricação de um vestido do início ao fim. Um primeiro abalo no monopólio masculino acontece em 1675, quando o governo régio reconhece existência jurídica à corporação das costureiras. A alfaiataria feminina já existia antes dessa data, apesar dos esforços dos alfaiates para criar-lhe obstáculos mediante denúncias, processos e sequestros. O governo, diante da desordem existente e na impossibilidade de remediar a situação com procedimentos legais, concede às costureiras o *status* de corporação. Nessa concessão confluem motivos de ordem moral e de ordem político-econômica. Por um lado, teme-se que as moças, reduzidas ao desemprego, possam providenciar o seu sustento por vias não lícitas; por outro, o governo, reconhecendo como corporação uma comunidade de ofício já existente de fato e, sobretudo, disposta a pagar por seu novo *status*, pode beneficiar-se com uma nova renda. O ano de 1675, portanto, surge como uma data de mudança em matéria de economia e sociologia do vestuário. Os campos de ação dos papéis masculinos e dos femininos separam-se. Além disso, calcula-se que entre 1720 e 1750 os mestres alfaiates eram cerca de 1.900. Segundo os cálculos do abade Espilly, a população de Paris em 1768 era de 690 mil habitantes, o que significa um alfaiate para trezentas/quatrocentas pessoas. Por volta de 1780, 2.800 mestres foram recenseados, o que significava um ateliê para cada trezentos habitantes, aproximadamente. Semelhante aumento verifica-se também para as costureiras. Somente em Savary, as mestras costureiras são 1.700 por volta de 1725, e segundo Espilly o número se mantém mais ou menos o mesmo em 1770, isto é, uma para cada quatrocentas pessoas, ou para cada duzentas mulheres e moças.

As *lingères* | As *lingères*, mestras e comerciantes de panos e roupas íntimas, ocupam uma posição intermediária, na medida em que tinham direito de fabricar e vender

> qualquer gênero de tecido de linho, cânhamo, de batista, linhão, cambraia, canhamaços grosseiros e finos, aniagem branca e amarela, lençóis velhos e novos, fios brancos e amarelos, tanto no varejo como no atacado, e, em geral, todos os artigos que são confeccionados com tais matérias-primas, isto é, camisas brancas, calças, colarinhos, meias, pantufos e artigos semelhantes.[55]

No campo das roupas brancas e íntimas, elas desempenham o papel que alfaiates e costureiras desempenham na produção de vestidos. Ao mesmo tempo, porém, as *lingères* controlam também o mercado dos produtos têxteis para a casa (lençóis e canhamaço), inclusive aqueles para as igrejas. Elas têm, portanto, uma importante função mediatriz, já que podem comprar e fazer com que os outros comprem todo tipo de mercadoria nos lugares nos quais são fabricadas e comercializadas. Em outras palavras, são mulheres mercadoras, que desfrutam de uma tradição comercial que remonta aos séculos XIII e XIV, ou seja, desde que nas cidades e nos campos medievais se iniciou o consumo de produtos de lã. A atividade das mercadoras de roupa íntima e da casa situa-se, portanto, entre a fabricação e a venda, entre a província e a capital, em estreito contato com os homens que continuam a operar até 1595, quando uma corporação específica reagrupa as fabricantes e vendedoras de linho e cânhamo com as *lingères* propriamente ditas, e com os homens mercadores de tecidos e de roupa íntima e para a casa, que são associados aos retroseiros. Calcula-se que antes de 1620 as *lingères* sejam quatrocentas; e no começo do século XVIII, cerca de 659. O número contabilizado às vésperas da Revolução, pouco mais de mil, parece indicar também um crescimento, ainda que menor em relação àquele das costureiras.

As *marchandes* | Um papel à parte, mas também acelerador, é constituído pelas *marchan-*
de modes | *des de modes*, figuras que gozam da notoriedade alcançada por algumas delas, como veremos. Elas traduzem na prática tanto as excentricidades do *Ancien Régime*, já em decadência, como o novo dinamismo da economia de luxo, fundada

---

[55] J. Savary des Bruslons, *Dictionnaire universel de commerce*, Paris, 1723, p. 303.

Consumos, mercados e ofícios

no profissionalismo dos artesãos e na veloz mudança à qual estão submetidos as modas e os objetos.[56] As *marchandes de modes* colocam-se como intermediárias entre as artesãs que trabalham e o universo da clientela. As informações sobre as etapas de seu crescimento na primeira metade do século XVIII são escassas. Como ofício nasce no final do século XVII, dentro da categoria dos retroseiros, à qual pertencem, provavelmente, também do ponto de vista jurídico. De fato, no *Art du tailleur*, balanço técnico das atividades ligadas ao vestuário publicado por Garsault em 1769, as *marchandes de modes* não aparecem organizadas em nenhum ofício. Elas "trabalham somente à sombra dos maridos, os quais, para autorizá-las, devem pertencer à corporação dos retroseiros".[57] Somente com o édito de reorganização das corporações, proclamado em 1776, adquirem independência, com o título de "*marchandes de modes*, plumistas e floristas". Incorporando múltiplas profissões femininas do comércio de moda, o édito de 1776 revela a ascensão das mulheres a um nível muito elevado de especialização e qualificação, mulheres que dirigem importantes empresas de confecção e de comércio. Conhece-se a história de algumas dessas *marchandes de modes*, como, por exemplo, a de madame Eloffe e de Rose Bertin.[58] Eloffe vende todos os ornamentos para a toalete feminina, chapéus, plumas, broches, etc. Pelos seus livros contábeis somos informados sobre como ela coordena o exercício de vários ofícios, contabiliza fornecimentos e modelos, com o objetivo de colocar à disposição de sua nobre clientela o maior número possível de vestidos e complementos para a toalete.[59] Prova disso é o sucesso de seus "vestidos de apresentação à corte": o de madame de Villedeuil, para o dia 19 de maio de 1787, custou 2.049 libras, o equivalente a mais de mil dias de trabalho assalariado. À frente de uma clientela constituída principalmente por aristocratas, encontra-se *in primis* a rainha, em seguida vêm madame Victoire e madame Adélaide e a condessa de Artois. As quatro sozinhas, entre 1787 e 1793, foram responsáveis por dois terços do faturamento de Eloffe, que foi de 365 mil libras. Uma centena de clientes responde pelo terço restante, com compras entre 2 e 100 libras; as clientes devotadas gastam menos de 100 libras por ano. Quase toda a clientela é recrutada nas cortes; são exceções algumas senhoras

---

[56] *Ibid.*, p. 322 *passim*.
[57] *Ibid.*, p. 306.
[58] Cf. E. Langlade, *La marchande de modes de Marie Antoniette. Rose Bertin* (Paris: Albin Michel Éditeur, s/d.).
[59] D. Roche, *Il linguaggio della moda. Alle origini dell'industria dell'abbigliamento*, cit., p. 322 *passim*.

burguesas, algumas costureiras, umas poucas empregadas domésticas; Eloffe, por sua vez, depende de suas clientes. Seus livros contábeis são um espelho fiel da evolução da moda parisiense às vésperas da Revolução, da mudança das formas, dos modelos, das cores, de tudo aquilo que o talento da admirável modista propicia, mas nos informam também sobre a realidade concreta das relações comerciais,[60] mostrando a dependência do empreendedor em relação ao crédito e o elo social entre consumo e política. Além disso, o livro ilustra o nível de especialização ao qual tinha chegado a economia do vestuário, no que concerne tanto aos adornos como à venda das roupas.

Mademoiselle Bertin, chamada de "ministra da moda", conseguiu a qualificação de fornecedora da rainha e é, indiscutivelmente, a "diretora" dos chapéus e de sua decoração. Muito hábil, Bertin reina por vinte anos no mercado parisiense dos chapéus. Pelo luxo e elegância, sua loja, o Gran Mogol, torna-se um dos maiores centros da sociabilidade da nobreza. Aperfeiçoa as "extravagâncias" que o *Cabinet des modes* não deixa de levar ao conhecimento de todos. Presidente da corporação instituída em 1776, Bertin vive como suas colegas, do crédito do Estado e da renda aristocrática. Em 1785 a rainha, que só naquele ano tinha gastado 250 mil libras, lhe deve 90 mil libras. Mas os problemas financeiros da monarquia recaem sobre suas finanças. Ainda em 7 de agosto de 1792, em plena Revolução, Bertin entrega à rainha uma fatura de 40 mil libras; três dias depois, durante o saque do palácio das Tuileries, o povo de Paris reparte entre si o guarda-roupa real. As *marchandes de modes* ocupam assim uma posição estratégica no circuito da economia ligada ao vestuário, no centro de um enorme sistema de redistribuição dos objetos, dos gostos e das maneiras. Mobilizam toda uma multidão de artesãos e fornecedores, encarregados de lhes fornecer tafetá, véus, fitas, rendas, plumas, cordões, broches, flores artificiais. Para elas contribui também o trabalho de alfaiates, fabricantes de corpetes, dos produtores de malha, de todos os artesãos que operam no setor. A atividade das *marchandes* baseia-se no talento; capacidade e fantasia, gosto e elegância inspiram a sua ação. Em 1774, o *Almanach Dauphin*, às vésperas da Revolução, registra aproximadamente vinte *marchandes de mode*. Enquanto alfaiates, costureiras e *lingères* estão disseminados por toda a cidade, as *merchandes* trabalham quase exclusivamente no centro. Segundo a *Encyclopédie*, sua atividade compreende:

---

[60] *Ibidem.*

Consumos, mercados e ofícios

a venda de tudo o que diz respeito à maneira de vestir-se e aos enfeites dos homens e das mulheres, e que se denominam galas e guarnições. Frequentemente se ocupam também de colocá-los sobre os vestidos e inventam ainda a maneira de fazê-lo. Produzem também chapéus, e os montam como cabeleireiras. O nome da profissão deriva do objeto que comercializam, porque vendem somente artigos de moda. Faz pouco tempo que as *marchandes de modes* se organizaram e ganharam esse nome, somente depois que abandonaram definitivamente o comércio de aviamentos para se dedicarem àquele das modas.[61]

A *Encyclopédie*, observa Morini, acerta em cheio ao indicar "a novidade de sua tarefa: elas 'inventam'. Nessa palavra estava todo o futuro da moda burguesa: a invenção das novidades começava a passar da corte a uma profissional".[62] Estamos nas origens do estilista contemporâneo. São consagradas como verdadeiras artistas:

as costureiras, que cortam e costuram todas as peças do vestuário feminino, e os alfaiates, que fazem camisas e corpetes, são os pedreiros do edifício. Mas a vendedora dos artigos de moda, que cria os acessórios, atribuindo-lhes leveza e o toque feliz, é a decoradora, a arquiteta por excelência.[63]

A glória de que gozam é notável. Bertin é celebrada em versos pelo poeta Jacques Delille. Às vésperas da Revolução, pode-se dizer que a arte da toalete representa o triunfo da aparência. E, portanto, o triunfo da moda.

---

[61] *Apud* E. Morini, *Storia della moda* (Milão: Skira, 2000), p. 21.
[62] *Ibid.*, pp. 21-22.
[63] L. S. Mercier, *apud* G. Lipovetsky, *L'impero dell'efimero* (Milão: Garzanti, 1989), p. 84.

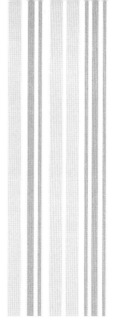

Máquinas para produzir, máquinas para sonhar

O triunfo do progresso tecnológico

Definida como a "oitava arte", intrigante e fascinante, a moda encontra a sua caracterização particular ao transformar-se, no arco de duzentos anos, de um fenômeno sociocultural de elite em um fenômeno comercial de massa.

> A sua dimensão massificada, a capitalização de suas riquezas, a globalização de seu sistema produtivo e comercial transformaram o que para Voltaire era apenas um luxo e um prazer em um dos mais prósperos impérios financeiros de dimensão planetária, de Milão a Tóquio, de Nova York a Roma, de Paris a Los Angeles.[1]

Pode-se dizer que, hoje, todo o sistema da moda está entre os extremos de uma estrutura que contempla, de um lado, a dimensão propriamente artístico-criativa, reservada aos que trabalham no setor, e, de outro, aquela dimensão expressivo-comunicativa dirigida ao público. No sistema moda, o impulso criativo do artista exprime-se mediante o uso de múltiplas linguagens da comunicação contemporânea, da fotografia à publicidade, do *design* aos pôsteres de moda e aos desfiles, do teatro, mesmo lírico, ao cinema, do rádio à televisão e, não menos importante, às revistas especializadas; de fato, o impulso artísti-

---

[1] G. Puglisi, *I modi della moda* (Palermo: Sellerio, 2001), p. 26.

Moda-cultura e moda-mercado

co está indissoluvelmente ligado a uma lógica comercial e financeira. A fronteira entre moda-cultura e moda-mercado, portanto, é muito sutil.[2] A moda atual não é mais utilizada para desenvolver o mundo da contemporaneidade artística e estética, mas, sim, para expandir um sistema comercial e financeiro; ao produzir arte e cultura, ela, ao mesmo tempo, produz mercado e riqueza. O que significa que a moda não se delineia apenas como domínio do estilista e do *designer*, mas também, e sobretudo, de grandes financistas e agentes da bolsa. Em razão dessa inter-relação entre criatividade e mercado, torna-se evidente como a história do costume e da moda na Idade Contemporânea não pode se limitar à descrição de correntes artísticas, salões burgueses, objetos e ambientes dissimulados e dispersos em obras literárias, teatrais ou cinematográficas, mas deve também identificar o percurso (ou percursos) que orientou a pesquisa das relações entre mercado e modelos de beleza, na perspectiva do lucro e do sucesso. "A moda é vitalidade, beleza, prazer, atração sexual, jogo; de tanto insistir que seja 'vestível', sensata, clássica, corremos o risco de reduzi-la a uma máquina de *merchandising*."[3] Hoje, com efeito, o problema não é tanto uma "redução" da moda à *máquina comercial*, quanto uma extrema amplificação-expansão daquilo que aparece alinhado com os ditames do contexto histórico no qual a moda se torna sistema. Não há dúvida de que o principal ponto de partida das atuais e múltiplas diretrizes que orientam o costume e a própria moda

Revolução Industrial: a moda torna-se sistema

seja constituído pela Revolução Industrial, um processo histórico extremamente complexo.[4] Com a Revolução Industrial, fatores de naturezas diferentes, interagindo entre si, provocaram mudanças decisivas, comparadas ao que aconteceu por volta do IX milênio a.C., quando a humanidade "inventou" a agricultura. Essas mudanças, todavia, não surgem como algo breve, contínuo e abrangente, ou seja, não se esgotam na imagem do rolo compressor que em pouco tempo arrasa tudo. Ao contrário, atingem a sociedade e as atividades econômicas de modos, intensidades e ritmos diferentes, com efeitos que são visíveis somente depois de muito tempo. Isso não significa que as mudanças derivadas da evolução da economia iniciada com a Revolução Industrial não

---

[2] *Ibidem.* Cf. G. Lipovetsky, *L'impero dell'efimero* (Milão: Garzanti, 1989), p. 191 *passim.*

[3] V. Steele, *apud* G. Lipovetsky, *L'impero dell'efimero*, cit., p. 64.

[4] Cf. D. S. Landes, *Prometeo liberato. Trasformazioni tecnologiche e sviluppo industriale nell'Europa occidentale dal 1750 ai giorni nostri* (Turim: Einaudi, 1978), p. 3 *passim.* P. Hudson, "L'Inghilterra e la prima rivoluzione industriale", em V. Castronovo (org.), *Storia dell'economia mondiale*, vol. III (Roma/Bari: Laterza, 1996-2000), p. 241 *passim.* Ver também J. Mokyr, *Leggere la rivoluzione industriale. Un bilancio storiografico* (Bolonha: il Mulino, 1997).

tenham sido radicais na história das sociedades humanas, mesmo nas suas extensões e ritmos diferentes, que não tenham sido verdadeiras rupturas em todos os âmbitos da vida individual e coletiva,[5] até mesmo da moda e dos artistas. Nessa perspectiva fica evidente como a história do nexo moda-cultura-mercado remete a alguns percursos de pesquisa considerados pelos historiadores como basilares para a compreensão do fenômeno industrial. Esses percursos são constituídos pela história da ciência e da técnica e pela história dos empreendedores, indivíduos que, mediando as condições de mercado e os desenvolvimentos tecnológicos, conseguem, com talento e intuição, implementar uma transformação radical da economia.[6] Se, portanto, coloca-se a Revolução Industrial no centro do sistema moda, que é um produto daquela revolução, torna-se possível identificar a circularidade fundamental que liga lógica empresarial e lógica econômico-criativa, a partir de um quadro histórico que inclui algumas categorias fundamentais ligadas entre si. Nesse sentido, o papel atribuído pelos historiadores à *criatividade tecnológica*, como aspecto essencial da Revolução Industrial, mostra-se particularmente incisivo. Essa criatividade modifica substancialmente o modo de produzir bens e serviços, tornando-se, pelo que é possível constatar, a verdadeira alavanca da riqueza europeia.[7] Por meio de um fluxo crescente de *inovações* (definíveis como a aplicação melhoradora de uma invenção no processo produtivo) e de investimentos, a criatividade tecnológica gera um sistema econômico completamente novo. Pela primeira vez na história da humanidade existe um sistema em condições de se autossustentar e autoalimentar, técnica e financeiramente, e, sobretudo, capaz de expandir-se, impondo a competição e a emulação no próprio terreno da inovação. O têxtil, particularmente, é o primeiro setor em que se verificam tais mudanças, o que não surpreende. Se a demanda de tecidos e de peças de vestuário estava em forte crescimento no século XVIII, seguindo o aumento da população, as atividades de fiação e tecelagem já estavam tão difundidas, e as tecnologias em um grau tal de desenvolvimento, que se podia aplicar o talento inventivo de um número elevado de pessoas na solução dos problemas fundamentais, enquanto as modificações necessárias para tornar semiautomáticas a

> A criatividade tecnológica: inovações e invenções

---

[5] *Ibidem.* Cf. E. Buyst, "L' industrializzazione delle Fiandre e dei Paesi Bassi", em V. Castronovo (org.), *Storia dell'economia mondiale*, vol. III, cit., p. 289 *passim*.

[6] Cf. S. Pollard, "Un nuovo modello imprenditoriale", em V. Castronovo (org.), *Storia dell'economia mondiale*, vol. III, cit., pp. 222-229.

[7] Cf. J. Mokyr, *La leva della ricchezza. Creatività tecnologica e progresso economico* (Bolonha: il Mulino, 1995).

fiação e a tecelagem eram, no final das contas, pouco significativas. Os verdadeiros gargalos do processo produtivo eram a fiação e a tecelagem, duas operações lentas, custosas e cansativas.[8] Mas eram também duas operações fáceis, que podiam ser realizadas por todos e que eram executadas por todos os membros da família, enquanto existiu a produção doméstica. Não é por acaso, então, que foi justamente nesse contexto que começaram a nascer os estímulos para incrementar as técnicas, dado que as melhoras introduzidas nos instrumentos de trabalho permitiam ganhar mais.[9] Já na primeira metade do século XVIII tinha surgido uma nova solução mecânica para a tecelagem, a lançadeira móvel de John Kay (1733). Mas um passo decisivo nesse sentido foi dado pela invenção da máquina de fiar hidráulica, a *water frame*, patenteada por Richard Arkwright em 1769, à qual segue uma série de pequenas, mas importantes, invenções que melhoram as técnicas de fabricação dos tecidos. Na tecelagem foi crucial também a invenção do tear mecânico, patenteado em 1785 por Edmund Cartwright (apenas em 1803, porém, será aplicada a ele a energia a vapor). Tudo isso contribuiu para aumentar a produção algodoeira e a demanda de algodão bruto. Em 1830, um operário de uma fiação mecanizada inglesa, dotada de um bom maquinário, produzia, em uma hora de trabalho, uma quantidade de fios de qualidade superior cerca de quatrocentas vezes maior do que aquela produzida por um artesão por volta de 1730, e uma quantidade de fios de qualidade inferior entre quinze e vinte vezes maior.[10] Por isso foi possível reduzir os preços e aumentar as oportunidades de consumo e de exportação. Por volta de 1800, quase toda a fiação britânica de algodão já era mecanizada. O consumo de algodão bruto passou de mil toneladas, por volta de 1760, a 22 mil, por volta de 1800, e a 112 mil, por volta de 1830. Enquanto isso, a mecanização da fiação de algodão sofria profundas mudanças. No período em que Arkwright produziu sua máquina, foi construído, em 1764, um outro tipo de filatório (roca), a *spinning jenny*, que funcionava com base em um princípio diferente – invenção de James Hargreaves, um tecelão que era também marceneiro. Caberia a Samuel Crompton, camponês e tecelão, construir, em 1779, uma síntese dos dois tipos de máquina, a *mule jenny*. No âmbito da

---

[8] Cf. S. B. Clough & R. T. Rapp, *Storia economica d'Europa. Lo sviluppo economico della civiltà occidentale* (Roma: Editori Riuniti, 1994), p. 329 *passim*.

[9] Cf. P. Bairoch, *Storia economica e sociale del mondo. Vittorie e insucessi dal XVI secolo a oggi*, vol. I (Turim: Einaudi, 1999), pp. 175-178.

[10] *Ibid.*, pp. 183 e 418.

indústria manufatureira, o setor têxtil é a atividade dominante. Entre as atividades não agrícolas nas sociedades tradicionais representa de 60% a 70% das atividades industriais.[11] A partir de 1830, o incremento da produtividade em relação à fiação tradicional é da ordem de dez/quinze para um para os fios de baixa qualidade e de quatrocentos para um para os fios de alta qualidade. Ao longo do século XIX, as melhorias das máquinas de fiar foram numerosas e buscavam, sobretudo, a produção de máquinas mais automatizadas que consentissem maiores ganhos de produtividade. Entre essas máquinas destaca-se o filatório automático (*self acting*) intermitente inventado por Richard Roberts, que começou a difundir-se a partir de 1830. Por volta da metade do século XIX, a máquina de Roberts encontrou um concorrente no filatório a anel (*ring spindle*), inventado pelo americano John Thorp. Também a tecelagem se automatiza cada vez mais. Em 1895, o americano J. H. Northrop inventou um tear mecânico cujo elemento inovador consistia na possibilidade de mudar o fio sem parar o tear.[12] O tear de Northrop pode ser considerado o ponto de partida do filatório do século XX e é também a primeira inovação na indústria têxtil inteiramente realizada nos Estados Unidos.

Entre as inovações de grande importância do século XIX, em um setor ligado ao têxtil, é emblemática a máquina de costurar.[13] Destinada a ter notáveis repercussões na confecção de roupas, essa máquina e quem a usa adquirem uma notável importância social, e não apenas econômica. A primeira máquina utilizável para a costura é aquela de Barthélemy Thimonnier di Saint-Etienne, patenteada em 1830. Feita de madeira, lenta e rudimentar, firmou-se na produção de uniformes militares, em que a qualidade não importava muito e era possível a padronização. Em 1841, havia provavelmente 81 dessas máquinas em funcionamento em uma grande oficina parisiense; foram destruídas pela multidão em uma explosão quase esquecida de ludismo. Isaac Singer, que pode ser considerado o Arkwright da indústria mecânica, compreendeu o papel que podia ter a nova máquina, não somente na indústria, mas também nas casas, e criou a primeira máquina de costura doméstica. Em 1853, ele criou uma empresa para a produção de suas máquinas que adotava sistemas modernos de produção, semelhantes ao taylorismo, e de comercialização, com vendas a

| A máquina de costura

---

[11] *Ibidem.*
[12] *Ibidem.*
[13] Cf. D. S. Landes, *Prometeo liberato. Trasformazioni tecnologiche e sviluppo industriale nell'Europa occidentale dal 1750 ai giorni nostri*, cit., pp. 284-386.

A Singer Company

crédito e notável importância atribuída à publicidade. Em pouco tempo, em toda a Europa se encontravam seus cartazes publicitários. A Singer Company tornou-se uma multinacional que diversificaria a sua produção: eletrodomésticos, aparelhos de rádio, máquinas de escrever. A partir de 1860 foram produzidas 110 mil máquinas de costura só nos Estados Unidos. No plano mundial, por volta de 1913 a produção chegou a dezenas de milhões de unidades.[14] A máquina de costurar propiciou a criação de ateliês de confecção e determinou uma forte diminuição do número de mulheres que costuravam a mão em casa. Uma costureira pode dar de trinta a quarenta pontos por minuto; as máquinas Singer da época davam novecentos. Isso contribuiu para a diminuição dos preços das roupas e também para o emprego das mulheres na fábrica. Na Grã-Bretanha, por exemplo, o número das mulheres empregadas na indústria têxtil passou de 490 mil a 760 mil entre 1851 e 1891. A esse respeito, Landes observa:

> E não podia ser de outra forma, não só porque a indústria as achava mais econômicas, mas também porque as mulheres encontravam aí a libertação de uma antiga escravidão. A máquina de costura não significou o fim da exploração na indústria, ao contrário, mas tornou a linha e a agulha antiquadas, e assim pôs fim à "mão cansada", "ao *cuci-cuci-cuci*"* da dolente "canção da camisa".[15]

O mito do progresso tecnológico

Nesse sentido, assume uma função central outro aspecto considerado peculiar da Revolução Industrial, o mito da indústria, o mito do progresso tecnológico, decorrente da introdução das máquinas e do aumento da capacidade produtiva que elas acarretam. O economista clássico Adam Smith (1723-1790) já tinha enfatizado que o "efeito natural do progresso" induzido pelo emprego das máquinas "é a diminuição gradual do preço de quase todos os manufaturados".[16] Para o economista inglês Thomas Malthus (1766-1834), as invenções e a introdução de máquinas podem suprir o declínio da capacidade produtiva da terra e, aumentando a massa de bens produzidos e alargando os mercados interno e externo, oferecer novas possibilidades de emprego às

---

[14] Cf. P. Bairoch, *Storia economica e sociale del mondo. Vittorie e insucessi dal XVI secolo a oggi*, vol. I, cit., p. 419 *passim*.

* Trata-se de um jogo entre o verbo *cucire*, "costurar", e o som da costura. (N. T.)

[15] D. S. Landes, *Prometeo liberato. Trasformazioni tecnologiche e sviluppo industriale nell'Europa occidentale dal 1750 ai giorni nostri*, cit., pp. 385.

[16] A. Smith, *Indagine sulla natura e le cause della ricchezza delle nazioni*, edição de F. Bartoli, C. Camporesi & S. Caruso (Milão: Iseldi, 1973), pp. 246-247. Ver também M. E. L Guidi, "Gli spilli di Adam Smith", em V. Castronovo (org.), *Storia dell'economia mondiale*, vol. III, cit., pp. 127-151.

classes trabalhadoras.[17] Nessa mesma linha, o socialista utópico francês Saint-Simon (1760-1825) aborda a indústria como fundamento de um novo tipo de sociedade. No ensaio *Sobre a indústria* (1817), ele escreve que naquele momento era necessário "lançar as bases de uma nova construção", trazendo a política, a moral e a filosofia "à sua verdadeira finalidade, que é aquela de construir a felicidade social", e aponta a garantia dessa felicidade na indústria, considerada "a única fonte de toda a riqueza e toda a prosperidade".[18] A indústria e, particularmente, as máquinas contribuem para difundir no imaginário coletivo a fé no progresso tecnológico que salva a humanidade, o mito do bem-estar material, apesar da presença, no panorama intelectual da época, de uma forte consciência dos efeitos deletérios que a "Idade Mecânica" traz consigo. Reconhecendo que, afinal, "tudo é máquina", o ensaísta Thomas Carlyle (1795-1881), por exemplo, descreve as consequências negativas da mecanização, não somente no plano coletivo, mas também no plano individual, e apresenta o homem, o seu ser e o seu fazer em termos de "mecanismo":

| Tudo é máquina

> Se me pedissem para caracterizar com uma só palavra esta nossa época, eu ficaria tentado a defini-la não como a idade heroica, religiosa ou filosófica ou moral, mas principalmente como a idade mecânica. A nossa idade é aquela da máquina, no sentido completo do termo [...]. Nada se faz diretamente ou com a mão [...]. De todas as partes se expulsou o artesão vivente para dar lugar a um operário sem alma, mas mais veloz. A lançadeira escapa dos dedos do tecelão e cai entre os dedos de aço que a fazem funcionar mais rapidamente [...]. Que mudanças esse aumento da potência introduz no Sistema Social; como a riqueza vem crescendo e, ao mesmo tempo, se acumulando, alterando extraordinariamente as velhas relações e aumentando a distância entre o rico e o pobre será um problema para o economista político [...]. Não somente o aspecto externo e físico é agora guiado pela máquina, mas também o interno e o espiritual [...]. A mesma prática regula não somente os nossos modos de agir, mas também os nossos modos de pensar e sentir. Os homens estão se tornando mecanismos na cabeça e no coração, assim como nas mãos.[19]

---

[17] Cf. P. Rossi, "La società industriale e il suo futuro", em P. Rossi & C. A. Viano (orgs.), *Storia della filosofia* (Roma/Bari: Laterza, 1996), p. 214.

[18] C. H. de Saint-Simon, *Opere*, edição de M. T. Bobetti Pichetto (Turim: Utet, 1975), p. 263.

[19] T. Carlyle, "I segni dei tempi", em V. Castronovo, *La rivoluzione industriale* (Florença: Sansoni, 1973), p. 114. Ver também P. Bairoch, *Storia economica e sociale del mondo. Vittorie e insucessi dal XVI secolo a oggi*, vol. I, cit., p. 348 *passim*.

Condições de vida na fábrica

Não faltam nem mesmo as denúncias das condições de vida cada vez mais duras e difíceis, não somente para os homens, mas também e principalmente para milhares de mulheres e crianças. Um exemplo é testemunhado pelo economista Giuseppe Sacchi, que descreve o caso da Lombardia em meados do século XIX:

> Do último relatório oficial publicado pelo inspetor responsável pelas escolas fundamentais, nota-se que na Lombardia havia, em 1840, 172.561 meninos e 164.138 meninas, entre 6 e 12 anos [...]. Dessas crianças, mais de 20 mil estavam presas por mais de doze horas por dia nas oficinas e nas fábricas [...]. Somente a indústria da seda emprega na Lombardia vários milhares de crianças. Todo ano se produz na Lombardia 5 milhões de libras de seda bruta, e toda essa enorme produção deve passar pelas mãos das nossas mulheres da fiação, a cada uma delas é confiada uma menina para fazer o trabalho pesado e manter aceso o fogo. Essas meninas têm, em sua maioria, entre 5 e 12 anos. A sua jornada de trabalho é de doze a quinze horas e [...] seus ganhos são baixíssimos, variam entre 12 e 30 centésimos ao dia.[20]

Por outro lado, por volta do fim dos anos 1870, o progresso na Europa é geral, e passa pelo emprego das máquinas e da força motriz mecânica, além da divisão do trabalho. Entre 1875 e 1914, a renda nacional do Reino Unido dobra, e a da Alemanha triplica.[21] Mais uma vez é a velocidade das mudanças tecnológicas que fornece o impulso decisivo. O aço substitui o ferro como matéria-prima da produção industrial, o motor a explosão substitui o motor a vapor, a energia elétrica substitui a energia a vapor, começam a circular os primeiros produtos sintéticos produzidos pela indústria química, difunde-se a produção baseada na cadeia de montagem. Outro fato novo nessa segunda fase da industrialização é a expansão da economia de mercado e da mecanização para outras regiões da Europa (entre elas a Itália setentrional, a Suécia, a Boêmia e a Áustria) e do mundo.[22] Os anos da segunda Revolução Industrial são mar-

---

[20] G. Sacchi, "Lo stato dei fanciulli occupati nelle manifatture", em M. V. Ballestero & R. Levero, *Genocidio perfetto. Industrializzazione e forza lavoro nel Lecchese, 1840-1870* (Milão: Feltrinelli, 1979), p. 67 *passim*.

[21] P. Bairoch, *Storia economica e sociale del mondo. Vittorie e insuccessi dal XVI secolo a oggi*, vol. I, cit., p. 383 *passim*.

[22] Cf. J. Mokyr, "La seconda rivoluzione industriale (1870-1914)", em V. Castronovo (org.), *Storia dell'economia mondiale*, vol. IV, cit., pp. 219-245.

cados por um forte aumento quantitativo dos produtos agrícolas e industriais lançados no mercado. Além de uma maior difusão dos produtos alimentares (entre os quais, os enlatados e os congelados) e de "bens de capital" (máquinas e instalações), há uma enorme expansão da produção manufatureira. Entram, assim, no comércio "bens de consumo" como máquinas de costura, máquina de escrever, relógios, bicicletas, eletrodomésticos, roupas em geral (íntimas, paletós, calças, meias), produtos para higiene pessoal e limpeza da casa, etc. Ocorre uma notável mudança nos modelos de consumo induzidos tanto pelos hábitos da vida urbana como pela introdução de novos métodos de distribuição de mercadorias no varejo. Nesses decênios se desenvolvem as grandes lojas de departamento e as redes de lojas com todas as "estratégias" para atrair os consumidores, das confecções estandardizadas aos descontos, das exposições à publicidade:

> Por meio da opulência expandida e acessível, pelo número e variedade dos artigos e a modicidade dos preços, elas são [...] a celebração da civilização técnica em geral, um hino ao bem-estar e à produtividade, uma lição das coisas, uma encenação de formas e matérias, de cores e luzes que cativa o desejo e manobra todo o corpo social.[23]

Tudo isso é consequência direta da especialização da produção por áreas e indivíduos; uma "divisão do trabalho" que, por sua vez, teria sido impossível sem a enorme expansão dos meios de transporte e de troca e o consequente crescimento comercial. Nessa fase tem um papel decisivo no desenvolvimento do comércio a melhoria do sistema ferroviário e dos transportes marítimos. As ferrovias, financiadas pelo capital privado e pelo Estado, conhecem uma contínua expansão na segunda metade do século XIX, atingindo quase todos os países do mundo. Basta observar alguns dados para entender a dimensão do fenômeno. Nos Estados Unidos, as milhas percorridas no sistema ferroviário passam de cerca de 95 mil em 1876 a 380 mil em 1913, enquanto as toneladas de mercadorias passam de 76 milhões em 1890 para 35 bilhões em 1913.[24] Por sua vez, os transportes marítimos tiveram um importante impulso depois da aplicação de algumas inovações tecnológicas. A construção de cascos de ferro

Comércio e bens de consumo

O desenvolvimento dos transportes

---

[23] P. Perrot, *Le luxe. Une richesse entre faste et confort XVIIIe-XIXe siècle* (Paris: Seuil, 1995), p. 135.
[24] Cf. A. Giuntini, "Il boom delle ferrovie", em V. Castronovo (org.), *Storia dell'economia mondiale*, vol. IV, cit., pp. 21 *passim*.

e aço (desde 1879), o uso de motores a vapor de tripla (desde 1881) e quádrupla expansão (desde 1894), o aperfeiçoamento da hélice, que substitui as rodas laterais por pás (depois de 1860). Também nesse caso, alguns números deixam logo claro o significado de tais melhorias: no Reino Unido, a tonelagem transportada por motores a vapor cresce de 168 mil em 1850 para 10.443.000 em 1910. No geral, o comércio mundial triplica no período entre 1876 e 1913.[25]

A celebração da tecnologia moderna que anima o século XIX, se observarmos bem, é a mesma que sustenta, ainda que em um cenário de crise, a década sucessiva à Primeira Guerra Mundial. A partir dessa época, as novas máquinas, como a fotografia, o cinema, o rádio e, depois, a televisão, no cruzamento entre expressividade e beleza do corpo, permitem sonhar e subverter convenções e ritos que se consideravam intocáveis.[26] Se, naquele momento, o problema da sobrevivência material parecia de certo modo resolvido, o que se manifesta como exigência primária é a busca do bem-estar mental, psicológico-espiritual. As multidões são manobráveis porque estão sujeitas ao sonho e não à razão, pensam por imagens, afirma o médico e psicólogo francês Gustave Le Bon (1842-1931). Quem desejar influenciá-las não precisa de coerência lógica entre seus argumentos, é suficiente agir sobre a ilusão que se desencadeia dos desejos não satisfeitos.[27] Em termos econômicos, isso significa saber conjugar invenção, inovação e gosto do público, também porque, como diz Landes, "as máquinas e as novas técnicas, sozinhas, não são a Revolução Industrial".[28] Nesse sentido, a história da *haute couture*, a partir do momento em que, entre o outono de 1857 e o inverno de 1858, C. F. Worth inaugura, na rue de la Paix, em Paris, a sua firma, não é a história de *uma empresa criativa*, fundada sobre a conexão moda-arte-mercado?[29] (Figura 1). Mesmo querendo apresentar-se como um artista, Paul Poiret, por exemplo, age como um empresário quando confessa:

> Eu não esperava que o meu sucesso crescesse sozinho. Eu trabalhava furiosamente para poder aumentá-lo, e tudo o que podia estimulá-lo me parecia bom. Eu estava em plena moda em Paris. Queria atrair a atenção da Europa

---

[25] Cf. C. Pavese, "Dalla vela al vapore, dall'automobile all'aeroplano", em V. Castronovo (org.), *Storia dell'economia mondiale*, vol. IV, cit., p. 46. Ver também P. Bairoch, *Storia economica e sociale del mondo. Vittorie e insuccessi dal XVI secolo a oggi*, vol. I, cit., p. 484 *passim*.

[26] A. Goldmann, *Gli Anni Ruggenti (1919-1929)* (Florença: Giunti, 1994), p. 11 *passim*.

[27] Cf. G. Le Bon, *La psicologia delle folle* (Milão: Longanesi, 1930).

[28] D. S. Landes, *Prometeo liberato. Trasformazioni tecnologiche e sviluppo industriale nell'Europa occidentale dal 1750 ai giorni nostri*, cit., p. 151.

[29] Cf. G. Lipovetsky, *L'impero dell'efimero*, cit., p. 72 *passim*.

Figura 1
A grande sala do ateliê Policardi de Bolonha, 1925.

e do mundo. Organizei uma empresa colossal que consistia em percorrer as grandes capitais europeias acompanhado pelas novas manequins [...] Dois automóveis levavam os viajantes. Todas as manequins vestiam o mesmo vestido. Era um uniforme bem parisiense, composto de um tailleur de sarja azul e de um confortável manto reversível de lã bege. Na cabeça, um chapéu de tecido encerado com um P bordado.[30]

A própria Chanel, no início dos anos 1930, intuiu que:

para enfrentar o futuro era preciso estudar o meio de comunicação e espetáculo que estava mudando o modo de pensar de meio mundo: o cinema. O teatro tinha perdido o seu papel na cultura popular, não tinha mais condições de impor nem modelos de referência nem modas a um público de massa. Um filme atingia, em um tempo curtíssimo, uma quantidade de espectadores que, provavelmente, o teatro jamais atingira em toda a sua história. As divas, aquelas para quem todo o mundo olhava para se enamorar, se vestir, se maquiar e se pentear, vinham de Hollywood. Ir aos Estados Unidos era fácil, Hollywood estava recrutando toda uma série de pessoas ligadas à Couture

---

[30] P. Poiret, *apud* E Morini, *Storia della moda* (Milão: Skirka, 2000), p. 155.

francesa, a quem a indústria cinematográfica oferecia ocasiões únicas para atingir uma fama inesperada e ganhar somas estonteantes.[31]

Sonhos e desejos em movimento

A reprodução visível do movimento

A tecnologia do cinema realizou a ambição, nutrida pelo homem desde a Antiguidade, de reproduzir o movimento de forma visível, de criar uma pintura dinâmica. O sonho pôde realizar-se somente quando os desenhos foram substituídos pelas fotografias.[32] Processo baseado em uma simples reação química, a fotografia torna-se de uso comum depois da difusão do daguerreótipo, inventado pelo francês Daguerre em 1839. Aplicando o princípio que Plateau tinha identificado dez anos antes, de que as imagens colhidas pelo olho humano persistem por um décimo de segundo, puderam ser construídos então diversos aparelhos que, fazendo passar diante do espectador mais de dez desenhos por segundo, conseguiam criar a ilusão de movimento.[33] Mas somente em 1885, quando Eastman inventou a película de celuloide que substituiu as placas de cobre na fotografia, as duas descobertas puderam ser unidas. Em 1888, Thomas Edison construiu uma máquina fotográfica que fazia rapidamente muitas fotografias, uma depois da outra, sobre uma única tira de película, e o cinetoscópio, uma grande roda em cujas bordas, por meio de pequenos furos, eram presas as fotografias, que o espectador podia girar por meio de uma manivela, enquanto olhava dentro de um buraco fixo em um ponto da borda. A década seguinte foi rica em invenções voltadas a aperfeiçoar a técnica da imagem em movimento. Era uma verdadeira "mania" que se inseria naquela mais geral pelas máquinas, pela tecnologia. Os irmãos Louis e Auguste Lumière cunharam

O cinematógrafo

o termo "cinematógrafo" e, em 1895, construíram a primeira sala cinematográfica no Gran Café do Boulevard des Capucines, em Paris.[34] Diferentemente dos outros precursores, os irmãos Lumière conceberam o novo aparelho como algo que ia além de uma experiência ótica, de projeção de imagens em movimento, e logo fizeram do cinematógrafo uma ocasião de espetáculo e um investimento comercial. Compreenderam que o interesse do público não se relacionava tanto à "máquina" em si, mas àquilo que ela projetava: documentários, esquetes,

---

[31] *Ibid.*, p. 187.
[32] Cf. D. Mormorio, *Storia della fotografia* (Roma: Newton & Compton, 1996), p. 9 *passim*.
[33] *Ibid.*, p. 27 *passim*.
[34] Cf. E. Toulet, *Cinematografo invenzione del secolo* (Trieste: Electa/Gallimard, 1993), p. 39 *passim*.

pequenos filmes, etc. O sucesso dos dois irmãos foi vertiginoso; entre 1895 e 1896 seus operadores desembarcaram em todos os lugares: Londres, Genebra, Bruxelas, Nova York, Bucareste, Roma, Belgrado, Madri, São Petersburgo; Mas o incêndio do Bazar de la Charité, no qual morreu uma centena de espectadores, deteve a marcha do sucesso. A imprensa contribuiu para difundir uma imagem negativa do cinema entre as classes altas; uma imagem que persistiria até o fim da Primeira Guerra Mundial.[35] Convencidos de que o cinema não teria vida longa, os Lumière vendem os direitos da invenção ao homem de negócio Charles Pathé e, em 1900, saem de cena, no momento em que as coisas estavam mudando pelo surgimento de uma nova afluência, não tanto de inventores, mas de autores que ofereciam películas muito mais interessantes para o público. Aos aspirantes homens de cinema se apresentavam inúmeras ocasiões de desenvolvimento e de sucesso. E assim o cinema, nascido entre a ciência e o capitalismo, dois ramos fundadores da civilização do século XX, preparava-se para percorrer os dois.[36] Enquanto na França, nação de origem do novo meio, havia entre duzentas e trezentas salas cinematográficas em funcionamento, nos Estados Unidos, em 1909, já havia cerca de 10 mil. O mercado americano, nos anos precedentes à Primeira Guerra Mundial, já era cerca de vinte vezes maior do que o mercado francês, o que era mais do que suficiente para conferir à indústria americana uma notável vantagem estratégica sobre àquela europeia.[37] O que, no entanto, não impediu o desenvolvimento de fortes empresas europeias atuantes no mercado internacional. A primeira tentativa de criar uma grande indústria em torno daquele novo meio foi realizada pelo francês Charles Pathé.[38] Nascida como fornecedora para feiras e circos, sua empresa, quando ele decidiu, em 1900, realizar grandes investimentos no cinema, dispunha de um capital de 345 mil francos. O poder econômico da Pathé derivava de seu catálogo muito variado de películas, e podia contar com os lucros provenientes de uma concentração vertical de empresas. De fato, controlava as fábricas de máquinas de captação de imagens e de projeção, a produção e a distribuição dos filmes, e, por um certo período, também produzia a película, em concorrência direta com o monopólio da Kodak. Em 1907 o capital da empresa era de 24 milhões de francos. Um sucesso econômico nada desprezível para a

O mercado americano

---

[35] *Ibidem*. Ver também A. Goldmann, *Gli Anni Ruggenti (1919-1929)*, cit., p. 67.
[36] Cf. P. Ortoleva, *Mass media. Nascita e industrializzazione* (Florença: Giunti, 1995), pp. 105-110.
[37] *Ibid.*, p. 111 *passim*.
[38] Cf. E. Toulet, *Cinematografo invenzione del secolo*, cit., pp. 77-79.

Figura 2
Mascagni com a mulher e a filha (c. 1899).

época, mas que em breve começaria a declinar. São fundadas as grandes casas de produção e distribuição americanas, que nos anos seguintes dominarão o cinema internacional, ou seja, as sete *major* de Hollywood: as quatro grandes, Fox, Metro Goldwyn Mayer, Paramount e Warner; e as três menores, Columbia, United Artist e Universal.[39] O domínio norte-americano no consumo de massa do cinema é cada vez mais opressivo. Adota-se uma política econômica pela qual, de um lado, eliminam-se os filmes estrangeiros dos programas das 20 mil salas cinematográficas existentes nos Estados Unidos, e, de outro, aumentam-se consideravelmente os investimentos produtivos para cada filme. Em 1920, o custo médio de um filme hollywoodiano oscilava entre 40 mil e 80 mil dólares; no final da mesma década o custo chegava a 200 mil dólares. Uma parte considerável desse custo destinava-se ao pagamento dos astros e à

---

[39] Cf. P. Ortoleva, *Mass media. Nascita e industrializzazione*, cit., p. 119. Ver também E. Toulet, *Cinematografo invenzione del secolo*, cit., p. 88 *passim*.

promoção publicitária.[40] Em todos os países, entre 60% e 90% dos programas cinematográficos eram constituídos por filmes americanos. O novo sistema, que nos Estados Unidos é denominado *studio system*, seria retomado, com características em parte semelhantes, também pelas cinematografias italiana, alemã e de outros países industrializados. É um sistema que prevê o controle quase total sobre a produção de novos filmes por parte de um grupo restrito de empresas. Nos Estados Unidos, as *major*, em meados dos anos 1930, realizavam 88% dos negócios de Hollywood e eram proprietárias de quatrocentas salas. Com alguns *studios* menores, elas controlavam 95% da distribuição. Na França, ao contrário, a produção era monopolizada ainda pela Pathé, a que fazia concorrência a Gaumont. Na Itália, foi o regime fascista que promoveu os *studios* modernos, como aqueles de Cinecittà, fundados em 1935, na periferia de Roma.[41]

Os historiadores estão de acordo ao afirmar que o cinema é a mídia que mais impressionou o imaginário coletivo no início do século XX, embora, como se disse, em seu surgimento tenha sido considerado somente um passatempo popular, pouco apreciado pela burguesia, que continuava a preferir o teatro e a ópera lírica, pelo menos até depois do fim da Primeira Guerra Mundial (Figura 2, p. 142).[42] O Cinematógrafo Lumière entrou na Itália pela primeira vez em 13 de março de 1896, no estúdio fotográfico Le Lieure, no Vicolo del Mortaro, em Roma. Depois das primeiras projeções romanas, organizaram-se outras em Milão e Turim. Após poucos meses, as projeções se multiplicaram e se espalharam por toda a península. As revistas fotográficas e alguns jornais italianos reportaram imediatamente tanto os aspectos técnico-científicos da invenção dos Lumière, como seus efeitos sobre o público. O espanto e a admiração eram, por toda parte, idênticos:

> Todos aplaudiam ontem à noite no Cinematógrafo montado na via del Mortaro, 17 [estúdio fotográfico de Henry Le Lieure, de Roma]; aplausos entusiasmados e palmas à medida que os diversos sujeitos com movimento e a verdade da vida passavam diante dos olhos dos espectadores maravilhados.[43]

---

[40]   *Ibidem.*
[41]   Cf. G. P. Brunetta, "Il cinema del regime 1929-1945", em *Storia del cinema italiano*, vol. II (Roma: Editori Riuniti, 1949).
[42]   Cf. G. P. Brunetta, "Cinema urbano o spettacolo viaggiante?", em E. Toulet, *Cinematografo invenzione del secolo*, cit., p. 153 *passim.*
[43]   *Il Messaggero*, 29 de março de 1896.

O Cinematógrafo Lumière, a nova fotografia do movimento, foi inaugurado ontem no círculo fotográfico [projeção organizada em Milão por Giuseppe Filippi e Vittorio Calcina] [...]. Quem viu o Kinetoscópio Edison pode imaginar o que são essas novas projeções fotográficas, que serão repetidas nestes dias no teatro milanês. São quadros animados, reproduções vivas de cenas variadas, como podem ver e seguir os nossos olhos em qualquer lugar onde haja movimento, no teatro, na rua, em casa. É a fotografia que substitui o olho humano, repetindo as suas percepções sucessivas e devolvendo-as depois sobre uma tela branca mediante a projeção.[44]

Algo de maravilhoso, que deixa espantados, pensativos, impressionados.[45] A projeção cinematográfica causa emoção, mas é algo indefinível, quase misterioso, que, misturando o real com a fantasia, deixa o espectador sem palavras, como bem descreveu Thomas Mann na *Montanha mágica*:

A senhora Sthör [...] que também assistia ao espetáculo, e encontrava-se sentada longe dos três, parecia completamente imersa na devota admiração. O seu rosto vermelho e tosco estava até contraído pelo prazer. De resto, também os outros rostos pareciam com o seu. Mas quando a última imagem cintilante de um quadro era projetada, quando a sala se iluminava e o campo das visões lá ficava, como uma mesa vazia diante da multidão, não se ouvia nenhum sinal de aprovação. Não havia ninguém a quem se pudesse exprimir, aplaudindo, o próprio reconhecimento, ninguém para poder chamar à ribalta para lhe dizer a própria admiração. Os atores que tinham encenado o espetáculo há tempos se tinham dispersado em todas as direções. As pessoas não tinham visto nada além de sombras da sua produção, milhões de imagens negativas que tinham decomposto as suas ações, retratando-as, e que podiam ser reapresentadas quantas vezes se quisesse, em um desenvolvimento rapidamente cintilante, ao elemento do tempo.[46]

O nada que fica depois da projeção se enche de desejo de rever o que já passou, para reviver mais uma vez emoções e sentimentos.

O silêncio da multidão depois da ilusão tinha algo de contraditório, de repugnante. As mãos permaneciam inertes diante do nada. Os espectadores

---

[44] *Corriere della Sera*, 30 de março de 1896.

[45] *Attualità*, maio de 1896.

[46] *Apud* G. P. Brunetta, *Buio in sala. Cent'anni di passioni dello spettatore cinematografico* (Veneza: Marsilio, 1989), p. 90 *passim*.

esfregavam os olhos, olhavam fixo diante de si, envergonhavam-se com a luz e desejavam voltar ao escuro para olhar mais, para ver desenrolarem-se de novo as coisas que tinham tido o seu tempo e, embelezadas de música, tinham sido transplantadas no presente. O déspota morria pela espada com um urro que não foi escutado. Viram-se depois projetadas sobre a tela imagens de todos os países, de todo gênero. O presidente da República francesa, com cartola e cordão, que respondia do assento de uma carroça a um discurso inaugural; o vice-rei das Índias no casamento de um marajá; o príncipe herdeiro da Alemanha no pátio de um quartel de Postdam. Assistia-se à vida cotidiana de uma aldeia de índios de Neumecklenburg; a uma luta de galos em Bornéu; viam-se selvagens nus que tocavam uma espécie de flauta com o nariz; a captura de um elefante selvagem; uma cerimônia na corte siamesa; uma rua de má fama do Japão, na qual algumas gueixas ficavam atrás das barras de uma espécie de gaiola.[47]

O que está distante no tempo e no espaço torna-se próximo no "céu das visões", e, ao final da projeção, cada fantasma, cada imagem, desaparece levemente, assim como chegou:

Os espectadores presentes a tudo isso, o espaço colocado de lado, um outro lugar e um outro tempo transformados em um aqui e agora, vibrante, mutável, fantasmagórico e revestido de música. Uma jovem marroquina, com um vestido de seda listrado, carregada de colares, de broches, de anéis, com o peito exuberante, meio nu, é repentinamente aproximada à vista, tanto que parecia em tamanho natural. Tinha as narinas largas, os olhos cheios de vida, os contornos em movimento [...]. Os espectadores encaravam embaraçados o rosto da sombra sedutora que parecia ver e não ver nada, que não era tocado por nenhum olhar e cujos risos e acenos de cumprimentos não visavam o tempo presente, mas valiam para um outro lugar e um outro tempo, de modo que teria sido estúpido retribuí-los. Como já dissemos, isso fazia com que ao prazer se unisse um sentimento de impotência. Depois, o fantasma desaparecia. Na tela imensa, de uma claridade ofuscante, era lançada a palavra "fim". O céu das visões se tinha fechado, e o teatro ia esvaziando-se em silêncio. Mas do lado de fora vinham outras pessoas, uma nova multidão de público que desejava assistir à repetição do espetáculo.[48]

---

[47] *Ibidem.*
[48] *Ibidem.*

Cinema e paixões amorosas

Entre os vários temas da produção cinematográfica, desde o seu início, havia os que tratavam da paixão amorosa, com títulos explícitos; por exemplo, entre 1913 e 1915 são lançados *Mas o meu amor não morre*, *Paixão fatal*, *A flor perversa* e outros semelhantes.[49] Esses filmes representavam a atração sexual, a transgressão das regras, a paixão proibida, o poder do desejo, o prazer, a obsessão, o sonho. Atrizes como Lyda Borelli, protagonista, entre outros, do filme *A mulher nua*, ou Pina Menichelli, que, descoberta por acaso, assinou um contrato de 300 mil liras por ano, uma soma astronômica para a época, ou ainda a "diva das divas", célebre também internacionalmente, Francesca Bertini. Protagonistas de um cinema que fugia às normas, anticonvencional, provocatório, elas contribuíam para alimentar ilusões de liberdade, projeções de tendências reprimidas, aspirações de fuga da realidade, em um ambiente nobre e da alta burguesia dado ao prazer do adultério.[50] Forma de "desafogo" reservada exclusivamente aos homens, na moral burguesa o adultério é tolerado porque, tratando-se de uma relação às escondidas e descontínua, não desestabiliza o matrimônio.[51]

Todavia, a ligação entre cinema e transgressão, naquele tempo, devia ser muito difusa, uma vez que na revista *Pungolo* pode-se ler:

> O cinematógrafo deve morrer. O cinematógrafo é um espetáculo imoral. Vocês verão daqui a poucos anos a devastação que terá produzido o cinematógrafo nas almas e nas fantasias. A escuridão suscita ações indignas. Em uma sala de Roma, por exemplo, um galante estudante deu um beliscão em uma senhora.[52]

Os "perigos" do cinema

O perigo não vinha somente do que é projetado na tela, mas também do escuro das salas, que se tornava cúmplice de encontros sentimentais. O comendador G. B. Avellone, magistrado romano, em uma carta enviada ao *Giornale d'Italia* em 18 de outubro de 1912, acusa o cinema de "atrair a multidão com as mais malsãs e perversas curiosidades, com espetáculos horrendos que reproduzem adultérios, suicídios, desastres financeiros frutos de fraudes ou

---

[49] Cf. V. Albano, *Le perdute amanti. Passioni e trasgressioni femminili in cento anni di cinema* (Palermo: Edizioni della Battaglia, 2001), p. 9 *passim*.

[50] *Ibidem*.

[51] Cf. D. Pela & P. Sorcinelli, *Generazioni del Novecento* (Florença: La Nuova Italia, 1999), pp. 128-131.

[52] *Apud* V. Albano, *Le perdute amanti. Passioni e trasgressioni femminili in cento anni di cinema*, cit., p. 10.

falsificações, amores vergonhosos, intrigas lascivas".[53] Em 1913 o Parlamento aprovou a lei Facta sobre o controle da atividade cinematográfica. Com o decreto-lei de 31 de maio de 1914 é instituída uma comissão de censura composta exclusivamente de funcionários da segurança pública e delegados. Desse modo a moral está salva. A instituição familiar não estava mais em risco. As paixões, consideradas uma loucura da qual é preciso curar-se para evitar a danação do corpo e da alma, tinham sido proibidas por via legal. Mas em pouco tempo também a máquina hollywoodiana começa a mover-se para criar mitos e sonhos. É o caso de Rodolfo Valentino, que, de jardineiro originário da província de Taranto, foi transformado em um dos maiores mitos da história do cinema.[54] Os diretores compreenderam logo que o olhar elegante de Valentino poderia dar vida a uma imagem inédita, capturando e inflamando o coração de milhões de espectadoras. Filmes como *A dama das camélias* (1921) e *A comédia humana* (1921) tornaram-no célebre no mundo inteiro. Ele morreu em 1926, e a sua perda comoveu milhões de fãs, a tal ponto que a difusão da notícia provocou cenas de histeria coletiva, desmaios, suicídios. A seu funeral, organizado com grandes honras, compareceu uma multidão oceânica; seu túmulo logo se tornou um lugar de culto e peregrinação; em todo o mundo surgiram clubes em sua memória. Dentro do cenário em que o cinema conta a si mesmo, encontraram lugar filmes que narram a carreira de Valentino, como *Rodolfo Valentino, o amante inesquecível* (1951), de Lewis Allen, *O maior amante do mundo* (1977), de Gene Wilder, e *Valentino* (1977), de Ken Russel.[55]

A criação dos mitos

Símbolos míticos de sensualidade, erotismo e transgressão, de grande fascínio, são também criados do lado feminino, como nos casos, primeiro, de Greta Garbo e Marlene Dietrich, depois, de Bette Davis e Vivien Leigh, e, nos anos 1940, da mítica ruiva Rita Hayworth.[56] Nessa perspectiva, pode-se dizer que a partir dos anos 1920, dos estúdios e das máquinas de Hollywood saem as grandes estrelas, produtos da convergência de fenômenos diversos: a tecnologia de Hollywood, as características promocionais do *studio system*, uma visão do mundo sexista, mas capaz de incluir o desejo de afirmação de muitas

As grandes estrelas

---

[53] *Ibid.*, p. 11.
[54] Cf. E. Toulet, *Cinematografo invenzione del secolo*, cit., pp. 168-169.
[55] *Ibidem.*
[56] Cf. V. Albano, *Le perdute amanti. Passioni e trasgressioni femminili in cento anni di cinema*, cit., pp. 12-13 e 51-64.

mulheres.[57] Nesse contexto, o vestuário é crucial. É esse o período no qual foram realizados, pela primeira vez, os figurinos cinematográficos.[58] Os vestidos tornam as atrizes parte integrante da narrativa, de um conjunto no qual vestuário e linguagem do corpo estão em harmonia. Os figurinos enfatizam o caráter, o comportamento e as emoções que o ator ou a atriz devem comunicar. A filmadora torna-se cada vez mais uma máquina que impõe novos tipos e novos rostos. Os filmes oferecem lições "práticas" de moda, maquiagem e comportamento, o cinema reforça a cultura-mercado da beleza. O que se oferece aos olhos de todos é o modelo da mulher moderna "estilo americano", a mídia, e não apenas o cinema, fornece os modos pelos quais se realiza a feminilidade.[59] Exige-se da nova mulher americana uma aparência física particularmente cuidada, segundo uma redefinição do ideal de feminilidade sobre o qual tem uma influência determinante a indústria de cosméticos, como também aquela dos vários produtos de higiene pessoal (o primeiro absorvente Kotex aparece no mercado americano em 1921). Anuncia-se assim o consumo de massa da estética: a beleza pode ser alcançada por todas as mulheres que se empenham o suficiente. A uniformização do aspecto feminino e da própria ideia de feminilidade estende-se também às mulheres negras. O mercado exige mais aderência à imagem cinematográfica. Samuel Goldwyn, por exemplo, oferece a Chanel um milhão de dólares por ano para que a estilista francesa vista as suas divas nos filmes e na vida privada, para que as mulheres tenham um motivo a mais para ir ao cinema, ver, além do filme, os últimos lançamentos da moda.[60] *Business* chama *business*, é um circuito que se autoalimenta. Por meio de processos semelhantes são também utilizados os outros meios de comunicação de massa, sobretudo os jornais, cartazes publicitários e revistas especializadas.

Dessa perspectiva, o "estrelismo" tornou-se a corrente principal de transmissão dos modelos norte-americanos na Europa entre as duas guerras, como também o seria depois da Segunda Guerra Mundial.[61] Tudo o que era moderno, novo, chegava dos Estados Unidos. Enquanto isso, na Europa, entre os anos 1920 e 1940, estavam em curso, autonomamente, processos de modifi-

---

[57] Cf. L. Passerini, "Donne, consumo e cultura di massa", em T. Thébaud (org.), *Storia delle donne in Occidente. Il Novecento*, vol. V (Roma/Bari: Laterza, 1992), p. 379.

[58] Cf. G. Lehnert, *Storia della moda del XX secolo* (Milão: Ready-made, 2000), p. 33 *passim*

[59] Cf. L. Passerini, "Donne, consumo e cultura di massa", cit., p. 379 *passim*.

[60] Cf. E. Morini, *Storia della moda*, cit., p. 187 *passim*.

[61] Cf. L. Passerini, "Donne, consumo e cultura di massa", cit., pp. 380-381. Ver também A. Abruzzese & D. Borrelli, *L'industria culturale* (Roma: Carocci, 2000), pp. 189-192.

cação do trabalho doméstico e da imagem feminina, consequência das grandes mudanças econômicas e de consumo induzidas pela Primeira Guerra Mundial.[62] Na França, por exemplo, a necessidade de simplificar as tarefas domésticas acompanhou a introdução da eletricidade e a ampliação do fornecimento de gás. O ideal de energia e de limpeza, e também um gracioso coquetismo e uma forma de independência não seguiam apenas o exemplo americano, mas representavam também uma interpretação das novas exigências que utilizava a tradição francesa do fascínio e da liberdade feminina. Na Itália, país que se diferencia da França e dos Estados Unidos não só pelo desenvolvimento econômico, mas também pelo regime fascista, as propostas de inovação do papel feminino situavam-se ao longo de um eixo contraditório e, ao mesmo tempo, funcional para a nova ordem constituída.[63] As propostas do regime fascista eram adequadas, se observarmos bem, ao cruzamento de dois planos estreitamente ligados, mas contraditórios. De um lado, havia a uniformização, como acontece nas organizações de massa, por meio dos uniformes, e, de outro, a construção de uma dona de casa "mulher e mãe exemplar", capaz de sustentar todo o peso que a política expansionista implicava. Em outros termos, formulava-se uma concepção pela qual a mulher deveria modernizar-se, mas deveria também produzir muitos filhos e providenciar a alimentação e o vestuário para toda a família com os recursos oferecidos pela economia autárquica: fibras de giesta e urtiga no lugar de algodão, lã de caseína* no lugar da lã, carvão vegetal em vez de carvão mineral.[64] A essas contradições se acrescentavam aquelas próprias de um país de tradição católica, na qual a Igreja tem uma influência determinante. Se é óbvio que a mulher italiana não podia ser consumidora e administradora dos mesmos recursos oferecidos às norte-americanas e às francesas, o que se afirmava, na realidade, era uma espécie de modernização repressiva, cujos custos foram pagos pelas mulheres da classe operária e da classe média.[65] A contradição entre consumo e boa administração em que se via enredada a posição da mulher fascista se refletia também no âmbito cinematográfico. De fato, a produção de comédias

> As condições femininas no período fascista

---

[62] Cf. L. Passerini, "Donne, consumo e cultura di massa", cit.; D. Mormorio, *Vestiti. Lo stile degli italiani in un secolo di fotografie* (Roma/Bari: Laterza, 1999), p. 145 passim.

[63] Cf. L. Passerini, "Donne, consumo e cultura di massa", cit., pp. 381-384.

* Fibra têxtil obtida a partir da caseína. (N. T.)

[64] *Ibidem.* Ver também N. Aspesi, *Il lusso e l'autarchia. Storia dell'eleganza italiana 1930-1944* (Milão: Rizzoli, 1982).

[65] Cf. L. Passerini, "Donne, consumo e cultura di massa", cit., p. 382.

de entretenimento, imitação do cinema americano, filmes com os telefones brancos,* histórias sentimentais com um final feliz, era paralela ao filão de filmes históricos, melodramas de época, reportagens sobre as glórias italianas na África. Em ambos os casos, as virtudes itálicas, tanto as privadas como as públicas eram retoricadas. O sonho de uma "esposinha simples e bonitinha", acompanhada de "mil liras por mês", como sugeria uma canção famosa naqueles anos, desdobrava-se no respeito pela tríade sagrada Deus-Pátria-Família, na exaltação da coragem e do sacrifício pela Bandeira, em que a mulher devia desempenhar um papel exemplar.[66] Além disso, a Igreja também estava em sintonia com as expectativas do governo em relação à produção cinematográfica. Na encíclica *Vigilanti cura*, de 26 de junho de 1936, Pio XI escrevia:

> De fato, não há dúvida de que um povo que [...] se deixa levar pelos divertimentos contrários às normas do decoro, da honra e da moral [...] encontra-se no grave risco de perder a sua grandeza e a própria potência [...] É necessário, portanto, que os filmes sejam orientados para o respeito das salutares exigências da consciência cristã, e livrados de todo efeito corruptor e imoral.[67]

Nos filmes da época, todas as paixões "fora da lei" eram punidas, a menos que não houvesse uma providencial redenção; mas era também evidente o paradigma contraditório ao qual já nos referimos, como no filme *Carmela*, de 1942. A protagonista, uma jovem enlouquecida pela fuga de um oficial por quem se apaixonara loucamente, e que é salva por um outro oficial, primeiramente por compaixão, depois por amor, é interpretada por Doris Duranti, diva muito célebre na época, não somente por suas interpretações, mas também por seus amores com os poderosos hierarcas do fascismo. Depois da queda do regime fascista, ainda que o associacionismo católico, assim como aquele laico, caminhasse na direção de uma política educadora, na Itália explodia o novo culto aos astros do cinema. Era o momento em que despontavam nomes como os de James Dean, Marilyn Monroe e Brigitte Bardot, novos mitos que

---

*   *Telefoni bianchi* era a denominação utilizada para fazer referência às comédias sentimentais produzidas durante o regime fascista, em cujos ambientes sempre havia um telefone branco, que era tido como sinal de *status*. (N. T.)

66   Cf. A. Albano, *Le perdute amanti. Passioni e trasgressioni femminili in cento anni di cinema*, cit., pp. 25-26. Ver também D. Mormorio, *Vestiti. Lo stile degli italiani in un secolo di fotografie*, cit., p. 166 *passim*; C. Chiarelli (org.), *Moda femminile tra le due guerre* (Livorno: Sillabe, 2000).

67   Cf. A. Albano, *Le perdute amanti. Passioni e trasgressioni femminili in cento anni di cinema*, cit., p. 25.

faziam sonhar.[68] Assim como faria sonhar e desejar uma nova "máquina" que estava para chegar às casas de todo mundo: a televisão.

Em 1926 o cientista escocês John L. Baird apresentou um aparelho capaz de transmitir imagens em movimento. A invenção consistia em um tubo que transformava em imagem impulsos elétricos. Baird chamou essa invenção de *televisão*, transmissão da imagem a distância. No ano seguinte foi ao ar, em Nova York, "o noticiário da Fox Movietone" e em pouco tempo foram iniciadas entre Berlim e Viena as primeiras transmissões regulares de "imagens por telégrafo".[69] Ainda que fosse necessário esperar os anos 1930 para que países como Estados Unidos, União Soviética, França e Alemanha pudessem experimentar a difusão de imagens em movimento acompanhadas de som, o dia 11 de maio de 1928 foi o dia em que nasceu o primeiro programa televisivo com um horário regular. Todas as terças, quintas e sextas-feiras, em Nova York, 1.700 aparelhos de televisão recebiam um programa piloto, de mais ou menos meia hora, com documentários e notícias. Mas a televisão registraria seu *boom* somente depois da Segunda Guerra Mundial, quando se tornaria o meio de comunicação de massa mais importante e um dos ritos fundamentais do tempo livre.[70] Em 1960 eram 11 milhões de televisores na Grã-Bretanha, 4 milhões e meio na Alemanha, mais de 2 milhões na Itália. Na década de 1960 se assistiu a uma transformação radical na organização e na linguagem televisivas, até então em estreita continuidade com as do rádio. A possibilidade de filmar antes de ir ao ar (videoteipe) e, portanto, de eliminar a transmissão ao vivo, permitiu a criação de uma quantidade de programas que antes era inimaginável. Foi a televisão norte-americana a primeira a dar o "salto" e a transformar-se em uma verdadeira indústria, com uma robusta máquina organizacional e um pessoal numeroso, que ia dos técnicos aos responsáveis pela programação, dos jornalistas aos publicitários. O produto dessa indústria tornou-se, então, um "palimpsesto", uma sucessão programada de imagens e de sons que cobria um dia inteiro e atraía a atenção de um público vastíssimo. Uma das inovações mais importantes, nesse sentido, foi

> O nascimento da televisão

> Palimpsesto e telefilmes

---

[68] Cf. *Ibid.*, p. 37 *passim*; S. Pivato & A. Tonelli, *Italia vagabonda. Il tempo libero degli italiani dal melodramma alla pay-TV* (Roma: Carocci, 2001), pp. 121-126.

[69] Cf. P. Bairoch, *Storia economica e sociale del mondo. Vittorie e insucessi dal XVI secolo a oggi*, vol. I, cit., pp. 439-440.

[70] Cf. S. Pivato & A Tonelli, *Italia vagabonda. Il tempo libero degli italiani dal melodramma alla pay-TV*, cit., pp. 126-131.

a produção de telefilmes, ou seja, de filmes breves que apresentavam em versão televisiva alguns dos gêneros mais populares surgidos precedentemente, do romance em capítulos ao desenho animado. Foi, de fato, uma verdadeira "revolução" para as empresas de televisão, pois, quando uma "série" conseguia cativar a simpatia do público, e era vista por muito tempo, podiam-se realizar ganhos enormes, combinando o telefilme com as interrupções publicitárias. Os estudiosos são quase unânimes em afirmar que, desde o final da Segunda Guerra Mundial, nenhuma outra novidade teve um impacto maior do que a televisão na vida cotidiana. Em 1954, ano de seu aparecimento na Itália, havia 88 mil assinantes,* mas, quatro anos depois, eles já eram 1 milhão, e, em 1965, metade das famílias italianas já era proprietária de um televisor. A difusão foi, portanto, rapidíssima, mas já no seu início, quando os aparelhos privados eram ainda um privilégio das classes altas, assistir à televisão aparecia como a forma emergente de entretenimento coletivo. Os televisores dos bares, especialmente nas zonas rurais, possibilitavam os momentos para encontrar os amigos. Sobre isso observa Paul Ginsborg:

> Em um artigo no *L'Espresso* de janeiro de 1959, M. Calamandrei descreveu a experiência do vilarejo de Scarperia na região do Mugello, ao norte de Florença. Ainda que na cidadezinha existissem apenas onze televisores, 91% da população tinha assistido à televisão ao menos uma vez: "Os entrevistadores contam ter visto, à noite (sobretudo na quinta-feira, na hora do *Lascia o raddoppia*),** cidadãos que vivem na montanha, mesmo os mais velhos, descerem por trilhas íngremes, às vezes sob a chuva, trazendo consigo a cadeira para poder assistir a um espetáculo de televisão".[71]

Depois de 1970 a televisão conhece uma nova época, após a introdução de uma série de mudanças técnicas. Primeiramente, a cor, que traz consigo uma gradual transformação da linguagem, introduzindo mais informações "realísticas" e também uma aproximação maior com os meios tipicamente fan-

---

* Na Itália, mesmo para ter acesso à televisão aberta, que no início era apenas pública, era necessário pagar uma taxa, uma espécie de assinatura que mantinha os canais públicos sem a necessidade de recorrer à publicidade. (N. T.)

** Programa de televisão que distribuía prêmios aos concorrentes que conseguissem responder às perguntas que lhes eram feitas, sempre com o bordão "Lascia o raddoppia", ou seja, "Abandona [o programa] ou dobra [o prêmio]. (N. T.)

[71] P. Ginsborg, *Storia d'Italia dal dopoguerra ad oggi. Società e politica 1943-1988* (Turim: Einaudi, 1989), p. 328.

tásticos, como o cinema. Além disso, o advento da televisão a cabo melhora a qualidade da recepção, multiplica a quantidade de canais e permite a divisão entre empresa emissora (aquela que cria programas) e empresa transmissora (aquela que leva os programas até as casas). E mais, a difusão em nível de consumo familiar de videocassetes abre novas possibilidades de fruição da televisão. Por fim, deve-se salientar o nascimento das tevês privadas e comerciais, que determina uma nova mudança da linguagem (como o diálogo telefônico com o público e a realização de verdadeiras redes temáticas) e substanciais modificações da função, isto é, a possibilidade de "adquirir" de casa, a cada vez, a transmissão específica que se deseja ver.

Tempo de música e de dança

No processo de "industrialização da cultura", no qual ciência e capitalismo avançam entrelaçados, as "máquinas que tocam" ocupam uma posição de destaque, pois é a partir delas que começa o mercado discográfico. Antes ainda que no âmbito especificamente musical, a criatividade tecnológica nesse setor amadurece no cenário mais amplo das imagens e das suas máquinas. Nesse sentido, a difusão da fotografia no final do século XIX contribui para promover a ideia de substituir o piano (instrumento da moda e muito difundido entre os anos 1830 e 1870, tanto na Europa como nos Estados Unidos) por máquinas que, além de exigir menos esforço, garantem uma qualidade de execução e uma estandardização mais elevada (Figura 3). Desde meados do século XIX, ao lado da fotografia, o retrato, os álbuns e as estereoscopias compradas no mercado já são um fenômeno habitual (Figura 4). Concorrente direta da produção de retratos tradicional, a difusão da fotografia contém duas implicações de longo alcance.[72] Em primeiro lugar, se para fazer um retrato se usa a máquina fotográfica no lugar do artista, os custos são reduzidos e o prazer pode se multiplicar. Nascida como instrumento barato para fazer retratos, em cinquenta anos a fotografia torna-se um *hobby* dos mais populares. Em segundo lugar, esse processo não diz respeito apenas à classe burguesa, mas se estende para toda a sociedade. Por volta de 1870-1880, surgem em toda

Nas origens do mercado discográfico

---

[72] Cf. P. Ortoleva, *Mass media. Nascita e industrializzazione*, cit., p. 132 *passim*. Ver também D. Mormorio, *Vestiti. Lo stile degli italiani in un secolo di fotografie*, cit., p. 14 *passim*; L. Trionfi Honorati & P. Tosi (orgs.), *Ricordi di famiglie. Moda e costume attraverso 150 immagini da archivi privati italiani (1880-1899)* (Milão: Skira, 1999).

Figura 3
Senhora florentina com a filha ao piano (c. 1870).

parte na Europa estúdios fotográficos que retratam camponeses, emigrantes e operários. O "princípio" fotográfico é transferido para o campo musical e determina o nascimento de novos mercados, como aquele das pianolas (calcula-se que entre 1880 e 1920 são vendidas, nos países industrializados, vários milhões) e do mercado fonográfico. O fonógrafo, inventado por Thomas Edison, foi originalmente empregado para ditar cartas nos escritórios, mas logo se nota a possibilidade de seu uso doméstico, uma vez que permite não só

Figura 4
Feira beneficente nos jardins do palácio Strozzi (1882).

escutar o que se quer, mas escutá-lo nas interpretações de maior sucesso. Com a inovação introduzida por Emil Berliner em 1887 – o gramofone a disco, dotado de um motor mecânico, e depois elétrico –, o disco gravado previamente pode ser reproduzido em milhares de cópias idênticas. O primeiro catálogo de gravações musicais colocado no comércio é o da Columbia Phonograph, em 1891. São doze páginas de marchas e músicas para dançar que podem ser consideradas a certidão de nascimento da indústria da música reproduzida fonograficamente. O fonógrafo e o gramofone, máquinas destinadas essencialmente ao uso doméstico, estão na origem de um gênero musical peculiar, a canção como a conhecemos hoje. De fato, as execuções musicais para uso doméstico determinam a exigência de criar músicas singelas, com uma estrutura bastante simples, breve e fácil de memorizar. Essa exigência produz, por um lado, a demanda por novas canções, que se renovam a cada estação no mesmo ritmo da moda no vestuário e na literatura; por outro, a necessidade de manter uma certa audibilidade, também para respeitar os ritmos das danças conhecidas. Desde o final do século XIX os editores de canções (gravadoras) são, de fato, editores de novidades: devem produzir novas canções todos os anos. Também nesse caso os Estados Unidos são o modelo. Em Nova York, por volta de 1890, surge um grande número de gravadoras que, mesmo concorrendo entre si, cooperam para a formação de um novo gênero de canção ritmada, aberta às influências da música negra. A Tin Pan Alley é para a indústria emergente da canção o que Hollywood é para o cinema.[73] Todos os anos são ensaiadas milhares de canções, das quais só uma centena será lançada, inclusive com o auxílio do teatro de variedades, que naquele momento conhece seu maior sucesso. Na Europa, Nápoles é a sede da moderna indústria da canção. Ela é favorecida pelos seus *café chantants*, que constituem um ótimo trampolim para o lançamento de novidades. Além disso, até os anos 1930 é uma cidade conhecida mundialmente, o ponto de chegada de todo *Grand Tour* europeu. Os historiadores da canção sustentam que em Nápoles foram escritas as canções destinadas a entrar no imaginário coletivo italiano. De '*Avucchella* (1892) a *O sole mio* (1898) e a *Torna a Surriento* (1902).[74] Mas, mais uma vez, é a inovação tecnológica que estende as possibilidades de fruição da música.

As "máquinas que tocam"

O impulso para canções sempre novas

---

[73] Cf. P. Ortoleva, *Mass media. Nascita e industrializzazione*, cit., pp. 136-137.

[74] Cf. S. Pivato & A. Tonelli, *Italia vagabonda. Il tempo libero degli italiani dal melodramma alla pay-TV*, cit., p. 148 *passim*.

O rádio | O rádio contribuiu para desenvolver o mercado. A primeira transmissão radiofônica foi realizada no dia 24 de dezembro de 1906, quando, no lugar dos costumeiros sinais em Código Morse, nos fones de ouvido dos vários operadores de rádio a bordo dos navios ancorados ao largo da costa de Terranova (Canadá), e de alguns radioamadores, chegou a voz de um homem que lia uma página do evangelho. A partir daquele momento, o rádio inicia seu grande desenvolvimento tecnológico e comercial. Os sistemas radiofônicos norte-americano e britânico escolhem, desde o início, formas de organização e canais de financiamento diferentes para a nova mídia.[75] No sistema americano o rádio é financiado exclusivamente por meio da publicidade. No sistema britânico não é transmitida publicidade, mas apenas programas; o sistema radiofônico é financiado como uma revista, ou seja, pelas assinaturas do público. Isto é possível porque a BBC opera desde seu início em regime de monopólio; mesmo sendo uma empresa privada, ela se comporta como uma empresa estatal. Grande parte dos sistemas radiofônicos criados na Europa entre 1922 e a Segunda Guerra Mundial apresenta características mistas entre os dois modelos extremos, o norte-americano e o britânico. O recrutamento de um público de massa não é nada fácil. Na década de 1920, nos Estados Unidos, percebe-se a eficácia da publicidade feita por rádio em relação àquela que circula por meio da imprensa e dos cartazes publicitários. A "máquina" é capaz de falar aos "iletrados", de alcançar largas faixas da população pouco permeável às mensagens impressas, graças também à continuidade de sua presença na vida cotidiana do público. Na Itália, no início, a radiofonia é um fenômeno limitado, devido ao custo elevado dos aparelhos de rádio, da escassa eletrificação do país e do custo excessivo da assinatura. Os programas concentram-se nos momentos de reunião da família, na hora do almoço e do jantar. Noticiários, poucas esquetes cômicas e muita música: sinfônica, de câmara, popular. Somente depois da constituição do Eiar (Ente Italiano Audizioni Radiofoniche [Entidade Italiana de Audições Radiofônicas], o equivalente da atual RAI),* em 1928, o regime fascista começa a prestar mais atenção à radiodifusão, difundindo a "Radiorurale", um aparelho de baixo custo que deveria ser instalado em todas as cidadezinhas, em todas as escolas, em todas as associações e organizações

---

[75]   Cf. P. Ortoleva, *Mass media. Nascita e industrializzazione*, cit., p. 153 *passim*.

*   TV estatal italiana. (N. T.)

Máquinas para produzir, máquinas para sonhar

do regime.[76] A partir daquele momento aumentam as horas de transmissão, multiplicam-se as estações emissoras, articulam-se as participações ao microfone, são apresentadas as primeiras transmissões ao vivo dos teatros e dos acontecimentos esportivos. Tudo isso permite angariar um público mais vasto e variado no plano social, tornando possível a popularização das transmissões radiofônicas. Todavia, é somente com o *boom* entre 1935 e 1940 que se ampliam efetivamente as ocasiões para se ouvir rádio: as fábricas adotam alto-falantes para transmitir *A hora do trabalhador* e, mais tarde, as notícias sobre as "guerras do Duce [Mussolini]". Durante os anos de guerra, apesar das normas que impõem a proibição de sintonizar rádios, às quais poucos obedecem, podem-se escutar rádios estrangeiras, que transmitem os primeiros *swing* americanos, os espetáculos ao vivo para as tropas aliadas e também o sinal da Rádio de Londres.

A invenção de Guglielmo Marconi, que em 1901 realizou a primeira transmissão transatlântica em Código Morse, não revolucionou somente o mundo das comunicações, mas também o mundo dos costumes. Por meio do rádio não se difundem apenas notícias, mas também os novos gêneros musicais dançáveis, como o *charleston*, que remete ao *jazz*, a rumba e, sobretudo, o tango sul-americano, que se torna uma mania em toda a Europa.[77] Considerado uma dança imoral pelos conservadores da época, porque exige que o par de bailarinos se mova mantendo seus corpos estreitamente enlaçados, até 1920 o tango não é admitido nos salões da alta sociedade de Buenos Aires – apesar de que, com a voz de Carlos Gardel, que em 1917 grava *Mi noche triste*, esse tipo de dança começa a adquirir "respeitabilidade" (Figura 5). Também na Itália o tango é proibido; a Igreja o define como "torpeza nefanda", "porcaria moderna", "dança suja e selvagem", "bailado diabólico". Com a aprovação eclesiástica, é impresso um opúsculo com o título "Il tango e il suo fango".[78] Estamos em plena campanha contra essa dança em particular e, em geral, contra a dança em si, iniciada pela Igreja na segunda metade do século XIX. A dança é considerada uma fonte de corrupção moral, difusão de um vício que transforma o cristão em pecador. Em oposição a essa visão, encontramos uma corrente de

| O rádio modifica os costumes

| Tango e valsa

---

[76] Cf. G. Isola, *Abbassa la tua radio, per favore... Storia dell'ascolto radiofonico nell'Italia fascista* (Florença: La Nuova Italia, 1990).

[77] Cf. G. Borgna, *Storia della canzone italiana* (Roma/Bari: Laterza, 1985), pp. 44-46.

[78] Cf. *Il tango e il suo fango* (Florença: Tipografia Santa Maria Novella, 1914), p. 3 *passim*. Ver também S. Pivato & A. Tonelli, *Italia vagabonda. Il tempo libero degli italiani dal melodramma alla pay-TV*, cit., p. 81.

Figura 5
Aula de tango em uma escola (1920).

pensadores que considera o balé e a dança, assim como a vida a céu aberto e a ginástica, importantes para a saúde. Já foi mostrado como a história da dança na Itália está ligada à história da mentalidade, do costume, das relações entre as classes sociais, na medida em que a dança é um instrumento de agregação que define a identidade social, que identifica as camadas sociais, marcando as suas diferenças, é um meio de ostentação de *status*.[79] Nessa perspectiva, ser contra ou a favor da dança esconde, de fato, determinada política de controle social. O abandonar-se à música, o prazer do movimento e, sobretudo, o encontro entre homens e mulheres são as razões que transformam a dança no rito mais apreciado e difundido da Idade Moderna e Contemporânea. No século XIX se difundem manuais de etiqueta sobre as danças. O gênero dos próprios bailes se multiplica de acordo com as ocasiões a serem festejadas ou

---

[79] *Ibidem*. Cf. A. Tonelli, *E ballando, ballando. La storia dell'Italia a passi di danza (1815-1996)*, cit.

os momentos de encontro promovidos pelos vários grupos sociais: bailes para categorias profissionais, bailes de sociedade, bailes beneficentes, bailes privados, sobretudo no tempo livre. A afirmação da dança de salão, dançada por casais, primeiramente com a valsa e depois com o tango, constitui uma verdadeira revolução nos costumes. Essas duas danças inauguram a era do baile "democrático", capaz de atrair expoentes das diversas classes sociais. A valsa é uma conquista da classe burguesa em contraposição à aristocracia, que se reconhece na elegância e no maneirismo do minueto.

O baile "democrático"

> A valsa exprime a carga revolucionária da burguesia, que recusa o comedimento da nobreza, em nome de uma dança que muda profundamente a ética e a moral pelo contato entre os corpos. São colocados de lado os castos toques dos minuetos e das quadrilhas, substituídos pelos abraços e volteios sensuais. Uma inovação que corresponde também à moderna cultura do corpo, que, de acordo com as teorias positivistas, transforma hábitos e comportamentos em obséquio às razões do bem-estar.[80]

Ora, se as danças para casais introduziam uma relevante inovação na sociedade lúdica do século XIX, ao mesmo tempo tornavam mais agudo um comportamento hostil. As diretrizes fascistas, por exemplo, propagavam, pelo menos em teoria, as proibições em relação a uma vida mundana, de festas. Quem dançava não podia participar do renascimento do país. Os argumentos utilizados pelo fascismo para conter a "mania de dança" eram os mesmos impostos para o cinema, sustentados também pela Igreja: a salvação da família, da moralidade, da saúde do corpo e do espírito. Apesar disso, também durante o período fascista as festas com dança eram numerosas.[81] Em um ponto o regime não transigia, ao menos teoricamente, a saber: sobre a proibição das danças estrangeiras. As danças "negras", a rumba e o *jazz* foram banidos por não pertencerem à tradição musical italiana. Mas o fascínio pelas danças "estrangeiras" não acabou. Depois da Segunda Guerra Mundial foram justamente as danças norte-americanas, como o *boogie woogie* e o *rock'n roll*, que fizeram sucesso. E, se nesses mesmos anos a adesão da informação às posições a favor do governo se tornava cada vez mais aberta, o rádio conquistava a atenção popular com a afirmação das transmissões de entretenimento, particularmente

Boogie woogie e rock'n roll

---

[80] S. Pivato & A. Tonelli, *Italia vagabonda. Il tempo libero degli italiani dal melodramma alla pay-TV*, cit., p. 80.
[81] *Ibid.*, pp. 82-83.

com um dos divertimentos mais em voga nos anos 1950: o programa *Ballate con noi* [Dancem conosco], que ensinava a dançar mambo, samba e *rock* a boa parte da Itália e era ouvido por pessoas de todas as idades e classes sociais, promovendo uma verdadeira moda.

Viagens e miragens

Do prazer à regra

É mais do que sabido que nos dias de hoje a moda deve ser considerada uma forma geral que age em toda a sociedade, e não em um setor específico.[1] Passando das descrições de suas manifestações empíricas à análise dos sistemas pelos quais essa forma geral se concretiza, a pesquisa historiográfica revela a ligação fundamental entre hedonismo, individualismo e indústria. Do ponto de vista teórico, pode-se dizer que tal ligação permeia toda a trama do discurso forma-moda, com as suas implicações de ostentação social e de busca do prazer e do bem-estar.[2] Desejo de mostrar aos outros e gosto pela metamorfose, puro prazer de mudar, caminham lado a lado como expressões típicas da cultura do individualismo. O individualismo é um dos traços fundamentais da modernidade, consoante ao projeto de emancipação radical elaborado pelo Iluminismo. Celebração da força e da dignidade do indivíduo, desejo de fazer do homem o patrão incontestável da Terra são temas já elaborados pela cultura renascentista e pelo Iluminismo. No século XIX esses temas dão vida a um "programa" no qual se baseia também a celebração da racionalidade tecnológica, que se manifesta como "adoração" da máquina e da eficiência, mito que

Hedonismo, individualismo e indústria

---

[1] Cf. G. Lipovetsky, *L'impero dell'efimero* (Milão: Garzanti, 1989), p. 175 *passim*.
[2] Ibidem.

encarna as aspirações humanas. Esse programa encontra uma realização precisa, por exemplo, na moda da viagem e das férias e na moda do esporte, que se desenvolvem a partir do século XVIII no entrelaçamento entre invenção e inovação. Nesse aspecto, o ponto de referência do qual saem as múltiplas linhas do discurso pode ser considerado a viagem formativa, o *Grand Tour* inventado pelos ingleses, no século XVIII, como traço distintivo dos jovens aristocratas britânicos engajados.[3] Acompanhados por um preceptor que os protegia e, sobretudo, os ajudava a entender o que viam, esses jovens aristocratas faziam a viagem à Itália à procura, principalmente depois da descoberta de Pompeia e das teorias de Winckelmann, dos vestígios romanos. Suas palavras de ordem eram *Romanidade* e *Renascença*, evocações emotivas de um passado glorioso. Todos compartilhavam preferências e preconceitos, chegavam até o golfo de Nápoles e desprezavam tudo que fosse medieval.[4] Metaforicamente, a viagem significa viver a experiência formativa da transformação, reconhecer uma nova idade de renascimento depois das "trevas" típicas do homem medieval.

O Grand Tour |

Ao mesmo tempo, mediante a invenção, sempre de origem inglesa, da estação termal, também a experiência da regeneração física, salutar para o corpo, começa a ganhar espaço. Médicos e especialistas dedicam-se com afinco a analisar as águas termais e a explicar seus efeitos benéficos do ponto de vista fisiológico. Transformação interior e bem-estar físico ganham, paralelamente, cada vez mais espaço, permeados, porém, pela lógica da mundanalidade. As estações termais são construídas *ex-novo* (o primeiro exemplo são aquelas de Bath) e tornam-se lugares nos quais tudo é ocasião para o encontro, o prazer e o divertimento, como observa, com olhar desencantado, um viajante inglês: "As pessoas passam por Bath sem se preocupar nem com as águas nem com os banhos, mas somente para se divertirem em boa companhia".[5] Prolongamento dessa tendência, começa a se difundir o hábito dos banhos de mar.[6] Por volta de 1750, são idealizadas, por exemplo, Brighton e Nice, onde o *bathing into the sea* é a nova terapia "regeneradora". A água não é mais considerada um

A invenção da |
estação termal |

---

[3]   Cf. M. Boyer, *Il turismo. Dal Gran Tour ai viaggi organizzati* (Trieste: Electa/Gallimard, 1997), p. 28. Ver também VV. AA., *Viaggiatori del Gran Tour in Italia* (Milão: Touring Club, 1987).

[4]   Cf. C. Moatti, *Roma antica tra mito e scoperta* (Trieste: Electa/Gallimard, 1992), pp. 54-89.

[5]   *Apud* M. Boyer, *Il turismo. Dal Gran Tour ai viaggi organizzati*, cit., p. 37. Cf. J. Urry, *Lo sguardo del turista* (Roma: Edizioni Seam, 1995), pp. 35-65.

[6]   Cf. P. Sorcinelli, *Storia sociale dell'acqua* (Milão: Bruno Mondadori, 1998), p. 135 *passim*. Ver também A. Corbin, *L'invenzione del mare. L'Occidente e il fascino della spiaggia 1750-1840* (Veneza: Marsilio, 1990).

perigo, mas serve para manter a saúde. Também a "descoberta", em 1741, das geleiras que descem até as cidades de Chamonix ou Grindelwald causa sensação. O mar e o gelo são exaltados nos salões, e os viajantes acorrem para admirar essas belezas da natureza.[7] Desejo de praias, celebração dos montes e, não menos importante, o prazer do campo são fenômenos sincrônicos que testemunham o fim da hegemonia urbana. Entre 1750 e 1850 a transformação é total.[8] No século XIX, a correspondência entre invenção e inovação promove novas formas de turismo, principalmente novos lugares turísticos. Nesse sentido, a presença de *gate-keepers* é fundamental: uma personagem extravagante, um escritor ou um artista lança uma nova estação termal ou balneária. A visita das personagens ilustres é difundida por meio de comunicações organizadas por médicos ou financiadores, com a cumplicidade da imprensa. A imperatriz Sissi, por exemplo, conhecida viajante, contribuiu para a fama de novas rotas, como Corfu e Madeira. As estações turísticas consagradas, por sua vez, tornam-se garantia de felicidade, lugares de felicidade. Turistas extasiados retratados em cartões-postais testemunham uma prática hedonista e, entre viagem e miragem, difundem a cultura das férias, cujas marcas são o jogo e o divertimento. Nessas tendências se afirma a presença das novas modas, para cuja difusão contribuem os novos meios de transporte, como a ferrovia, o automóvel, o ônibus, o bonde (Figura 1). Em 1908, o jornalista e escritor Mario Morasso (1871-1939), porta-voz de uma mentalidade muito difundida entre o fim do século XIX e começo do XX, escreve:

> Um continente não é mais do que uma grande cidade que, com o automóvel, pode-se percorrer. As estradas internacionais de grande comunicação são suas ruas principais, as antigas cidades não são mais do que seus centros mais importantes. As cidades de veraneio, os lugares da moda são seus pontos de encontro de luxo, de divertimento. As nações formam seus bairros.[9]

Tudo é novo, tudo é moda. E essa nova procura, por assim dizer, de um estado de alegre excitação emocional, torna-se uma "febre", uma espécie de

Novas formas de turismo

Os meios de transporte no imaginário coletivo

---

7   Cf. M. Boyer, *Il turismo. Dal Gran Tour ai viaggi organizzati*, cit., p. 66 *passim*.

8   Cf. G. Van Zuylen, *Il giardino paradiso del mondo* (Trieste: Electa/Gallimard, 1994), p. 81 *passim*. Ver também F. Borsi & G. Pampaloni, *Ville e giardini d'Italia* (Novara: De Agostini, 1984).

9   *Apud* P. Sorcinelli & F. Tarozzi, *Il tempo libero* (Roma: Editori Riuniti, 1999), p. 14. Cf. A. Gigli Marchetti, *Dalla crinolina alla minigonna. La donna, l'abito e la società dal XVIII al XX secolo* (Bolonha: Clueb, 1995), pp. 198-200; G. Cecere (org.), *Cartoline. Una storia raccontata per immagini* (Milão: Fabbri, 2000), pp. 272-277, 280-287, 292-295.

Figura 1
Excursão em automóvel (1904).

exaltação orgulhosa que penetra no âmago das pessoas. Reina a velocidade dos novos meios de transporte, como se pode notar pelas emoções e impressões descritas mais uma vez por Morasso. Quando ele olha um trem de carga ou um trem de passageiros que, lentamente, e com "acre rumor de ferragens se arrasta de estação em estação", não sente nenhum tipo de prazer, mas uma espécie de desprazer e uma tendência a escarnecer daquele "meio ridículo".[10] A impressão é bem diferente se em uma estação barulhenta ele vê, partindo ou chegando, a locomotiva de um trem direto ou se, no meio do campo amplo e solitário, ao anoitecer, ele contempla a "aparição inesperada de um trem direto, que cruza a estrada com um ímpeto que fere o espaço". Diante dessas últimas aparições ele experimenta um sentimento de profunda admiração e de satisfação pela magnífica energia domada, e uma forte excitação por aquele "gesto" maravilhosamente veloz. É, porém, especialmente o automóvel que, contraposto ao cânone estético clássico, leva à exaltação do nexo beleza-velocidade-potência. Um Mercedes, ou um Panhard, um Mors, de 40 ou 70 cavalos, mostra por inteiro o esquema dessa estética da velocidade. Ele tem as rodas baixas, "fortes e rudes círculos grandíssimos; é muito largo e muito baixo; na parte dianteira, tem seu possante motor, que parece um bloco cúbico de ferro; os bancos são amplos, baixos e rígidos; tudo é concentrado, tudo é curto, mas pesado, ma-

---

[10] Cf. M. Morasso, *Scritti sul Marzocco 1879-1914*, edição de P. Pieri (Bolonha: s/ed., 1990).

ciço, robusto".[11] É um conjunto de perfis, de linhas, de formas geralmente já aceitas e empregadas nos mais diferentes meios de transporte, que determina o esquema, o modelo simbólico da velocidade, e constitui o seu código estético. Seu objetivo é, essencialmente, "a demonstração da energia, pois esta é hoje, mais do que nunca, o emblema da máxima velocidade, da velocidade que assegura a vitória, que conduz primeiro à meta suprema". O primeiro *Manifesto futurista*, de Filippo Tommaso Marinetti (1876-1944), publicado em Paris, no *Le Figaro*, em 1909, não está distante das concepções de Morasso. Nele se celebra a velocidade, a força, o perigo. O mundo novo é uma dança frenética de automóveis, locomotivas, aviões.[12] Canta-se o amor pelo perigo, a intimidade com a energia e o hábito da temeridade. A coragem, a audácia e a rebelião são elementos constitutivos da nova poesia. São exaltados o movimento agressivo, a insônia febril, o passo apressado, o salto mortal, o tapa e o soco. Afirma-se que a magnificência do mundo se enriqueceu de uma nova beleza, a beleza da velocidade. Enaltece-se o homem ao volante, cujo eixo ideal atravessa a Terra, do carro lançado velozmente. Celebram-se as grandes multidões agitadas pelo trabalho, pelo prazer ou pela sedição; as marés multicoloridas e polifônicas das revoluções nas capitais modernas. Louvam-se o vibrante fervor noturno dos estaleiros e dos canteiros de obras incendiados por violentas luzes elétricas; as estações vorazes, devoradoras de serpentes fumegantes; as oficinas penduradas nas nuvens pelos fios contorcidos de seus rios; as pontes semelhantes a ginastas gigantescos que saltam os rios, brilhantes ao sol com um brilho de facas; os navios aventurosos que cheiram o horizonte, as locomotivas de largo peito, que batem com as patas sobre os trilhos, como enormes cavalos de aço com rédeas de tubos; o voo deslizante dos aviões cujas hélices zunem ao vento como uma bandeira e parecem aplaudir como uma multidão entusiasmada. Potência e ardor permeiam também a concepção futurista do vestuário, como no manifesto da moda feminina futurista, publicado em 1920:

| Vestuário futurista

> É absolutamente necessário proclamar a ditadura do Gênio artístico sobre a moda feminina, contra as ingerências parlamentaristas da especulação ininteligente e da rotina. Um grande poeta ou um grande pintor deverá assumir a alta direção de todas as grandes casas de moda feminina. A moda é uma

---

[11]   *Ibidem*.

[12]   Cf. G. Davico Bonino (org.), *Lunario dei giorni d'amore* (Turim: Einaudi, 1998), pp. 50-52. Ver também F. T. Marinetti, *Teoria e invenzione futurista*, edição de L. De Maria (Milão: A. Mondadori, 1978).

arte, como a arquitetura e a música. Uma roupa feminina genialmente concebida e bem usada tem o mesmo valor de um afresco de Michelangelo ou de uma madona de Tiziano [...] A mulher futurista deverá ter, ao vestir novos modelos de roupa, a mesma coragem que nós teríamos em declamar nossas linhas em liberdade [...] A moda feminina nunca será extravagante demais. Também aqui nós começaremos a abolir a simetria. Faremos *decolletés* em ziguezague, mangas diferentes umas das outras, sapatos de formas, cores e alturas diferentes. Criaremos *toilettes* inesperadas, surpreendentes, transformistas, armadas de molas, de pontas, de objetivas fotográficas, de correntes elétricas [...] de fogos de artifício [...] idealizaremos na mulher as conquistas mais fascinantes da vida moderna. Teremos assim a mulher metralhadora [...] a mulher antena-radio-telegráfica, a mulher velívola, a mulher-submergível, a mulher lancha. A mulher elegante será transformada em um verdadeiro conjunto plástico vivente.[13]

Uniformização da prática esportiva

A moda moderna da viagem e do esporte, assim como aquela do vestuário, encontra seu *status* na moral individualista, que confere dignidade à vontade, liberdade e alegria. As próprias noções de indivíduo, potência, transformação (como a liberdade de conquistar algo de si e para si) e mudança agem como verdadeira *episteme* foucaultiana, sistema de conceituação e de valores globais.[14] Se estendermos a análise à influência do sistema industrial, não podemos negligenciar o processo de racionalização e de uniformização que atinge as práticas esportivas e, de forma geral, as práticas lúdicas e recreativas.[15] Na segunda metade do século XIX o esporte, no seu conjunto, configura-se como um sistema de regras que racionaliza a atividade do jogo e se afirma como um dos traços distintivos da era industrial. O esporte moderno, de fato, tem suas origens na mesma concepção que favoreceu o desenvolvimento da indústria: a racionalização do tempo, a medida do tempo, a universalização das regras. Se os jogos antigos seguiam as tradições locais, regionais ou nacionais, o esporte moderno exprime, em escala internacional, o processo de estandardização típico do modo de produção capitalista. O futebol, o rúgbi e o tênis gradualmente substituem, em toda a Europa,

---

13 *Apud* N. Bailleux, *La moda. Usi e costumi del vestire* (Trieste: Electa/Gallimard, 1996), pp. 122-123. Ver também E. Crispolti (org.), *Il futurismo e la moda* (Veneza: Marsilio, 1998); E. Morini, *Storia della moda* (Milão: Skira, 2000), pp. 136-138.

14 Cf. M. Foucault, *Le parole e le cose* (Milão: Rizzoli, 1988), p. 10 *passim*.

15 Cf. S. Pivato, "Le pratiche ludiche in Italia fra l'età moderna e contemporanea", em F. Tarozzi & A. Varni (orgs.), *Il tempo libero dell'Italia unita* (Bolonha: Clueb, 1992), pp. 11-20; S. Pivato, *L'era dello sport* (Florença: Giunti, 1994), pp. 9-27.

os jogos tradicionais, e são jogados com as mesmas regras em todo o continente. Também os lugares de competição são uniformizados. A atividade lúdica não é mais concebida como puro divertimento, mas como exercício que exclui a distração e obriga à prontidão de reflexos e de iniciativa, um instrumento pedagógico da cultura industrial; e as atividades de lazer e diversão são, geralmente, entendidas como uma espécie de treino para os ritmos da civilização das máquinas.[16] O esporte como sinônimo de progresso, de velocidade e aperfeiçoamento:

> Velocidade, perfeição, contínua superação de si mesmo, aspiração ao sucesso e, sobretudo, espírito de concorrência (aquele mesmo espírito que animava as leis de mercado) faziam da ideologia do *athleticism* um veículo capaz de transmitir valores educativos e morais em sintonia com a cultura industrial da nação britânica. E justamente essa essência de modernidade funcionava como divisor de águas entre uma era que ia terminando, aquela dos jogos tradicionais, cuja cultura exprimia divertimento em estado puro, desordem e descontinuidade, e a era do esporte, sinônimo de progresso, de velocidade, de perfeccionismo. O esporte começava a se tornar um dos símbolos mais representativos do século XX.[17]

O athleticism vitoriano

O mesmo deve ser dito para um outro símbolo do século XX: as férias, o veraneio. A experiência da viagem, entendida como forma de mudança peculiar, de expressão da liberdade pessoal, é modificada pelo desenvolvimento dos meios de transporte. Ao processo de aumento da velocidade do transporte gerado pelo trem, por exemplo, corresponde a elaboração dos horários ferroviários.[18] No final do século XIX, sob a pressão conjunta das companhias ferroviárias e de navegação, das empresas de seguro e dos interesses do comércio internacional, consegue-se, ainda que com muito esforço, coordenar os "milhares" de tempos locais, determinados pelo costume. Era necessário saber quando determinada mercadoria chegaria em determinado porto ou quando venceria uma apólice de seguro. As informações que já se podiam obter quase em tempo real, graças ao telégrafo (e, a partir dos anos 1880, por telefone), deveriam referir-se a uma única e compartilhada coordenada temporal.[19]

Tempo e horários

---

[16] *Ibidem.*

[17] *Ibid.*, p. 27.

[18] Cf. G. Gasparini, "Tempi delle ferrovie e tempi dei viaggiatori: l'attesa nelle stazioni", em *Studi di sociologia*, XXXV (1), 1997, pp. 13-30.

[19] Cf. P. Ortoleva, *Mass media. Nascita e industrializzazione* (Florença: Giunti, 1995), p. 29 *passim*. Ver também A. Giuntini, "Il boom delle ferrovie", em V. Castronovo (org.), *Storia dell'economia mondiale,*

Em 1884 se reúne em Washington a Prime Meridian Conference, que propõe Greenwich como meridiano zero, determina a duração exata do dia, divide o globo terrestre em 24 fusos horários de uma hora cada um. Não obstante a evidente praticidade, na realidade, a adoção de tal sistema é lenta. O Japão coordena seus serviços ferroviários e telegráficos com Greenwich em 1888; em 1892 o fazem a Bélgica e a Holanda; em 1893 é a vez da Itália, Áustria, Hungria e Alemanha; e ainda mais tardia é a adesão da França.

Uma "invenção fundamental": o tempo livre

Nesse processo de racionalização e uniformização tem lugar uma das "invenções" mais representativas da Revolução Industrial: o tempo livre.[20] De fato, na sociedade industrial o tempo do trabalho é central, e assume intensidade e ritmos dificilmente suportáveis para os trabalhadores; é por isso que surge e toma corpo o tempo livre, assim como é concebido ainda hoje: um tempo em que cada um pode dedicar-se – conforme as próprias aspirações e fora das necessidades e obrigações profissionais, familiares e sociais – a diferentes atividades para descansar, divertir-se e enriquecer a própria personalidade. A reconstrução histórica do tempo livre – ainda que aqui não seja exaustiva – permitirá ver como ele representa uma das maiores "revoluções", capaz de produzir transformações em todos os níveis da vida social, da esfera econômica àquela política, do costume às mentalidades.[21]

Tempo de trabalho e tempo livre

Piora das condições de trabalho

Ao longo do século XIX os fenômenos relacionados à modernização, como a transferência de populações para a cidade, o advento das máquinas, a rígida disciplina do trabalho na fábrica, começam a manifestar progressivamente seus efeitos não só no plano econômico, mas também no social, impondo condições de vida cada vez mais duras e difíceis aos trabalhadores.[22] Obrigados a turnos de trabalho longuíssimos e com funções cansativas e extenuantes, os operários, ainda desprovidos de tutela sindical e previdenciária, veem a redução dos horários de trabalho como objetivo principal da emancipação e da

---

vol III (Roma/Bari: Laterza, 1996-2000).

20 Cf. A. Corbin, *L'invenzione del tempo libero (1850-1960)* (Roma/Bari: Laterza, 1996).

21 Cf. D. Pela & P. Sorcinelli, *Generazioni del Novecento* (Florença: La Nuova Italia, 1999), p. 309 *passim*.

22 Cf. A. Dewerpe, "Il sistema di fabbrica e il mondo del lavoro", em V. Castronovo (org.), *Storia dell'economia mondiale*, vol.III, cit., pp. 199-219.

melhora das condições de vida. No contexto das lutas operárias conduzidas para reivindicar direitos básicos, como o direito à aposentadoria, à educação, às férias, constrói-se a ideia de tempo livre como "algo" que permite retomar o controle da própria vida e da própria liberdade. Como se pode depreender, por exemplo, do regulamento em vigor em 1869 no cotonifício da família Caprotti, em Brianza, durante as horas de trabalho o ritmo é rigidamente disciplinado conforme números e normas registrados em dois "livretes", expressão de uma ordem superior a qual se deve obedecer desde o início.

Um regulamento de fábrica

> 1º O operário, quando é admitido no estabelecimento, deve aceitar o presente regulamento, assinando uma cópia que será conservada na Direção; depois do que ele receberá dois livretes, um branco e outro amarelo. No primeiro é indicado o trabalho que lhe é confiado e a relativa mercadoria, e, se trabalha na tecelagem, o número do tear e o estado do mesmo e das relativas ferramentas, a entrada e saída de algodão e tecido e cada pagamento feito. No segundo livrete será registrado o presente regulamento, indicado o dia em que foi admitido no estabelecimento e aquele no qual cessará de pertencer ao mesmo, os certificados apresentados, as advertências ou multas incorridas, os subsídios e os prêmios recebidos. Ambos os livretes ficam depositados junto à Direção, que depois de cada pagamento irá entregá-los ao operário, que lhe restituirá no dia seguinte.[23]

Por trás da exigência de aceitação das obrigações materiais se manifesta uma inequívoca e perfeita consonância com a ética do capitalismo, que não prevê apenas o dever de pedir permissão para tudo, mas também, e sobretudo, a obrigação de ressarcir monetariamente as eventuais faltas.

> 2º Cada operário é obrigado a trabalhar todos os dias úteis e nas horas fixadas pela Direção, ainda que trabalhe por produção e não por jornada. Quem, por motivos sérios e particulares, tiver necessidade de ficar em casa, deve pedir permissão, e, em caso de doença, deve avisar. 3º Em caso de atraso superior a dez minutos, marcados pelo relógio do estabelecimento, o operário será, na primeira vez, advertido, na segunda, incorrerá em multa de dez centavos e, a partir da segunda, em uma multa de cinco centavos superior à anterior. Para cada falta, depois que se apresentar no estabeleci-

---

[23] *Apud* R. Romano, *I Caprotti, l'avventura economica e umana di una dinastia industriale della Brianza* (Milão: Franco Angeli, 1980), p. 298 *passim*.

mento, será, na primeira vez, advertido, na segunda, incorrerá em multa de dez centavos superior à anterior. Depois da quarta falta poderá ser demitido. 4º O operário não poderá parar de trabalhar nem sair do estabelecimento antes da hora fixada; nas horas de repouso não poderá ficar no estabelecimento. 5º O início e o término do período de trabalho será anunciado pela sirena do estabelecimento. O início do trabalho é precedido por um primeiro apito quinze minutos antes do mesmo.[24]

Regulamentar as "boas maneiras"

Nesse contexto se consolida também o conjunto de "boas maneiras". Ao ater-se ao programa rigidamente estabelecido pelo regulamento da fábrica, o operário não pode contar com nenhuma derrogação, nem mesmo em relação a seu vestuário, à limpeza, às ações pessoais, às relações com os colegas. Desse modo, as regras obrigam a pensar antes de fazer qualquer coisa, porque contrariar as regras significa incorrer em sanções pecuniárias e correr o risco da demissão:

6º O operário deve apresentar-se ao estabelecimento asseado e com roupas limpas, sob pena de ser recusado e, tanto ao chegar quanto na saída, deve manter um comportamento calmo e tranquilo. No estabelecimento não pode nem gritar nem cantar, mesmo em baixa voz, nem fumar, sob pena de advertência na primeira vez, uma multa de dez centavos na segunda, e assim sucessivamente, com um acréscimo de cinco centavos sobre a vez anterior, e depois da quarta falta pode vir a ser demitido do estabelecimento. 7º O operário que, no estabelecimento ou nas vizinhanças, urinar fora dos lugares destinados a esse fim, ou aquele que escrever sobre os muros ou sujá-los de algum outro modo, incorrerá, na primeira vez, em uma multa de dez centavos e, a partir da segunda, cinco centavos a mais do que a vez anterior. 8º O operário deve respeito e obediência a todos os seus chefes e, especialmente, às operárias, deve abster-se de conversas e gestos contrários à moral, sob pena de multa de cinco liras ou também da imediata demissão do estabelecimento. 9º O operário, tanto ao chegar quanto na saída, não pode portar armas de nenhuma espécie, pacotes ou embrulhos, e, por ordem da Direção, pode também ser submetido a uma revista; a revista das mulheres deverá ser feita por mulheres.[25]

Enquanto, aos olhos dos patrões, não há nada de contraditório na imposição dessa série de normas, o mesmo não se pode dizer do operário, que,

---

[24] *Ibidem.*
[25] *Ibidem.*

em seu comportamento, deve sempre ter em mente todo o conteúdo do regulamento. É, portanto, compreensível a razão pela qual a luta dos operários se volta, em primeiro lugar, para a melhoria das condições de trabalho. Na Inglaterra, ao lado das reações ludistas contra as máquinas, a primeira fase das agitações operárias torna-se uma verdadeira batalha pelo reconhecimento do direito de associação sindical (obtido em 1824) e à regulamentação das condições de trabalho. Sob esse aspecto, remonta a 1833 a lei que fixa a jornada de trabalho de dez horas como teto máximo para os jovens.[26] Em 1º de maio de 1890, por iniciativa da Segunda Internacional (fundada em Paris, em 1889), ocorre pela primeira vez uma manifestação sindical geral, na qual operários europeus e norte-americanos vão às ruas por um objetivo comum: a jornada de trabalho de oito horas. O dia escolhido era uma forma de celebrar a morte de cinco operários enforcados em Chicago no dia 1º de maio de 1886, acusados de atividade sindical. Graças às contínuas lutas operárias, por volta do fim do século XIX a jornada de trabalho de oito horas é um direito substancialmente adquirido, ainda que não seja lei em todos os países industrializados. Assiste-se então à progressiva afirmação da ação organizada do movimento operário em todos os países industrializados e, desde 1850, em quase toda a Europa o teto máximo de trabalho diário é estabelecido em dez horas. De resto, a questão da jornada de trabalho está destinada a persistir também no século XX. Nos últimos cinquenta anos desse século, por exemplo, verifica-se na Itália um contínuo choque entre empresas e trabalhadores em torno da duração da jornada de trabalho. De 1945 a 1960 ela permaneceu muito rígida, acompanhadas de baixos salários. Entre 1960 e 1975 ocorre uma progressiva redução da jornada de trabalho, e desde 1975 se entra em uma fase de "flexibilidade" dos horários, que leva a um aumento das horas efetivamente trabalhadas e a uma contenção da dinâmica salarial.[27]

> As lutas operárias por melhores condições de trabalho

Para as massas populares, o tempo livre é, portanto, uma conquista política. Desde o início é necessário estabelecê-lo em contrato com os empreendedores e os proprietários das fábricas. No plano sociopolítico se dá um outro fenômeno muito significativo, a intervenção do Estado na gestão do tempo livre dos cidadãos conforme os objetivos do próprio Estado. Na sociedade bur-

> A intervenção do Estado na gestão do tempo livre

---

[26] Cf. P. Bairoch, *Storia economica e sociale del mondo. Vittorie e insucessi dal XVI secolo a oggi* (Turim: Einaudi, 1999), p. 612. Ver também L. Lanzardo, *Dalla bottega artigiana alla fabbrica* (Roma: Editori Riuniti, 1999), pp. 5-77.

[27] Cf. L. Lanzardo, *Dalla bottega artigiana alla fabbrica*, cit., pp. 127-187.

Figura 2
À esquerda, aristocracia siciliana com algumas camponesas (1912). À direita, passeios no campo nos arredores de Florença (c. 1890). Abaixo, família da burguesia de Milão, nos jardins públicos, com serviçais (c. 1882).

guesa da Itália do século XIX, a intervenção do Estado nas iniciativas ligadas ao tempo livre não existe, pois na ideologia do Estado liberal o tempo livre é considerado um espaço absolutamente privado dos cidadãos (Figura 2).[28] É a partir da derrota de Caporetto, em 1917, que o Estado começa a organizar o tempo livre de civis e militares para fins da propaganda bélica. Imprensa, fotografia, cinema, esporte, teatro são assumidos como formas de intervenção de amplo alcance. São organizados espetáculos, mostras fotográficas, conferências e manifestações esportivas. Tal modelo de presença do Estado na gestão

---

[28] Cf. S. Pivato & A. Tonelli, *Italia vagabonda. Il tempo libero degli italiani dal melodramma alla pay-TV* (Roma: Carocci, 2001), p. 89 *passim*.

do tempo livre sobrevive nas duas décadas seguintes.[29] Para o regime fascista, o tempo livre torna-se parte integrante do projeto político de formação da futura classe dirigente e de difusão do consenso entre as massas. São criadas diversas instituições como o Ente Nazionale dell'Educazione Fisica, em 1923, a Opera Nazionale del Dopolavoro,* em 1925, a Opera Nazionale Balilla,** em 1926, e a Gioventù Italiana del Littorio,*** em 1937. Além disso, organiza-se o Comitê Olímpico Italiano que, em 1923, se torna um órgão do Partido Nacional Fascista, e, em 1931, são instituídos o Comissariado para o Turismo e o Instituto Italiano de Cultura. O que antes era confiado à iniciativa privada passa a ser de competência do regime, que institui estruturas hierárquicas em todos os ramos de atividade. Instaura-se um verdadeiro monopólio do tempo livre, que assume dimensões imponentes, principalmente depois da instituição, em 1934, do "sábado fascista" e da redução do horário de trabalho no setor industrial para quarenta horas semanais. A tarde do sábado e o domingo, sem trabalho, oferecem a possibilidade a um número crescente de pessoas das classes populares de usufruir das iniciativas do regime, entre as quais a "excursão de massa". A excursão, geralmente um passeio de um dia em localidades próximas do ponto de partida, onde se chega de ônibus, trem ou bicicleta, torna-se a atividade mais agradável e mais frequente do tempo livre. Por isso é possível afirmar que o regime de Mussolini representa, na Europa, o primeiro caso de um Estado que organiza uma política completa do tempo livre, concebida como instrumento direto da organização do consenso e de controle dos momentos de agregação. É assim que as férias, o cinema, o teatro e, sobretudo, o esporte, que até então eram privilégios das classes altas, se tornam, pela primeira vez, acessíveis às classes populares. De fato, a política de Mussolini em relação ao tempo livre revela-se o instrumento mais idôneo para consolidar no senso comum do italiano médio um dos pressupostos básicos do fascismo: a ideia de que o Estado provê às exigências das classes populares mais do que se fazia no passado. Para os anos 1930, os dados indicam um desenvolvimento

> A política do regime fascista

> Tempo livre e consenso de massa

---

[29] *Ibid.*, pp. 91-94.

*   Organização do regime fascista com fins recreativos criada, sobretudo, tendo em vista o controle e o enquadramento dos trabalhadores. (N. T.)

** No período fascista, eram assim chamadas as crianças de 8 a 14 anos, enquadradas em organizações cujo objetivo era o doutrinamento nas ideias fascistas, o culto ao Duce, a preparação bélica com atividades paramilitares, o alheamento dos problemas pela exaltação da força e da atividade física. (N. T.)

*** Organização juvenil fascista, fundada nos princípios da ideologia do regime, cujo objetivo era aumentar a preparação "espiritual", esportiva e militar dos jovens italianos. (N. T.)

consistente tanto das estruturas dedicadas ao tempo livre, como das pessoas que delas usufruem. O aumento das salas cinematográficas e dos espectadores, por exemplo, é constante, como também o crescimento do número dos assinantes de rádio. Além disso, o número das associações esportivas que aderem à Opera Nazionale del Dopolavoro cresce de 467 em 1926 para 6.465 em 1932.[30] Os fenômenos esportivos, como o futebol, assumem dimensões de massa. As partidas da seleção italiana de futebol têm uma média de público de 50 mil pessoas. A política fascista do tempo livre faz do esporte uma das atividades principais, motivada por intenções ideológicas, como a "melhoria da raça", por oportunidades estratégicas, como preparar os homens para a guerra, e por finalidades políticas, como a possibilidade de criar uma válvula de escape e, ao mesmo tempo, um instrumento de controle. Com o fim do fascismo, ocorre uma inversão radical no que concerne à intervenção do Estado nas questões relacionadas ao tempo livre. Em um discurso de 1952, o presidente do Conselho de Ministros, Alcide de Gasperi, afirma:

> São atividades [aquelas relacionadas ao tempo livre] que não podem ser prescritas por lei e, portanto, não podem estar entre os deveres que cabem aos ministérios, porque não se pode obrigar, por lei, os cidadãos a praticar esporte ou a tocar violino ou a participar de viagens, bailes ou qualquer outra atividade do físico ou do espírito. Nem pode o Estado assumir a gestão e a responsabilidade direta pelas atividades facultativas. Mas o Estado pode fazer muito para facilitar o desenvolvimento de tais atividades com providências dos próprios órgãos de tutela, controle e ajuda dos agentes promotores.[31]

A moda da praia

No início do século XX o turismo ainda é uma atividade reservada a um número limitado de pessoas, ainda que aos aristocratas e aos burgueses comecem a juntar-se os primeiros viajantes assalariados. Para a classe operária, a possibilidade de tirar férias está ligada ao direito das férias remuneradas, que a maioria dos operários e assalariados não obtém antes de meados da década de 1920 (Figura 3). Na Inglaterra, já em 1871, tinha sido votado o *Blank Holiday Act*, uma medida

O direito
às férias

---

[30] S. Pivato & A. Tonelli, *Italia vagabonda. Il tempo libero degli italiani dal melodramma alla pay-TV*, cit., pp. 94-100.
[31] *Apud* P. Sorcinelli & F. Tarozzi, *Il tempo libero*, cit., pp. 9-11.

Figura 3
No balneário Nettuno, em Viareggio (c. 1914).

legislativa que, em poucos anos, mudou os hábitos das massas populares urbanas, determinando um verdadeiro assalto às praias próximas de cidades como Brighton, Eastbourne e Hastings. No entanto, nas duas primeiras décadas do século XX ainda não existe nada semelhante no continente Europeu. O *Blank Holiday Act* estende-se somente para alguns países de além-mar, como Canadá e Estados Unidos.[32] A partir das últimas décadas do século XIX, todavia, as novas conquistas sociais dos países industrializados, devidas à pressão sindical, tornam-se um fenômeno em contínua progressão e, às vésperas da Primeira Guerra Mundial, em 1913, cerca de 80% dos trabalhadores europeus gozam de um período mais ou menos longo de férias, embora na Alemanha, Áustria, Checoslováquia, Grã-Bretanha e países escandinavos ainda não haja uma lei específica sobre o tema, e, com nítido atraso, aparecem alguns países mediterrâneos e o Japão, onde não existe ainda o termo "férias". Em 1925, na França, a Câmara dos Deputados vota um projeto de lei que garante quinze dias de férias retribuídas a todos, mas o texto não obtém a aprovação no Senado.[33] Com a vitória do *Front*

---

[32] Cf. M. Boyer, *Il turismo. Dal Gran Tour ai viaggi organizzati*, cit., pp. 97-101.
[33] *Ibidem*.

populaire, a lei foi aprovada e promulgada. No mesmo ano, a constituição soviética sanciona o direito de férias anuais, exceto para as cooperativas camponesas. No que diz respeito à Itália, na época fascista os viajantes ainda não são a "massa". Se a classe média começa a tirar férias, para as camadas populares essa possibilidade ainda não é uma realidade. É somente depois da Segunda Guerra Mundial que se difunde entre as massas populares a moda das férias, isto é, de se deslocar de um lugar de residência habitual para dirigir-se a localidades turísticas: as cidades de arte, as cidades termais, as montanhas, e, principalmente, o litoral. A partir daquele momento, o turismo conhece um verdadeiro *boom*. No final dos anos 1950, graças à afirmação do automóvel como meio de transporte privado e à conquista de um bem-estar generalizado, verifica-se um desenvolvimento do turismo de massa e das atividades afins, agências de viagem, hotéis, etc.[34] É também a partir dessa mesma época que a moda das férias na praia se torna o traço peculiar do costume coletivo da sociedade italiana, que avança velozmente em direção ao estilo da "modernidade". É uma moda que atinge a quase totalidade dos italianos durante as férias e marca o nascimento de um verdadeiro setor de atividades profissionais e produtivas – e se constitui, sobretudo, como âmbito de difusão de novos comportamentos e costumes e da mentalidade coletiva.

O turismo balneário na Itália

Não há dúvida de que para a Itália a importância que o turismo balneário assume é decisiva desde o início do século XX. Já no final do século XIX chegam, de toda a Europa, turistas e veranistas para visitar Veneza, Nápoles, Capri, a costa de Amalfi, San Remo e Versilia. Mas o nascimento do turismo de massa não é um fenômeno uniforme, como se pode notar pelos diferentes significados que lhe atribuem intelectuais e observadores atentos. Como, por exemplo, os jornalistas da *Illustrazione Italiana* (revista fundada em 1874), que, na seção *O correio dos banhos*, oscilam entre o desprazer de constatar a difusão entre as camadas assalariadas e burguesas do hábito das férias na praia e a descrição da beleza dos lugares. No artigo publicado em 19 de agosto de 1883, pode-se ler o seguinte:

> Na costa da Ligúria encontrei o encanto da natureza, não aquele de outras estâncias balneárias; em Livorno, um pouco de sisudez; e em Veneza, rarefeitas as fileiras das belas mulheres que fulguravam. Em Gênova, por todas as ruas, especialmente nas estreitas, um odor de ácido fênico que dava melancolia. E por toda parte gente que pede. [...] Nos restaurantes não se tem paz, entre um bife e uma coxa de frango aparecem, como em Livorno, cinco

---

[34] Cf. G. Crainz, *Storia del miracolo italiano* (Roma: Donzelli, 1996), p. 135 *passim*.

ou seis rapazes que se dizem enviados deste ou daquele comitê, com uma bolsa na mão e uma inscrição nos braços. A alegria abdicou.

E, no entanto, não pude deixar de mergulhar naquele golfo de Gênova, que continua a parecer o anfiteatro de um povo de sibaritas, pois agora, mais do que nunca, é a vasta oficina de um povo de trabalhadores. No porto, sempre o mesmo fervor, sempre os mesmos populares atléticos, com os braços nus como numa pintura de Michelangelo, com as feições austeras riscadas de suor. Entre eles há um poeta [...], que ganha mais carregando sacos de carvão do que punindo tiranos. No balneário da Strega corre-se o risco de sair machucado por alguns recifes, ou cortado por alguma pedra afiada. Não é um banho suave de odaliscas, mas aquela praia rude, flagelada por ondas incansáveis, aqueles rochedos atormentados por ondas espumejantes, aquele mar que não tem carícias relaxantes, mas investidas furiosas, aquela natureza que não se dá por vencida, mas ainda combate contra o homem, aquele ar áspero, aquela cor densa da água, ora violácea, ora verde; todo aquele conjunto é fortemente pitoresco, atrai o artista.[35]

A condescendência com a pitoresca paisagem popular acaba por se tornar, porém, um verdadeiro lamento, porque um outro lugar "paradisíaco" – a praia de Rapallo – é ainda a meta de pouquíssimos turistas, e é desconhecido da maioria. O mesmo cronista que criticou anteriormente a lotação excessiva e a presença de "mendigos" em Veneza ou no litoral toscano deseja ver nascer em Rapallo uma nova estância balneária, nos trilhos do que acontece nas localidades marítimas mais turísticas:

Em Rapallo, uma outra cena. Mas por que este paraíso é tão pouco conhecido? Havia [...] algumas senhoras milanesas, com a gentil família, algumas inglesas [...], algumas *misses* com os pés enormes; pouca gente no total, e o lugar merecia muito mais. Do Hotel d'Europe se via, numa manhã, pouco depois do amanhecer, o mar agitado, lívido, com reflexos metálicos, quase assustador. O vento assoviava como uma plateia, e os sinos tocavam para esconjurar a tempestade. De repente, calma no mar, calma no céu. No mar, um azul que só se vê, em pleno meio-dia, no mar siciliano, e no céu, algumas nuvens que ofuscavam como um diamante. Há uma baía que é uma maravilha, onde se poderia, se deveria, erguer um suntuoso balneário de

---

[35] R. Barbiera, "Corriere dei bagni", em *Illustrazione italiana*, 19 de agosto de 1883, p. 114.

primeira classe, lá ao lado do restaurante Rosa Bianca [...] Os habitantes de Rapallo, como de toda a mágica riviera lígure, vão para a América e de lá voltam, não pobres como um honesto jornalista qualquer, mas riquíssimos, e constroem sólidas casas, elegantes mansões. Por que não se poderia construir também um estabelecimento balneário?Agora há apenas poucas cabanas, espalhadas aqui e acolá.[36]

Todavia, a síntese de tal visão contraditória em relação à difusão do turismo balneário de massa é representada pela descrição da vida turística de Livorno, na qual a descrição do encontro com as "pessoas notáveis", com os rostos conhecidos dos círculos exclusivos de Milão, se alterna com a descrição, muito crítica, do modo pelo qual os grupos familiares numerosos e rumorosos se apropriam dos hábitos aristocráticos, como, por exemplo, sentar-se e escutar música, à noite, nos cafés ao ar livre:

Achei que em Livorno o vento e o frio tinham diminuído a vida nos balneários. No Pancaldi começou a haver um pouco de vida só nos primeiros dias de agosto, com a volta do bom tempo e do calor. Em grande número, as formosas filhas de Rebeca. Alguns literatos caminhavam sem vontade, balançando-se. Encontrei, perto de uma barraca, uma escritora que um dia foi famosa [...] Vi uma outra jovem senhora que frequentava os salões milaneses e mantinha um círculo brioso. Um jovem casal que fazia raras aparições no Caffè Cova de Milão esperava isolado, impaciente, a sua vez de entrar no mar, talvez invejando o costume de Palermo, onde nos estabelecimentos existem os "camarins matrimoniais" [...] Ai de mim, também aqui não faltam algumas flores do mal, vindas de Nice. À noite, pagando cinquenta centavos, vai-se ao Pancaldi ouvir música. As cadeiras são tomadas de assalto. Há famílias que agarram furiosamente dez ou doze, sobre a plataforma, para poder gozar o frescor do mar, que se estende escuro e lamentoso, para ouvir a banda e conversar. Alguns jovens sentam-se no parapeito da plataforma, assobiando de leve. É um divertimento? É um gosto? A penumbra que reina no Pancaldi contrasta com a coreográfica iluminação dos cafés da orla, onde, ao menos, não se é afligido pelas músicas dos cafés de sempre e dos estabelecimentos balneários, dos quais espero que Deus livre a Itália.[37]

---

[36] *Ibidem.*
[37] Cf. G. Ciampi, "I bagni Pancaldi di Livorno", em VV. AA., *La villeggiatura in Italia tra Ottocento e Novecento*, vol. XLV da coleção "Il Risorgimento", 1993.

A difusão de massa das férias na praia, um dos fenômenos de costume mais espetacular do século XX, na Itália, consolida-se não só com base nas novas teorias médicas, como a helioterapia, e nas possibilidades oferecidas pela tecnologia dos meios de transportes, mas também graças a uma transformação decisiva para o imaginário coletivo, isto é, a mudança da importância atribuída à cor da pele e, portanto, ao bronzeamento, principalmente, a partir dos anos 1930.[38] Até aquele momento, a ideia predominante tinha sido a de que uma pele branca era sinal senhoril e de conforto material, enquanto a pele escura indicava a origem inferior, proletária. A partir de então, expor o próprio corpo ao sol torna-se um traço distintivo de uma condição social privilegiada, ou seja, a possibilidade econômica de "ir veranear", de passar longas horas de ócio na praia, entretendo relações sociais e praticando esporte. Não se trata de uma simples inversão de tendência, mas, ao contrário, em torno dessa nova concepção da relação com o sol, com os elementos naturais e com a cor da pele, verifica-se uma verdadeira revolução nos costumes. Certamente é um processo lento, sujeito a retrocessos, sobretudo em relação à conveniência de despir-se e mostrar o próprio corpo em público.

| Helioterapia

As primeiras exibições em trajes de banho, principalmente femininos, foram consideradas um desafio à decência e ao pudor.[39] Porém, por mais que se procure esconder o corpo com camisolas e saídas-de-praia, ou manter os dois sexos separados na praia, a tendência a descobrir partes cada vez maiores do corpo continua a avançar. Já por volta do final do século XIX havia aumentado o número daqueles que tinham o costume de ficar em trajes de banho na praia, e mesmo que a moda da pele branca fosse ainda dominante, e sua manutenção assegurada por pontos de sombra fixos (como cabanas e barracas) e móveis (chapéus, guarda-sóis, luvas, véus), com o aumento da intimidade com o mar começavam a ser praticadas atividades que exigiam a permanência na areia, exposto aos raios de sol. Dessa exigência se afirma uma redução e simplificação dos trajes de banho, que, inevitavelmente, relaxa, por sua vez, a defesa do pudor e da palidez. A pele branca não é mais sinônimo de luminosidade, e, ainda que seja necessário esperar – como já se disse – os anos 1930 para uma completa inversão dos códigos estéticos, a ideia de que o "dourado" do sol

| Evolução dos trajes de banho

---

[38] Cf. P. Sorcinelli, *Gli italiani e il cibo* (Milão: Bruno Mondadori, 1999), pp. 135-153.
[39] Cf. A. Gigli Marchetti., *Dalla crinolina alla minigonna*, cit., pp. 133-137, 152-155. D. Mormorio, *Vestiti. Lo stile degli italiani in un secolo di fotografie* (Roma/Bari: Laterza, 1999), pp. 136-141.

sobre a pele tem seu fascínio começa a se difundir. Também nesse caso colaboram as finalidades curativas da helioterapia.

Na Itália, tudo isso acontece com certo atraso em relação aos outros países, por dois motivos: de um lado, o atraso geral do país, que impede a formação de uma sólida e ampla burguesia urbana; de outro, o atraso do sistema educacional e escolar, que não promove nas novas gerações o interesse pela higiene e pelo exercício físico.[40] Por essas razões, pode-se entender o alternar de concessões e retrocessos em relação ao modo de estar na praia, e, de forma mais geral, em relação a todas as modas do século XX que atingem o vestuário, as relações sociais e as atividades do tempo livre. Todavia, nem mesmo a sociedade italiana está isenta das influências que intervêm para mudar o próprio significado de "férias na praia". A vida balneária agora não se concentra mais somente na água, mas também na areia. Nas imagens a partir de 1910, podem-se observar na areia das praias um número cada vez maior de barracas e tendas e uma multidão crescente de pessoas paradas que conversam, leem, brincam. O mar, nesse sentido, não é mais o fim, mas o meio para se levar uma vida na praia, para usufruir a areia, o sol, para prolongar o estado de bem-estar. Também aqui surge a necessidade de trajes adequados, mais confortáveis, mais práticos, mais funcionais.[41] As roupas simplificam-se e, no início dos nos 1920, surge a grande revolução dos trajes de banho. Primeiramente desaparecem as meias, depois, as mangas, enquanto aumentam os decotes.[42] A peça única, isto é, o maiô até a metade da coxa com uma espécie de camiseta, torna-se igual para homens e mulheres. Depois do fim da Primeira Guerra Mundial, o fenômeno do veraneio se amplia, principalmente em correspondência à conquista de novos direitos por parte das massas operárias e à ascensão da classe média.

Depois do fim da Segunda Guerra Mundial, com a rápida difusão na Europa do estilo de vida americano (do qual o automóvel, o lazer e o esporte são os símbolos mais conhecidos), consolida-se ainda mais no corpo da sociedade europeia a "civilização do tempo livre". O traço característico dessa civiliza-

---

[40] Cf. D. Pela & P. Sorcinelli, *Generazioni del Novecento*, cit., p. 331 *passim*.

[41] Cf. P. Sorcinelli, *Gli italiani e il cibo*, cit., p. 146. Ver também M. Boyer, *Il turismo. Dal Gran Tour ai viaggi organizzati*, cit., p. 183 *passim*.

[42] Cf. A. Gigli Marchetti, "Il vestito al mare, ai monti, in campagna tra Otto e Novecento", em *La villeggiatura in Italia tra Ottocento e Novecento*, cit., p. 244 *passim*; E. Morini, *Storia della moda* (Milão: Skira, 2000), pp. 176-177. Ver também D. Davanzo Poli, *Costumi da bagno* (Modena: Zanfi, 1995), pp. 13-52.

ção é atribuir grande importância à política do corpo, seja do ponto de vista econômico (em uma sociedade com uma produtividade elevada, a saúde é um bem duplamente precioso), seja do ponto de vista psicológico (o corpo torna-se imagem e a *bela presença* um requisito indispensável), seja também do ponto de vista estético (em uma sociedade que valoriza cada vez mais o tempo livre, as marcas exteriores da sua fruição tornam-se decisivas). O discurso sobre o corpo não é mais algo que diz respeito apenas à nutrição e à saúde física, mas é também um valor em si, um instrumento de comunicação e de colocação social. Estamos diante de mais uma etapa da evolução da mentalidade coletiva que, além de fornecer novos conteúdos e novos significados à ideia e à imagem do corpo, tem como consequência aquela de modificar novamente os padrões de beleza em relação à cor da pele, que não deve mais ser "queimada pelo sol", mas moderadamente bronzeada, possivelmente de modo uniforme ao longo de todo o ano, para configurar mais um elemento distintivo da origem social. De fato, apenas quem se pode dar ao luxo de várias férias em lugares quentes pode manter esse tipo de bronzeado, enquanto para os outros resta o artifício do bronzeamento artificial.

Pesquisas históricas recentes mostram como as motonetas, os automóveis e a música contribuíram, nos anos do *boom* econômico italiano, para transformar radicalmente a ideia das férias.[43] Entre 1956 e 1965, registrou-se um aumento de 100% na lotação dos hotéis e dos *campings*. Em 1958, o número de visitantes foi de 3,7 milhões; em 1965, de cerca de 11 milhões. Já em 1956 o jornal *Il Giorno* anota os sinais da mudança:

> A clientela fixa, com hábitos precisos e constantes, é largamente substituída por uma grande multidão instável e provisória que fica na praia somente o sábado e o domingo, pela fugaz aparição dos campistas, de caronas, de motociclistas, motoristas holandeses, alemães, suecos, loiros e intrépidos, que, com uns poucos milhares de liras, querem ver tudo, banhar-se em todos os lugares, secar-se sobre todas as praias.[44]

Nos anos de bem-estar econômico, assumindo os contornos do lugar distante – a aventura da descoberta do mar ou dos altos picos –, o conceito de vilegiatura evolui e é redefinida a identidade do vilegiaturista, que tende a

Da vilegiatura às férias

---

[43] Cf. Guido Crainz, *Storia del miracolo italiano* (Roma: Donzelli, 1996).
[44] G. C. Fusco, "Le spiagge dei campeggiatori", em *Il Giorno*, 7 de julho de 1956.

tornar-se o turista em férias. Assiste-se à passagem do "veraneio" às "férias", fenômeno fundamental em relação ao tema em questão. Começa a não haver mais "visitantes habituais", mas "vagantes", itinerantes, distantes de casa, "inencontráveis" para o trabalho. A vilegiatura é, principalmente, ócio e isolamento; as férias são, ao contrário, movimento, vontade de evasão, mas também desejo de relações sociais não convencionais. Uma atribuição de significado que implica, paradoxalmente, a plena aceitação da lógica do trabalho industrial, da vida urbana e do tempo livre fechado em um período de tempo predeterminado e estabelecido em contrato com o empregador – o período das férias – no qual se faz tudo aquilo que não é permitido durante o ano. O motivo principal das férias parece ser o dever de se divertir a qualquer custo.

A moda do esporte

Atividade esportiva, ideologia política

Nas sociedades industriais, desde o início do século XX, a atividade esportiva é a prática que, mais do que qualquer outra, ocupa, de modo estruturado e contínuo, o tempo livre. É uma atividade cada vez mais regulada, que se torna um instrumento de controle das massas populares e de certas ideologias políticas. Isso acontece por causa de um crescente e progressivo "interesse" dos empresários na organização do tempo livre dos trabalhadores, e também por causa da ligação direta que se estabelece entre as primeiras sociedades esportivas e as organizações políticas e sindicais. Além disso, é necessário lembrar o papel representado pelo movimento católico. Na encíclica *Rerum Novarum*, promulgada pelo papa Leão XIII, em 1891, pode-se identificar o início de um "desafio" aos tempos modernos que, às vésperas do século XX, os católicos lançam para a conquista cristã da sociedade.[45] Antes de qualquer outro movimento político, o movimento católico orienta o tempo livre na direção educativa. Pequenos teatros paroquiais, bibliotecas populares e associações esportivas são concebidos como instrumentos para dar suporte à experiência religiosa e para controlar as pessoas, como o demonstra, por exemplo, o artigo publicado no *Stadium*, boletim da Federazione delle Associazioni Sportive Cattoliche Italiane (Fasci – Federação das Associações Esportivas Católicas Italianas), fundada em 1906 na cidade de Biella:

---

[45] Cf. D. Menozzi, "La chiesa cattolica", em G. Filoramo & D. Menozzi (orgs.), *Storia del cristianesimo. L'Età Moderna*, vol. IV (Roma/Bari: Laterza, 1997), pp. 166-182.

Viagens e miragens

A sociedade da Salus de Lugo (província de Ravena), que conta hoje com cinquenta sócios, foi instituída para os jovens que frequentam o oratório S. Giuseppe. Naturalmente, a ginástica serve apenas como meio para manter e entreter os jovens do oratório o maior tempo possível nos feriados e domingos, e para mantê-los no oratório também à noite, quando, depois de terminadas as ocupações diárias, muito facilmente ficariam zanzando pela cidade. Recolhidos aqui, ao contrário, leem bons livros, participam de jogos educativos ou têm aulas regulares de ginástica.[46]

Naquele período, era uma tarefa bastante árdua instituir uma sociedade esportiva, sobretudo nas pequenas cidades do interior; apesar disso, à procura pelo esporte, que vinha se difundindo com rapidez crescente, foi dada uma enorme importância, como se pode ler na carta de um sócio fundador da Salus, publicada no número 9 do *Stadium*, de 1907:

Em uma cidade minúscula não é sempre possível multiplicar as situações em benefício de uns e outros [jovens e adultos], tanto pelas deficiências locais, como pela escassez de pessoal para se empregar na assistência. É por isso que tantas vezes se veem os jovens comportarem-se de maneira desordenada, porque não encontram um divertimento convincente. Ora, a ginástica, deve-se dizer, responde totalmente a esse objetivo, ainda mais se se considera a vontade de praticar esportes que contaminou a todos.

Em 1892 os belgas foram os primeiros a fundar uma federação de ginástica de matriz católica, poucos anos depois foi a vez da França. Na Itália, como já se disse, em 1906 foi fundada a Fasci, que em 1912 já agrupava 224 sociedades com mais de 10 mil sócios.[47] Em 1911, com a fundação da Federação Internacional Católica de Educação Física, à qual aderem os centros esportivos da Bélgica, da França, da Itália e do Canadá, o movimento esportivo dos católicos assume dimensões internacionais. Apesar da hesitação da moral católica diante do corpo e de seu uso, o esporte era considerado um meio privilegiado para fortalecer o caráter, solidificar as virtudes do bom católico praticante e prepará-lo para aquela civilização de competição modelada a partir da cultura industrial que, a partir da Grã-Bretanha, espalhava-se cada vez mais para

Esporte e organizações católicas

---

[46] *Stadium*, nos 1-2, 1907.
[47] Cf. S. Pivato & A. Tonelli, *Italia vagabonda. Il tempo libero degli italiani dal melodramma alla pay-TV*, cit., p. 73.

todo o continente europeu. Primeiro país a aceitar o princípio da concorrência no campo econômico e a introduzi-lo no recrutamento dos burocratas para a administração do império, a Grã-Bretanha é também a primeira nação a transferir tal princípio para o esporte. Os ingleses inventaram o novo modo de produção industrial, cujos traços peculiares atingem todos os aspectos da vida social. Na segunda metade do século XIX, os modelos da era vitoriana condicionavam os comportamentos, as relações sociais, a moda, o vestuário, o tempo livre das classes sociais elevadas dos continentes europeu e americano. Desse ponto de vista, praticar esporte identifica-se com a ideia de distinção e de modernidade que a pátria da Revolução Industrial evoca. De modo particular, no que concerne aos movimentos religiosos que utilizam a educação física como instrumento formativo, assume notável importância o escotismo, fundado pelo general inglês Robert Baden Powell, em 1908, durante a guerra anglo-bôer.[48] O escotismo nasce como movimento não confessional, com o objetivo de educar a juventude para a resistência e treiná-la para a disciplina, o sacrifício e a formação de seu caráter. A Igreja Católica não demora a imitar esse modelo e fundar clubes de escotismo que, ao longo do tempo, se ramificam e se difundem cada vez mais – e que ainda hoje estão entre as associações mais vitais no panorama dos grupos educativos de inspiração religiosa na Itália e na Europa. Às vésperas do advento da sociedade de massa, o esporte já se tinha transformado de atividade para o tempo livre em atividade ideológica.

Esporte e socialismo

Se o mundo católico desempenha um papel importante na transformação do tempo livre e, sobretudo, do esporte em um instrumento ideológico, o movimento operário, por sua vez, assume inicialmente uma atitude mais cautelosa.[49] No socialismo, durante o período giolittiano (1901-1914),* por exemplo, há ainda um excessivo rigor que leva a considerar as atividades recreativas um "luxo burguês", ao qual o militante não deve ceder. As polêmicas sobre os bailes são frequentes no início do século XX, e os próprios "*réveillons* vermelhos" são vistos com desconfiança pelos militantes mais velhos. Num primeiro momento, a prática esportiva é vetada; a transgressão acarreta a expulsão do partido. Daí o atraso do Partido Socialista em compreender a relevância das atividades recreativas e das práticas esportivas. Em todo caso, entre o fim do

---

[48] *Ibid.*, pp. 74-75.
[49] *Ibid.*, pp. 68-71.
* O nome deriva de Giovanni Giolitti (1842-1928), político italiano, liberal, que foi presidente do Conselho de Ministros algumas vezes. (N. T.)

século XIX e o começo do XX surgem também associações esportivas socialistas: a Federação Operária Alemã de Ginástica e Esporte (1883), o Clube Ciclístico Inglês (1894), a União Esportiva do Partido Socialista Francês (1907), a Federação Nacional dos Ciclistas Vermelhos, reconhecida, depois de muitas discussões, pelo Partido Socialista Italiano (1913). Assim, também para o movimento socialista, o esporte assume conotações ideológicas e políticas. A sua prática enquadra-se plenamente na luta contra a cultura capitalista e burguesa, como diz a letra do hino da Federação Esportiva do Trabalho, francesa, de inspiração comunista, entoado sobre as notas da "Internacional":

> Em pé, esportistas da terra, nós todos, operários, camponeses, ávidos de ar e de luz. Em pé, párias dos tempos presentes, corredores, discóbolos ou atletas. Todos vós que quereis ser fortes, mantende alta a fronte na tempestade, aos nossos esforços unam os vossos. Na luta final, alcemos a bandeira vermelha, a Internacional será esportiva e vermelha. Dentro dos uniformes militares nossos pais foram assassinados. Pelo esporte revolucionário amanhã sereis vingados. Declararemos guerra à guerra lutando sob a bandeira vermelha, levantaremos o nosso estandarte em um mundo novo. A FSL, grande família, te acolherá, irmão operário, porque o seu martelo e a sua foice devem brilhar para todos os párias, regeneradores da raça e salvadores da humanidade. No lugar do Capital queremos pôr a Igualdade.[50]

Nos anos seguintes será o regime de Mussolini, no quadro de sua política completa para o tempo livre, a implementar iniciativas voltadas a fazer dos italianos um povo de esportistas praticantes.[51] Ao longo dos vinte anos de fascismo, cresce notavelmente o número de praticantes de esporte e de inscritos nas várias federações nas quais as práticas das diferentes modalidades esportivas são reagrupadas e organizadas em uma estrutura em forma de pirâmide, em cujo vértice estão os órgãos de controle do regime, como dispunha a "Carta dello sport" de 1928.[52] Um dos fenômenos mais surpreendentes é o atletismo feminino, que, mesmo já tendo aparecido nos jogos olímpicos sucessivos à Primeira Guerra Mundial, conheceu na época fascista um forte impulso, tanto em relação à variedade das modalidades praticadas como em relação ao número de praticantes. A política fascista para o esporte previa um consistente envol-

Esporte e fascismo

---

[50] *Ibidem.*
[51] *Ibid.*, pp. 103-111.
[52] *Ibidem.*

vimento das mulheres nos círculos recreativos e nos grupos juvenis. Por volta de 1930, depois de insistentes protestos da Igreja, o regime é obrigado a rever, em parte, as linhas de intervenção nesse setor. Foram promulgados regulamentos para diferenciar o esporte feminino do masculino em relação a uma multiplicidade de aspectos, como os itinerários, os horários, as manifestações, o pessoal de serviço. Apesar das limitações, durante o regime fascista, comparado a tempos anteriores, muito mais moças praticavam esportes, e se assistiu a campeonatos de atletismo, basquete e natação femininos, embora a prática de um número significativo de jovens ficasse limitada à ginástica e aos desfiles. Por meio do esporte começa a surgir também uma nova consciência do físico feminino, que o regime tenta manipular, sobretudo com o objetivo de controlar os impulsos da emancipação da mulher.[53] Esboçou-se, então, uma "política fascista do corpo feminino" que se esforçava para definir os padrões de beleza. O modelo propagado pelo regime foi aquele da "nossa matriz", mãe de família e verdadeira companheira para o homem, com os quadris largos, formosas, com hábitos camponeses e formas arredondadas. Mas as mulheres italianas não tomaram tal padrão como próprio, pois já estava há muito superado pelos novos modelos propostos pelo cinema e pela moda. Pode-se dizer que a política fascista do corpo feminino foi uma batalha perdida desde o início. Os parâmetros já tinham mudado ao longo das primeiras décadas do século graças às atrizes de teatro e de cinema, como Eleonora Duse e Lyda Borelli, e à moda parisiense dos anos 1920, que introduziram a *garçonne*, os trajes masculinos para a mulher, e, sobretudo, graças às estrelas de Hollywood, loiras, atléticas, esguias, com grandes sorrisos e maquiagem vistosa.[54]

> A política fascista do corpo feminino

Ao considerar a progressiva importância que o esporte assume na sociedade industrializada, tem uma importância central o período posterior à Segunda Guerra Mundial, quando as profundas mudanças nos costumes e nos comportamentos de massa, principalmente o aumento da renda e do tempo livre disponíveis, contribuem para transformar a prática esportiva em um produto de massa.[55] Na Itália, por exemplo, a percentagem dos praticantes de esporte passa de 2,6% da população em 1959 a 5% em 1974 e 22% em 1985.

> Esporte e consumo de massa

---

[53] Cf. L. Passerini, "Donne, consumo e cultura di massa" , em T. Thébaud (org.), *Storia delle donne in Occidente. Il Novecento*, vol. V (Roma/Bari: Laterza, 1992).

[54] Cf. G. Lehnert, *Storia della moda del XX secolo* (Milão: Ready-made, 2000), pp. 18-31.

[55] Cf. S. Pivato & A. Tonelli, *Italia vagabonda. Il tempo libero degli italiani dal melodramma alla pay-TV*, cit., p. 132 *passim*.

O aumento da disponibilidade econômica e de tempo livre determina, entre outras coisas, uma redistribuição dos interesses do público e dos praticantes de esportes. A nova cultura do corpo dos anos 1980, por exemplo, atrai a atenção para novas práticas esportivas, como a escalada livre, o *windsurf*, o vôlei de praia, etc. A isso se soma o fenômeno do patrocínio, que assume proporções significativas entre o fim dos anos 1970 e o início dos anos 1980, quando os primeiros satélites tornam possível a transmissão ao vivo dos eventos esportivos em qualquer parte do mundo. Com as Olimpíadas de 1968, o esporte se torna um espetáculo global. Milhões de espectadores nos Estados Unidos, na Europa, na Ásia e na Austrália assistem aos eventos esportivos "mais interessantes". Nos anos 1980 ocorre a guerra entre as redes de televisão pelos espetáculos esportivos mais populares[56] e para conquistar a audiência do público televisivo. A televisão não modifica apenas o evento esportivo, tornando-o mais espetacular, mas também a figura do próprio atleta, que se torna uma personagem pública. A chegada dos patrocinadores transforma, em poucos anos, qualquer valor de mercado. No início dos anos 1980, o time de futebol do Napoli paga mais de 15 bilhões de liras pela compra de Maradona; em 1992, a transferência do Torino para o Milan do jogador Lentini custa uma soma que chega a quase 60 bilhões de liras; em 1999, para a compra do atacante Vieri a Inter paga 80 bilhões de liras; em 2000, o Real Madri desembolsa a astronômica soma de 140 bilhões de liras para comprar o meio-campista Luis Figo. A influência crescente dos patrocinadores em todos os níveis das atividades esportivas, em todos os esportes mais conhecidos, mostra-se particularmente evidente no futebol, esporte popularíssimo no mundo inteiro e praticado por milhares de jovens e meninos – a maior parte deles vislumbra cada vez mais no futebol o caminho privilegiado para atingir o sucesso, a popularidade e o bem-estar econômico.

---

[56] *Ibidem.*

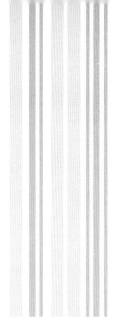

A moda na era pós-industrial

Entre moda e antimoda

Identificar um único percurso na moda de hoje, pode-se dizer, é o mesmo que, metaforicamente falando, orientar-se em um labirinto de linhas e contornos, de superfícies e figuras caleidoscópicas. Nesse sentido, é árduo tentar abordar a moda de hoje a partir de um único ponto de vista, sobretudo, quando se constata que:

| A fragmentação da moda

> nos deparamos com um quadro geral da moda que perdeu a sua imagem de sistema unitário e circunscrito, para se despedaçar em pequenos fragmentos. Um fenômeno que já tinha começado na primeira metade dos anos 1980, mas que agora parecer ter sido elevado à enésima potência, com um crescimento exponencial de *trends*, na maioria das vezes, em declarada antítese entre si, que produzem um clima de incerteza geral, no qual fica realmente difícil se orientar e distinguir um fio condutor comum.[1]

Na perspectiva dos estudos relativos ao estilo, essa heterogeneidade coloca o problema de como justificar a coexistência de propriedades volumétri-

---

[1] S. Grandi, A. Vaccari & S. Zannier, *La moda nel secondo dopoguerra* (Bolonha: Clueb, 1992), p. 164. Ver também A. Grassi, "Moda frantumata", em *Gap*, março de 1988, p. 77; G. Borioli, "10 anni di moda. 1980-1990. Cronache-tendenze-protagonisti", suplemento da revista *Donna*, abril de 1990.

cas, materiais e cromáticas tão distantes entre si, de como avaliar uma moda que, de um lado, celebra a liberdade do corpo com transparências e *nude-look* e, do outro, torna o corpo pesado, revestindo-o com tecidos rígidos e acessórios que criam um efeito imobilizante. Fragmentação dos padrões e dos estilos são as características pelas quais a moda exprime valores como ironia, juventude, cosmopolitismo, indiferença pelo cuidado no vestir-se, possibilidade de exibir estilos "pobres". A tendência moderna segundo a qual, culturalmente, tudo é legítimo e não se fala mais de moda, mas de modas, pode ser comprovada pelo fato de que a moda e a arte atual apresentam semelhanças na experimentação multidisciplinar e na ausência de regras estéticas gerais. Na moda e na arte a criação está livre para transitar por toda parte. O excesso, a desmedida quantitativa e qualitativa, o virtuosismo, a transgressão presentes em muitas tendências da moda são hoje aceitos tanto esteticamente como socialmente e, por isso, tornam pouco claros os limites que hoje determinam o gosto. Qualidades como o excesso, a desmedida, o acúmulo, o polimorfismo eclético, a instabilidade, a perda de interesse permitem definir a moda do final dos anos 1980

Moda neobarroca

como *neobarroca*, e para essa definição contribui, sem dúvida, a propensão ao artifício, ao inautêntico, ao falso.[2] Esse componente está presente em muitas tendências e se manifesta tanto no uso de materiais sintéticos, como os falsos répteis, o couro falso, as falsas peles, tecidos elásticos, acessórios em plexiglas ou em falso metal, como na cenografia teatral dos desfiles. A fragmentação da

O pós-moderno

moda reflete a fragmentação cultural do pós-moderno.[3] Assim definido não por ser pós-cronológico, mas por ser pós-temático, o pós-modernismo – como foi codificado por Lyotard em 1979 – contrapõe-se à modernidade, entendida como vontade de construir sistemas, teorias, interpretações totalizantes, como sistema que acredita na racionalidade, no valor positivo da ciência e da tecnologia, acredita no progresso do desenvolvimento histórico e do pensamento.[4] O pós-moderno, ao contrário, e, nesse sentido, também pós-industrial, enfatiza a parte ambígua e contraditória da racionalidade, tem uma visão crítica da ciência e da tecnologia, e propõe uma concepção do saber sem os fundamentos que estão na base do projeto moderno. O pós-modernismo implica, portanto,

---

2   Cf. O. Calabrese, *L'età neobarroca* (Roma/Bari: Laterza, 1987), p. 49. Ver também N. Gasperini, "La nuova età barroca", em *Donna*, outubro de 1987.

3   Cf. F. D'Agostini, *Breve storia della filosofia nel Novecento. L'anomalia paradigmatica* (Turim: Einaudi, 1999), pp. 265-280.

4   Cf. J.-F. Lyotard, *La condizone postmoderna* (Milão: Feltrinelli, 1996), p. 24 *passim*.

o fim das fronteiras não só entre "altas" culturas e "baixas" culturas, mas também entre diferentes formas culturais.

Ora, mesmo radicada em um contexto histórico-cultural que não é nem um pouco unívoco, a fragmentação da moda está ligada também, e sobretudo, a um fenômeno histórico bem preciso, isto é, às modas juvenis que surgiram depois da Segunda Guerra Mundial, denominadas "antimodas", apesar de o fenômeno da antimoda ser mais antigo.[5] Tornando absoluta a distância em relação a tudo o que é conforme à regra estética e moral, o elemento central da antimoda consiste na referência a ideais, valores e concepções da existência radicalmente opostos aos padrões vigentes. É um fenômeno que assume formas e temas de diversas fontes culturais, como a indignação contra o utilitarismo, naturalismo salutar, protestos feministas, ceticismo conservador, a "des-identificação" das minorias e a afronta da contracultura. Os representantes da contracultura, os *beatniks* dos anos 1950, os *hippies* dos anos 1960 e os *punks* dos anos 1980 (com as suas subdivisões estilísticas, como *skinheads*, roqueiros, metaleiros, etc.) tentam diminuir a importância dos grupos culturais dominantes. Os cabelos compridos, os colares, os braceletes, os tecidos floridos são símbolos que marcam radicalmente a oposição a tudo o que é dominante. Os estilos proclamam, por assim dizer, a ruptura, o desprezo pelos valores comumente aceitos. Nesse sentido, os anos 1960 são um período de grande revolução em todo o mundo ocidental.[6] Dos Estados Unidos à Holanda, as jovens gerações recusam os modelos existentes e procuram novas formas que possam manifestar uma ruptura com a ordem constituída. Trata-se de um fenômeno de massa que atinge todos os âmbitos da existência cotidiana, das relações entre os sexos à concepção de trabalho e tempo livre (Figura 1). O principal veículo dessa situação são o *rock* inglês e o americano. A imagem dos cantores de *rock*, assim como os versos de suas canções, representam em si uma mensagem de ruptura. Personagens como Mick Jagger, líder dos Rolling Stones, considerado no seu tempo o homem mais elegante do mundo do *rock*, ostentam *jabots*, veludos, lamê, meias-calças, peles, botas à mosqueteiro, roupas em tecido de tapeçaria, usam brincos e colares, e o

| As antimodas

---

[5]   Cf. G. Lipovetsky, *L'impero dell'effimero* (Milão: Garzanti, 1989), p. 128. Ver também F. Davis, *Moda, cultura, identità, linguaggio* (Bolonha: Baslerville, 1993), p. 159 *passim*; A. Gnecchi Ruscone, "L'antimoda. Esempi milanesi", em VV.AA., *La moda italiana. Dall'antimoda allo stilismo*, vol. II (Milão: Electa, 1987).

[6]   Cf. A. Gnecchi Ruscone, em N. Bailleux, *La moda. Usi e costumi del vestire* (Trieste: Electa/Gallimard, 1996), p. 138 *passim*.

Figura 1
Casal jovem nos anos 1960.
© Ron Chapple Studios/ Dreamstime.com.

Jeans e rebelião

rosto maquiado. Desde o século XVIII o homem não apresenta uma imagem tão vistosa e sexualmente provocatória.[7] No campo feminino se verifica o mesmo: maquiagem muito marcada, cabelos longos e cheios, calças apertadas, malhas aderentes, botas acima do joelho e, não menos importante, a revolucionária minissaia, cortada pouco abaixo da virilha, idealizada pela inglesa Mary Quant.[8] Esse novo traje, inicialmente limitado ao mundo do *rock*, difunde-se primeiro nos ambientes próximos ao espetáculo e à arte, e depois por toda parte. A característica dessa antimoda é estar fora de qualquer padrão e imposição, permitir a cada um a mais completa liberdade de vestir-se. No contexto dessa liberdade, o *blue jeans* torna-se a roupa-metáfora por excelência, verdadeiro "uniforme dos jovens" (Figura 2). Assim como a *t-shirt* de Marlon Brando, os *jeans* de James Dean tornam-se, no imaginário coletivo, sinais exteriores da juventude rebelde

---

[7] Ibidem.
[8] Cf. G Lehnert, *Storia della moda del XX secolo* (Milão: Ready-made, 2000), pp. 65-66. Ver também M. Quant, *Quant by Quant* (Londres: Cassell, 1966).

A moda na era pós-industrial

Figura 2
Blue jeans: uniforme dos jovens.
© Johnny Dymond (www.nomoresaviours.com).
Modelo: Patrick Bauristhene.

dos anos 1950.[9] Criados na costa oeste dos Estados Unidos, em meados do século XIX, por Morris Levi Strauss, um vendedor ambulante bávaro de origem judia, emigrado havia pouco para São Francisco, os *jeans* foram aperfeiçoados por Jakob Davis Youphes, sócio de Levi Strauss que, em 1873, patenteia o sistema de fixação dos botões e bolsos por meio de rebites, o que caracteriza o *jeans* até hoje. Será necessário, todavia, esperar mais de um século antes que esse tipo de calças de trabalho conquiste uma posição de relevo e o reconhecimento universal que tem até hoje. De fato, é somente no final dos anos 1960, depois de várias tentativas de conquistar um amplo mercado de massas nas décadas precedentes, que o *blue jeans* consegue superar quase todas as divisões de classe, sexo, idade e ultrapassar os limites regionais, nacionais e ideológicos para se tornar a

---

[9] Cf. G. Vergani (org.), *Dizionario della moda* (Milão: Baldini & Castoldi, 1999), p. 399. Ver também F. Davis, *Moda, cultura, identità, linguaggio*, cit., p. 67 *passim*; L. Passerini, "La giovinezza metafora del cambiamento sociale", em G. Levi & J.-C. Schmitt (orgs.) *Storia dei giovani* (Roma/Bari: Laterza, 1986-1988), pp. 424-459.

peça de vestuário universalmente mais aceita. Segundo os historiadores do costume, o *jeans* sofreu um processo de legitimação cultural que o levou a adquirir significados diferentes daqueles iniciais, de outra forma não se explicaria como essa peça de roupa monocromática e nada refinada conseguiu exercer tal fascínio.[10] Considerando sua origem, a longa identificação com a imagem do trabalhador, do duro trabalho físico, do Oeste americano, os sociólogos afirmam que grande parte da mística do *blue jeans* parece derivar de sentimentos populares de democracia, igualdade, independência, liberdade e fraternidade. No continente americano, depois dos operários, os primeiros a usar *jeans*, nos anos 1930 e 1940, são os pintores e os artistas do sudoeste dos Estados Unidos. Nos anos 1950, são os bandos de motociclistas "delinquentes" (os *bikers*) e, nos anos 1960, os *hippies* que aderem ao *jeans*. Guardadas as diferenças, esses grupos colocam-se em forte oposição à cultura dominante, conservadora e consumista da sociedade americana. Dada a origem desses grupos, o *blue jeans* oferece um meio visível para proclamar o sentimento de rebelião contra o sistema, e a isso se acrescenta o fato de que, economicamente, são acessíveis a todos. No final dos anos 1950, o *jeans* já é usado por quase todos os jovens da classe média nas atividades ao ar livre, mas, até meados dos anos 1960, esse traje não é aceito totalmente, pois ainda é associado a grupos de má fama. Os produtores de *jeans*, então, lançam grandiosas campanhas publicitárias para romper a ligação simbólica com esses grupos e convencer os consumidores de que os *jeans* são apropriados a todos e podem ser vestidos em muitas ocasiões. Davis observa que, em todo caso, ao lado da estratégia de mercado, o que torna global a atração exercida pelo *jeans* é a implicação "antimoda", constituída pelas alusões históricas, visivelmente persuasivas, à democracia rural, ao homem comum, à simplicidade, à modéstia, à visão romântica do Oeste americano com a figura do caubói livre e independente.[11] Todavia, assim que os *jeans* conquistam o mercado de massa, diversos estratagemas são utilizados para mesclar essas mensagens. Imagem que evoca um tipo de pobreza "vistosa", os *jeans* desbotados e puídos, por exemplo, tornam-se logo mais apreciados do que os *jeans* novos e azul-escuros. Dado o sucesso, no começo dos anos 1970, dos *jeans* desbotados e esgarçados, os produtores começam a fabricar calças já desbotadas, lavadas com pedra-pomes ou com ácido, que parecem usadas, e poupam assim o consumidor médio da neces-

---

[10] Cf. C. Jasper, "History of Costume: Theory and Instruction", em *Clothing and Textile Research Journal*, v(4), pp. 1-6.

[11] F. Davis, *Moda, cultura, identità, linguaggio*, cit., p.71

Figura 3
Minivestidos lançados nos anos 1960. Desenhos: Dinah Bueno Pezzolo.

sidade de ter de usá-las muito para gastá-las. Por outro lado, quase simultaneamente, surge uma série de estratagemas e expedientes para "des-democratizar" os *jeans* e, ao mesmo tempo, aproveitar-se de seu fascínio universal. Aparecem os *jeans* de grife, que ostentam, bem visíveis, a assinatura do estilista; *jeans* com bordados, com ornamentos em metal, brilhantes e outros recursos decorativos; *jeans* com corte e modelo para mulheres, crianças, velhos; *jeans* combinados a outras peças de roupa, em clara contradição simbólica, como jaquetas esportivas, peles, saltos agulha, camisas de seda.[12]

Em estreita relação com o que se diz sobre o *jeans*, a minissaia, peça de vestuário hoje universal, representa uma ruptura na história das mulheres, visto que a lógica tradicional da roupa feminina prescrevia que ela deveria ter, em primeiro lugar, a função moral de cobrir e esconder o corpo. Desse ponto de vista, a minissaia qualifica-se como uma importante marca feminina, que reúne em seu percurso histórico valores de liberdade em oposição às censuras dos guardiões da moral. Se notarmos bem, ao longo do século XX, o encurtamento

A minissaia, sinal feminino de ruptura

---

[12] *Ibid.*, pp. 72-76.

da barra do vestido coincide com momentos de emancipação feminina (Figura 3, p. 195).[13] Nos anos 1920, as saias *charleston* marcam de maneira provocatória a crise definitiva das crinolinas, das saias duplas, a discussão de pudores baseados no imaginário masculino, segundo os quais seria mais erótico *o que não se vê* do que aquilo que se vê. Símbolo e artífice da moda feminina das primeiras décadas do século XX, Coco Chanel indica uma forma de liberação que diz respeito principalmente ao comprimento das saias e dos cabelos.[14] Se por volta dos anos 1950 a saia no joelho é introduzida como uma peça adequada ao papel produtivo das novas gerações de mulheres trabalhadoras, a minissaia dos anos 1960 pode ser considerada, por sua vez, um verdadeiro sinal de emancipação na direção do anticonformismo.[15] Nas revistas mais representativas do período, a minissaia, vestida por modelos como Twiggy, Jean Shrimpton ou Penélope Tree, fotografadas por Richard Avedon ou Helmut Newton, torna-se um símbolo de liberdade sem limites também na alta-costura.[16] De volta à moda no começo dos anos 1980, após um período de perda de prestígio, hoje a minissaia não é mais vista como um elemento de contestação explícita de um sistema de modas dominantes. Contudo, pode-se dizer que ela continua a ser *aquela* peça de vestuário que rompe a precípua função moral da roupa: esconder o corpo da mulher. A minissaia aparece, por isso, como um "objeto" que consegue fazer sempre com que o corpo feminino fale na sua totalidade.

Corpos em movimento

A body decoration

A característica essencialmente opositiva que permeia as antimodas dentro da atual fragmentação cultural fica evidente também, por exemplo, na *body decoration* – expressão que data de 1978, quando Kakir Musafar, pioneiro e promotor da *body decoration*, a usa pela primeira vez. A *body decoration* está ligada aos *Modern Primitives*, uma "comunidade expandida" que propõe modos

---

[13] Cf. A. Gigli Marchetti, *Dalla crinolina alla minigonna. La donna, l'abito e la società dal XVIII al XX secolo* (Bolonha: Clueb, 1995), cap. V. Ver também G. Fraisse & M. Perrot (orgs.), *Storia delle donne in Occidente. L'Ottocento*, vol. IV (Roma/Bari: Laterza, 1991); F. Thébaud (org.), *Storia delle donne in Occidente. Il Novecento*, vol. V (Roma/Bari: Laterza, 1992); e F. Gandolfi, *Gonne e gonnelle* (Modena: Zanfi, 1989), p. 23 *passim*.

[14] Cf. E. Morini, *Storia della moda* (Milão: Skira, 2000), p. 183 *passim*. Ver também A. Mackrell, *Coco Chanel* (Londres: B.T. Batsford, 1992); P. Morand, *Chanel* (Palermo: Novecento, 1995).

[15] Cf. P. Calefato, *Mass moda* (Gênova: Costa & Nolan, 1996), pp. 85-86. Ver também A. Fiorentini Capitani, *Moda italiana anni Cinquanta e Sessanta* (Florença: Cantini, 1991).

[16] Cf. P. Calefato, *Mass moda*, cit., p. 87 *passim*.

A moda na era pós-industrial

alternativos de viver o corpo, decorando-o, submetendo-o a provas rituais, principalmente com a prática da tatuagem.[17] Para Mark C. Taylor, autor do ensaio *Pierced Hearts and True Love. A Centaury of Drawings for Tattoos*, a difusão contemporânea da tatuagem pode ser interpretada como sendo a combinação de dois fatores históricos e culturais. De um lado, a afirmação da temática neo-primitiva como reação ao desencanto moderno. De outro, a influência exercida pela *body art* dos anos 1960 e 1970 (com artistas e *performers* como Gina Pane, Chris Burden e Vito Acconci).[18] Em um contexto social que coloca no primeiro plano os valores do lucro e do consumo, observa Taylor, a condição geral de anomia e de frustração das mais elementares exigências espirituais conduz os corpos a "guiar uma rebelião" para reconquistar espaços de vida e de livre expressão. Sob esse aspecto, o que desencadeia um processo de reapropriação do corpo é a insatisfação gerada por estilos de vida considerados cada vez mais inumanos, que deixam pouco espaço ao jogo, à criatividade e ao puro sentir do corpo. Para alguns, a *body decoration* contemporânea insere-se plenamente no grande circo da moda. Para outros, o *boom* das decorações corpóreas representa a manifestação de desejos neotribais readaptados para uso e consumo de uma geração desprovida de raízes, espiritualidade, ritos de passagem e sentido geral da existência, que encontra na intervenção no corpo a chave de acesso a uma dimensão de vida diferente. Deixando de lado as diversas avaliações, podemos sustentar que por trás das decorações permanentes gravadas no corpo – como tatuagens, *body piercing*, esculturas da carne, etc. – há um problema de redefinição do próprio corpo no mundo contemporâneo. Hoje se fala de *Tattoo Renaissance*, de um renascimento, justamente porque a prática de tatuar-se é antiquíssima.[19] Temos testemunhos em Xenofonte, Hipócrates e Heródoto. Entre os mais antigos exemplos de tatuagens conhecidos, há aqueles pertencentes à múmia de uma sacerdotisa egípcia da deusa Hathor, chamada Amunet, que viveu em Tebas por volta de 2200 a.C. A tatuagem, feita sobre seu ventre, provavelmente tem significados ligados à fertilidade.[20] Foram encontradas outras duas múmias femininas tatuadas, do mesmo período, uma das quais

Tattoo Renaissance

---

[17] Cf. B. Marenko, *Ibridazioni. Corpi in transito e alchimie della nuova carne* (Roma: Castelvecchi, 1997), p. 104.

[18] *Ibid.*, pp. 64-69.

[19] *Ibid.*, p. 58. Ver também A. Bonito Oliva, "Il corpo glorioso", em VV. AA., *L'Asino e la Zebra. Origini e tendenze del tatuaggio contemporaneo* (Roma: De Luca, 1985), pp. 58-61; V. Lautman, *The New Tattoo* (Nova York: Abbeville Press, 1994); A. Castellani, *Ribelli per la pelle. Storia e cultura del tatuaggio* (Gênova: Costa & Nolan, 1995).

[20] B. Marenko, *Ibridazioni. Corpi in transito e alchimie della nuova carne*, cit., p. 59 *passim*.

era uma dançarina; mas, pelo que se sabe até agora, não se faziam tatuagens em homens. No entanto, a descoberta mais extraordinária é o corpo de uma "mulher do gelo", encontrado em 1993 na Sibéria, onde tinha ficado sepultada no solo gelado por 2550 anos. A mulher pertencia a uma tribo guerreira nômade, os Pazyryk, dos quais encontramos testemunhos em Heródoto, que os descreve como um povo sem cidade, cujas mulheres eram guerreiras como os homens. A mulher do gelo apresenta numerosas tatuagens bem conservadas. A interpretação corrente é que esse povo tinha elaborado uma forma de transmissão do saber por meio da visualidade. A tribo escocesa dos Picty tem esse nome por causa da prática de tatuar e pintar o corpo, fato que aterroriza as legiões romanas que detêm suas incursões na Britânia no século III d.C. Também no Império Romano são citados exemplos da prática de tatuagens, tanto que Constantino promulgou um decreto para proibi-la, recorrendo à passagem bíblica do *Levítico* 19:28, na qual se condenam as marcas sobre a pele. Marco Polo conta a respeito de populações tatuadas no sul da China, assim como os viajantes no Novo Mundo narram o hábito dos indígenas de se tatuar. A partir do século XVII, também as cortesãs começam a tatuar-se; difunde-se a identificação da tatuagem com o mundo dos marginais, das prostitutas e dos criminosos. Mas é principalmente a partir do século XIX que o mundo ocidental elabora a noção de "primitivo" como definição operativa e funcional para uma alteridade que, de outro modo, seria irredutível. Noção essa que é enfatizada pela exibição da tatuagem como um espetáculo exótico. Em 1830 havia pessoas tatuadas que, para ganhar a vida, exibiam-se como atração em circos; o mais famoso deles era o P. T. Barnum's American Circus. O corpo tatuado e a antiga arte da tatuagem, na falta de um contexto sociocultural que estimule a sua apreciação, descambam em entretenimento aberrante.[21] E parece ser evidente também que para quem pratica a tatuagem não se trata de uma moda, mas de antimoda (Figura 4). As reflexões de Betti Marenko, estudiosa de semiótica e sociologia, ela mesma tatuada, constituem um referente significativo para compreender o que comporta a decoração permanente do corpo. Marenko está convencida de que a diferença é hoje a única opção existencial possível para viver livremente uma identidade nômade, de contornos incertos, sempre pronta a se questionar, sempre disponível a um *overlaping* construtivo, a uma sobreposição com as outras identidades. Uma identidade que está sem-

Tatuagem e antimoda

---

[21]   *Ibidem.* Cf. P. Calefato, *Mass Moda,* cit., pp. 76-77.

pre à procura do êxtase inebriante da experimentação, do provar, da emoção da risada.[22] As expressões da diferença são múltiplas, mas, em todos os casos, no fundo, há a ebriedade do inusual.

Nesse quadro, o corpo contemporâneo seria um corpo flutuante, que se transforma como se fosse levado pela força indomável do desejo; quem opta pela diferença assume a fisionomia de um corpo "pós-humano". O corpo contemporâneo que muda coloca-se em uma encruzilhada entre o hipertecnológico e o neotribal. É um corpo *in progress*, *pós-orgânico*, que nasce da contaminação de tecnologia e carne, arcaísmos e metal, pele e tinta.[23] Diante da derrocada do moderno e de seus paradigmas de pensamento, observa Marenko, ganha espaço a exuberância do primitivo. Valores tribais, sentimento de pertencimento a um grupo, ritualismo transformador, que tem no corpo seu intérprete principal e um estilo de vida simples, natural, que reavalia a carnalidade e seus sentidos, constituem os parâmetros da concepção implícita na exuberância do primitivo. A difusão das tatuagens deve ser lida, portanto, como a manifestação de uma tensão voltada para a existência baseada naqueles valores, e, portanto, não dominada pela competição, pelo dinheiro, pelo tempo livre e organizado e pelo lucro a qualquer custo. No contexto da homologação hodierna, o retorno ao primitivo é considerado o meio para a liberação de um desejo reprimido, que não pode exprimir-se, negado por simulacros de uma sociedade normatizada. Nesse sentido, o desejo liberta-se, torna-se visível por meio da decoração corpórea:

> É somente o desejo que dá forma à tatuagem. Gravar um sinal é encarnar um desejo. [...] A tatuagem é erotismo e violência. Combina dor, amor e prazer. [...] Para quem o faz, é a decisão de construir para si uma armadura psíquica [...]. Tatuar-se deixa forte e livre. Define o amor por si mesmo [...]. É uma barreira contra os assaltos de forças hostis [...]. Está sempre presente a procura espasmódica, às vezes obsessiva, de uma dimensão na qual podemos nos ver diferentes de como nascemos, viajando para a frente no tempo e, ao mesmo tempo, para trás. [...] A tatuagem torna-se uma religião pagã pessoal, de conexão espiritual com os antepassados e de elevação do pró-

---

22 B. Marenko, *Ibridazioni. Corpi in transito e alchimie della nuova carne*, cit., pp. 10-11.
23 *Ibid.*, p 14 *passim*. Cf. T. Macri, *Il corpo postorganico. Sconfinamenti della performance* (Gênova: Costa & Nolan, 1996).

Figura 4
Mulher tatuada.
Foto: Jan
Ellerbrock.

prio espírito. É a experiência mística da viagem para dentro de si, à procura daquela parte adormecida que não pode mais ser ignorada.[24]

Narcisismo e produção de corpos diferentes

Prática absolutamente narcisista, a tatuagem faz do corpo o espelho de um *self* transformado pelo poder de um imaginário decomposto em sonhos e/ou obsessões. Nesse sentido, sustenta Marenko, o neotribalismo é uma explicação insuficiente. A motivação vai além da produção de corpos diferentes e de um imaginário povoado de corpos diferentes a que hoje assistimos, por isso a necessidade de analisar as novas políticas do corpo em relação ao imaginário coletivo. Para Marenko, os desenhos e as marcas inscritos no corpo obrigam a repensar os modos de representação do corpo e de subverter as suas múltiplas formas de rigidez. Esses desenhos e marcas sobre e do corpo são, antes de tudo, sinais; sinais de uma mutação em curso que deve ser reconhecida como tal. Grafites e tatuagens pertencem ao mundo da inscrição, no qual o signo em si vem antes do conteúdo; eles são a afirmação da força da diferença contra o

---

[24] *Ibid.*, pp. 69-70.

equivalente informe. O espaço do agir deve ser inventado, suas modalidades serão aquelas da imaginação, da criatividade transversal, do ecletismo marginal, de um desvio visível, de uma alteridade irredutível que se manifestará no espaço mental subtraído do lugar comum, que exprimirá a força do desejo, desejo há muito negado. É o desejo, portanto, que tem a função catalisadora de recursos e energias, e liberá-lo significa realizá-lo. Ainda que se proponha situar-se o mais distante possível das normas e dos valores correntes (homologação, sucesso, dinheiro), a filosofia subjacente à *body decoration*, de fato, não está longe do sistema teórico que forja os mecanismos da moda contemporânea.[25] A marca ou desenho tatuado na pele, mesmo sendo algo que não se pode mudar, paradoxalmente responde à lógica da moda, à tensão voltada à realização de si, ao desejo de gozar o aqui e agora da existência, ao prazer de mudar pelo gosto da transformação, da metamorfose do eu, do novo, para exprimir-se até o fim de maneira diferente dos outros. Que depois se trate de *body decoration* ou fisiculturismo, a questão parece ser sempre a mesma, e parece plausível afirmar que muda a forma, mas não o conteúdo. Até onde é possível constatar com base em reconstruções históricas, pode-se propor como ideia geral que a cultura do corpo é uma forma peculiar de realização de si, e não apenas de ostentação de *status*. Entre moda e antimoda, a cultura do corpo aparece como um dos símbolos mais representativos desde o começo do século XX e torna-se, depois da Segunda Guerra Mundial, um fenômeno de massa. De fato, desde o fim da Segunda Guerra Mundial, ao lado da palavra-chave *charme*, refinamento, como aquilo que faz a diferença, a imagem de um corpo jovem, saudável e, sobretudo, belo torna-se um sonho de massa em virtude também do aumento das possibilidades econômicas de todos.[26] Em 1952, um jornalista italiano observou:

> As mulheres geralmente consideradas "como se deve" dos Estados Unidos gastaram 1,5 milhão de dólares (900 milhões de liras) só em *bubble baths*, isto é, banhos de espuma. Para pintar as unhas, gastaram cinco vezes mais, dez vezes mais para limpar a pele do rosto e quatorze vezes mais para pintar os lábios de vermelho. Em xampus, 44 vezes mais e, com perfumes, cinquenta vezes mais. Os cuidados com a pele lhes custaram 70 milhões

---

[25] Cf. B. Marenko, *Ibridazioni. Corpi in transito e alchimie della nuova carne*, cit., p. 101; G. Lipovetsky, *L'impero dell'efimero*, cit., p. 125 *passim*.

[26] Cf. F. Giroud, "Charme o sex-appeal", em *Grazia*, nº 659, 4 de outubro de 1953, pp. 12-13. Ver também E. Morini, *Storia della moda*, cit., pp. 275-311.

de dólares (42 bilhões de liras), com os cabelos, 110 milhões de dólares (66 bilhões de liras), com os cílios [...] 2 bilhões de liras. Essa avalanche de bilhões para os tratamentos de beleza chega a um total que supera em muito o orçamento da maior parte das nações da Terra. Esses são os Estados Unidos, mas eles não estão sós. Cada uma das jovens que trabalham nas fábricas da Europa ocidental consome hoje mais produtos de beleza do que uma duquesa há cem anos.[27]

Corpos belos, corpos sãos

Os Estados Unidos demonstram a sua superioridade não somente em despesas com tratamentos estéticos, mas também nos meios de divulgação adotados pelas empresas produtoras de cosméticos. Na Itália é somente com o *boom* econômico que esse tipo de moda começa a ter seu lugar. Todo o corpo humano é atingido por esse fenômeno, que influencia não apenas seus hábitos, mas também sua forma e estrutura, seu estado de saúde e de doença. A tendência iniciada no começo do século XX, que prevê um corpo saudável, em contínuo treinamento físico, dedicado ao esporte, torna-se uma moda de massa, assim como a moda do bronzeado e do fisiculturismo. Em 1972 a moda são os "músculos primitivos". "Agora que vocês aprenderam todas as dietas e estão magríssimas, chegou a hora de plasmar o corpo como aquele de uma bailarina. A escola mais estimulante é aquela de Bob Curti, bailarino e coreógrafo. Frequentando o centro internacional de dança, ao som de bongôs afro-cubanos, vocês voltarão a ser primitivas e ágeis."[28] O corpo deve ser não somente magro, mas também esguio, ágil, musculoso como nas culturas pré-industriais, nas civilizações ainda não sujeitas aos tabus sexuais e ao distanciamento dos valores corporais. Nos anos 1970, os tratamentos estéticos de massa se espalham do rosto para o corpo. O mercado lança diversas linhas de produtos para endurecer, tonificar a pele, para cuidar das estrias, curar a celulite. São lançados vários óleos, como aquele de tartaruga, lubrificante e nutriente; são aconselhados os produtos naturais. Tudo por um corpo-mente voltado para a juventude, um ideal que, nos anos 1980, encontra na *pop star* Madonna (famosa desde 1983, ano do lançamento de seu primeiro LP, *Madonna*) o exemplo mais significativo.[29] Brincando com todos os tabus e clichês mais co-

---

[27] P. M. Mac Patrick, "La battaglia della bellezza", em *Grazia*, nº 585, 10 de maio de 1952, p. 21.
[28] S. Riva, "Moda flash. Notizie e duriosità da tutto il mondo", em *Vogue*, nº 243, janeiro de 1972, pp. 46-49. Ver também S. Grandi, A. Vaccari & S. Zannier, *La moda nel secondo dopoguerra* (Bolonha: Clueb, 1992), p. 111 *passim*.
[29] Cf. G. Lehnert, *Storia della moda del XX secolo*, cit., pp. 84-87.

muns, Madonna apresenta seu corpo como algo extremamente "sexualizado" e, ao mesmo tempo, construído: é um corpo construído, o resultado de aeróbica, musculação e dietas. Madonna, se prestarmos bem atenção, personifica o credo dos anos 1980, segundo o qual é possível modelar-se e tornar-se o que se desejar. As dietas, o fisioculturismo e outras formas de exercícios físicos são os meios para chegar à meta, para alcançar um "eu" ideal que significa um corpo ideal. É o sonho norte-americano, o desejo de autorrealização. O ideal de beleza veiculado por Madonna é esguio, ágil, esportivo, sem negar sua feminilidade nem sua sensualidade. Inicialmente o *look* de Madonna é aquele do movimento *punk*, tipo *bad girl*, que adota penteados excêntricos e estilos diferentes ao mesmo tempo: crucifixos, jaquetas, camisetas, braceletes de couro, passando por corpetes de couro e de látex pretos, meias de renda e ligas. Em pouquíssimo tempo ela se torna uma estrela famosa, escandalosa e chocante. O corpete que em 1990 Jean Paul Gaultier desenhou para o seu *Blond Ambition Tour* obtém enorme sucesso no mundo inteiro. Por certo período, Madonna se apresenta como a reencarnação de Marylin Monroe, e os seus cabelos cor de platina viram moda. Em seguida continua a citar diversas estrelas do passado, para transformá-las em um produto atual e, ao mesmo tempo, explosivo, que encarna a realização do desejo de milhões de jovens.

> "Eu" ideal = corpo ideal

De resto, na Itália também resiste ainda hoje o sonho da beleza e da saúde do corpo, se for verdade que os italianos do ano 2000 constituem uma "sociedade das emoções", como resulta do 34º relatório Censis:

> uma sociedade que não abre mão de sonhar. E sonha com o amor, que volta a prevalecer sobre o sexo separado dos sentimentos; sonha em ser sã e bela, gastando para cuidar do corpo 35 bilhões por ano. Sonha em escapar das angústias cotidianas escolhendo metas aventurescas ou esportes radicais. Sonha os sonhos possíveis.[30]

Prêt-à-porter versus *haute couture*?

A fragmentação dos estilos e dos padrões e a ausência de regras estéticas que caracterizam a moda de hoje, pode-se dizer, têm a sua máxima expressão nas criações *prêt-à-porter*. Expressão lançada na França por Jean Claude Weill em

> | O *prêt-à-porter*

---

[30] M. S. Conte, "Ottimista, ricca e creativa. Così cresce la nuova Italia", em *La Repubblica*, 2 de dezembro de 2000, p. 11.

1949, a partir da expressão norte-americana *ready to wear*, pode ser considerada uma verdadeira revolução, pois muda completamente a lógica da produção industrial. Diferentemente das confecções industriais em série, concentra-se em produzir industrialmente peças de vestuário acessíveis a todos, mas da moda, inspiradas nas últimas tendências.[31] Nesse sentido, o *prêt-à-porter* unifica indústria e moda, difunde pelas ruas estilos e gostos, estetizando a moda industrial e massificando a grife. De fato, hoje são famosas tanto as marcas da *haute couture* como aquelas do *prêt-à-porter*. Dior, Chanel, Benetton, Moschino, Versace, Dolce & Gabbana, etc. A partir dos anos 1950, os industriais europeus compreendem a necessidade de utilizar estilistas para oferecer, seguindo o exemplo norte-americano, roupas que tenham como valor agregado gosto e moda.[32] Em 1957 acontece o primeiro salão do *prêt-à-porter* feminino. A produção de roupa de massa segue, em parte, o caminho aberto pelo *design* industrial nos anos 1930. O objetivo é produzir tecidos, lãs, roupas que unam novidade, fantasia, criatividade, estética, imitando o princípio das coleções de estação. Com a estilização, a roupa industrial de massa adquire um novo *status*, torna-se verdadeiramente produto de moda. Todavia, desde o final dos anos 1950, o *prêt-à-porter* não cria uma estética, por assim dizer, mas repropõe a lógica precedente: a imitação das novas formas lançadas pela *haute couture*. É a partir dos anos 1960 que o *prêt-à-porter* atinge sua verdadeira razão de ser, elaborando roupas marcadas mais pelos critérios de audácia, juventude e novidade, que pelo de perfeição "clássica".

Novos criadores de moda

Afirma-se uma nova geração de criadores que não pertence à alta-costura. Em 1959, Daniel Hechter lança o estilo Babette e o sobretudo do tipo alado. Em 1960, Cacharel reinventa o *chemisier* para mulher em madras, semelhante à camisa masculina. Em Londres, em 1963, Mary Quant cria o Ginger Group, que inventa a minissaia. Nos anos 1970 e 1980 uma segunda e terceira leva de estilistas trazem inovações que deixarão marcas.[33] Se a *haute couture* tinha imposto, desde a metade do século XIX, valores como elegância, requinte, luxo, a partir dos anos 1960 esses valores são minados na base.[34] Apesar

---

[31] Cf. G. Lipovetsky, *L'impero dell'efimero*, cit., p. 109 *passim*. Ver também E. Morini, *Storia della moda*, cit., p. 275 *passim*.

[32] Cf. S. Grandi, A. Vaccari & S. Zannier, *La moda nel secondo dopoguerra*, cit., pp.55-60. Ver também *Per una storia della moda pronta. Problemi e ricerche*. Ata do V Convegno Internazionale del Cisst, Florença, 1991.

[33] *Ibidem.*

[34] Cf. G. Lipovetsky, *L'impero dell'efimero*, cit., p. 111.

disso, tenta manter a vocação "revolucionária" do estilo. Primeiramente com Courrèges, que, na coleção de 1965, introduz o estilo curto e arquitetônico e liberta a mulher dos saltos altos, da "escravidão" do sutiã, das roupas justas e a veste de maneira que favoreça a liberdade de movimento. A minissaia, que tinha aparecido em 1963, adquire um verdadeiro estilo com Courrèges. Com as botas sem saltos, o branco cândido, as meias de colegiais e as geometrias dinâmicas, ele afirma na moda a ascensão de valores próprios dos jovens. O novo modelo, que substitui aquele dos anos 1920, é o da menininha. Além disso, a alta costura legitima o uso de calças femininas. Em 1966, Yves Saint-Laurent inclui as calças em sua coleção, coloca nos seus desfiles modelos com *smokings* femininos e introduz o *jeans* na sua coleção, quando os jovens já o usavam havia tempos.[35] De instituição inovadora, que impulsiona a moda de ponta, a *haute couture* transforma-se em instituição de prestígio que legitima o que é inventado em outros âmbitos. Assim, ainda que, em 1959, Pierre Cardin tenha apresentado a primeira coleção "*prêt-à-porter couture*" nas grandes lojas de departamento Printemps e, em 1963, inaugurado o primeiro ateliê desse tipo de moda, pode-se dizer que o *prêt-à-porter* marca o fim da roupa sob medida e da moda que, até aquele momento, estava sob o domínio requintado da *haute couture*. Desse ponto de vista, a difusão do *prêt-à-porter* e dos ateliês de criação é o aspecto que resume esquematicamente a transformação do sistema. Desaparece quase completamente na moda a oposição estrutural entre roupas sob medida e roupas em série, graças aos aperfeiçoamentos tecnológicos da indústria do vestuário e ao desenvolvimento da estilização e do *prêt-à-porter*. Hoje a tendência é considerar as criações do *prêt-à-porter* como a parte mais viva da moda. A moda industrial não é mais a cópia degradada dos modelos mais cotados, ela conquista cada vez mais sua autonomia por meio da estilização de pesquisa. O *prêt-à-porter* estetiza a moda industrial e massifica um símbolo de distinção que antes era muito seletivo: a grife. A série industrial sai do anonimato, personaliza-se, conquista uma imagem de marca, um nome que aparece em todos os lugares: na imprensa, nos cartazes publicitários, nas lojas, nas roupas. Hoje a *haute couture* não produz mais de 3 mil peças por ano. A moda feminina, observa Lipovetsky, pôde libertar-se de seu domínio somente graças aos novos valores introduzidos pelas empresas envolvidas na produção e no

| Transformação da *haute couture*

| A grife

---

[35] Cf. G. Vergani (org.), *Dizionario della moda*, cit., p. 176. Ver também L. Benaïm, *Yves Saint-Laurent* (Paris: Grasset, 1993).

consumo de massa. O crescimento da cultura jovem ao longo dos anos 1950 e 1960 acelerou a difusão dos valores hedonísticos e anticonformistas, exaltando a espontaneidade, a ironia e a liberdade. O imaginário juvenil daqueles anos determinou a indiferença em relação ao vestuário da *haute couture*, identificado como símbolo do que era velho. Com sua grande tradição de requinte, como seus modelos reservados a mulheres adultas e bem de vida, essa instituição foi desacreditada pela nova exigência do individualismo moderno: parecer jovem. Hoje o que vale, como já dissemos, é parecer jovem, valorizar a si mesmo, agradar, surpreender, confundir. A juventude se impôs como novo cânone de imitação social. O *look* juvenil é o novo centro propulsor da imitação. Culto da juventude e culto do corpo caminham juntos e chamam constantemente a atenção sobre o Eu, exigem auto-observação narcisista, obrigam a estar informados sobre as novidades e a usá-las. A fase da máxima distinção entre os sexos acabou, os comportamentos são idênticos.[36]

> *A juventude, cânone de imitação social*

Desde seu surgimento, o *prêt-à-porter* representa uma inovação, pois a lógica implícita nele é a de eliminar da imagem pública a conotação negativa das confecções em série tradicionais. A intenção é dar um novo valor estilístico ao produto industrial associado às fibras sintéticas. Entre 1950 e 1960 surgem os primeiros ateliês estilísticos que fornecem consultorias qualificadas para as indústrias que querem se manter atualizadas. Quando o ateliê do estilista se associa aos critérios da produção industrial, o universo das propostas industriais adquire um novo valor. Do binômio indústria-projeto estilístico se espera um produto atual e de preço acessível. Nesse cenário se modifica também o significado da palavra estilista, que até os anos 1950 tinha uma conotação depreciativa.[37] Nos projetos industriais o estilista era quem agia sobre a exterioridade dos objetos sem modificar seu significado intrínseco e funcional; no entanto, quando ele começa a atuar na indústria da moda, torna-se um mito. Entre 1960 e 1970 o balanço das indústrias de vestuário cresce continuamente, tanto nos Estados Unidos como na Europa. Em janeiro de 1964, um editorial da revista semanal *Amica*, intitulado "A moda esportiva vem do *ready-to-wear* inglês", coroa a Inglaterra a rainha do *prêt-à-porter*:

> *Valor estilístico e produto industrial*

---

[36] Cf. G. Lipovetsky, *L'impero dell'efimero*, cit., pp. 120-126.
[37] Cf. G. Dorfles, *Introduzione al disegno industriale. Linguaggio e storia della produzione in serie* (Turim: Einaudi, 1972), p. 52 *passim*. Ver também E. Morini & N. Bocca, "Lo stilismo nella moda femminile", em VV. AA., *La moda italiana*, vol. II, cit., pp. 64-179.

Há alguns anos, justamente graças à imaginação e ao estilo irreverente de um grupo de *designers* de vanguarda, Londres já é copiada até pelas costureiras francesas [...]. Os criadores ingleses do *ready-to-wear* [...] foram, pode-se dizer, os primeiros a interpretar em escala internacional a fórmula *beatnik* nascida nos Estados Unidos em um círculo bastante restrito de intelectuais [...] vale a pena ficar de olho neles.

A situação na Itália, porém, não se apresenta em termos positivos.[38] Na Itália fascista, o Ente Nazionale della Moda [Instituto Nacional da Moda], idealizado por Vladimiro Rossini na primeira metade dos anos 1930, com sede em Turim, é o órgão do governo que censura todos os modelos de inspiração francesa. Esse Instituto impõe aos costureiros que pelo menos 25% de suas coleções sejam em estilo italiano, e assim deixa a Itália praticamente fora do

| A moda italiana

Figura 5
À esquerda, *tailleur* (1945). Ao centro, vestido de noite (1934). À direita, camisa (1937-1938).

---

[38] Cf. A. Fiorentini Capitani, *Moda italiana anni Cinquanta e Sessanta*, cit., p. 7 *passim*. Ver também N. Aspesi, *Il lusso e l'autarchia. Storia dell'eleganza italiana 1930-1944* (Milão: Rizzoli, 1982); A. Forentini Capitani & S. Ricci, "Le carte vincenti della Moda Italiana", em G. Vergani, *La sala Bianca. Nascita della Moda Italiana* (Milão: Electa, 1992).

circuito produtivo internacional (Figura 5, p. 207). Além disso, as tentativas da política autárquica de criar um sistema orgânico de colaboração entre costureiros, artesãos e empresários do ramo têxtil mostram os seus limites. Depois da Segunda Guerra Mundial, em 1948, sobre as cinzas do Ente Nazionale della Moda, nasce o Centro Italiano della Moda de Milão, sob a tutela de Franco Marinotti, e o ano de 1951 marca o nascimento da alta-costura italiana. Em 1952 acontecem as primeiras tentativas dessa colaboração: "Ao cotonifício Val di Susa, ao Italviscosa, ao Lini e lane Rivetti, cabem o mérito de terem entendido antes que a alta-costura não pode existir, como não existiria a *haute couture* parisiense, sem o apoio da indústria têxtil".[39] Mas, nos Estados Unidos, já no início dos anos 1950, toda grande confecção produz duzentas peças de roupa por dia. Na Europa as pessoas se vestem recorrendo aos ateliês dos grandes criadores ou confiando na própria costureira. Somente no final da década começa na Europa a verdadeira confecção. É nesse período que começa a funcionar a máquina das manifestações promocionais para a indústria da moda pronta. Em meados dos anos 1950, Turim recebe o 1º Salão do Mercado Internacional do Vestuário (Samia), que apresenta uma ampla panorâmica do melhor da confecção italiana. Em 1958, em Milão, nasce o Comitê de Moda dos Industriais de Vestuário, para coordenar e prever a escolha das linhas, dos tecidos e das cores (Figura 6). Em 1965, o GFT (Grupo Financeiro Têxtil), com a intenção de lançar uma nova linha "20 anos", patrocina um laboratório antropométrico para adequar os cortes aos novos padrões estéticos da clientela jovem: busto chato, quadris estreitos, pernas longas. O filtro desse sistema produtivo é o sistema de consumo, o estilista é aquele que deve identificar as exigências e as necessidades do mercado antes de desenhar suas coleções, já que são destinadas a uma ampla gama de consumidores. Por volta de 1978 as maiores grifes do *prêt-à-porter* já são conhecidas; a indústria aposta sempre na imagem e no nome do estilista, que se torna o verdadeiro protagonista do sucesso. A moda capta prontamente novas instâncias de diferenciação e de personalização que o mercado exige, concentrando-se mais sobre os aspectos de comunicação dos produtos que nos funcionais e utilitários. Entre os anos 1970 e 1980, a moda italiana consolida sua relação com o mercado mundial, como acontece, por exemplo, com Armani, que em 1980 veste Richard Gere no filme *Gigolô americano*.

---

[39] "Trionfo a Firenze", em *Grazia*, 21 de fevereiro de 1953, p. 45.

Figura 6
Da esquerda para a direita: *tailleur* esportivo em *tweed* (1954); elegante *tailleur* em lã com casaco aderente (1953-1954); calças pretas com bolinhas brancas e bolero no modelo Saint Tropez (1963). Desenhos: Dinah Bueno Pezzolo.

Não só moda

No início dos anos 1980, começa-se a falar de moda em termos de cultura projectual, e não como uma área específica e distinta do contexto geral do *design* espacial e objectual.[40] Se o *design* projeta ambientes e mobílias, analogamente, por meio da ação do estilista, a moda torna-se "*design* do corpo", "projeto do movimento e da relação impessoal". A nova relação que se estabelece entre moda e *design*, que equipara a roupa a um objeto, e como tal se submete aos mesmos parâmetros e à mesma *praxis* projectual, consente a influência recíproca entre os dois sistemas, desde sempre mantidos separados. Moda e *design* tomam estradas paralelas, estabelecem um intercâmbio pelo qual se, de um lado, os estilistas entram em outros setores da produção industrial, como a decoração, o projeto de objetos, as cerâmicas, os tecidos e a roupa para a casa, de outro, os

| O design

---

[40] Cf. Lipovetsky, *L'impero dell'efimero*, cit., p. 168 *passim*. Ver também S. Grandi, A. Vaccari & S. Zannier, *La moda nel secondo dopoguerra*, cit., pp. 134-137; G. Bianchino & A. C. Quintavalle, *Moda dalla fiaba al design. Italia 1951-1989* (Novara: De Agostini, 1989).

arquitetos desenham roupas, estampas para a seda das gravatas. O novo binômio moda-*design* afirma-se também em numerosas mostras organizadas, entre as quais a de maio de 1982, no Massachusetts Institute of Technology de Boston e aquela no PAC de Milão, em 1983, por ocasião da Trienal, e está no centro do debate internacional promovido pelo Congresso Icsid (International Council of Societies of Industrial Design), também em Milão, em 1983. A nova relação de colaboração entre moda e *design* permite definitivamente ao estilista sair da "guetização" do papel de *couturier*, oficializando uma identidade profissional diferente, do *designer* industrial de produtos de vestuário.[41] O sucesso mundial da moda nos anos 1980 se deve, sobretudo, a hábeis estratégias de *marketing*. Particularmente importante é o papel do executivo milanês Beppe Modenese, que, por volta do final dos anos 1970, consegue fazer com que Milão, tradicional centro industrial, prevaleça sobre Roma e Florença. Modenese consegue aproximar o mundo do *design* da indústria têxtil. Em 1979 organiza o primeiro desfile de moda na Feira de Milão.[42] A partir daquele momento se verifica uma sucessão de "alianças", como aquela que se estabelece entre Armani e o Grupo Financeiro Têxtil, ou entre Ferre, o arquiteto estilista, e a casa Dior, cuja direção artística ele assume em 1989. O vestuário e os acessórios não são os únicos "objetos" nos quais se configura a união entre estilo e moda. A Itália garante uma posição relevante no mercado internacional graças ao *made in Italy*, um dos fatores de desenvolvimento do mundo produtivo italiano desde o fim da Segunda Guerra Mundial até hoje. Os especialistas consideram esse fator um fenômeno complexo, que envolve diferentes setores da produção e supera tanto as clássicas separações geográficas entre áreas desenvolvidas e áreas estagnadas do país, como a tradicional distinção entre grande indústria e pequena empresa artesanal. Recentemente, o *made in Italy* foi definido como um conjunto de bens e serviços que são realizados com um grau elevado de especialização em relação a aspectos considerados peculiares, como a qualidade, a inovação, o *design*, a assistência aos clientes, a competitividade dos preços no mercado, a capacidade de criar "imagens".[43] Um conjunto de bens e serviços,

O made in Italy |

---

[41] *Ibidem.*

[42] Cf. G. Lehnert, *Storia della moda del XX secolo*, cit., pp. 76-77. Ver também E. Morini, *Storia della moda*, cit., p. 325 *passim*.

[43] Cf. M. Fortis, *Il made in Italy* (Bolonha: il Mulino, 1998), p. 7 *passim*. Ver também M. Fortis, *Crescita economica e specializzazioni produttive. Sistemi locali e imprese del made in Italy* (Milão: Vita e Pensiero, 1996); M. Fortis, *L'apporto del "sistema moda-arredo-casa" alla bilancia commerciale italiana* (Bolonha: Nomisma, 1985).

portanto, que, acima de tudo, traz à mente a ideia de "excelência", e não a origem do bem. Hoje, todavia, para muitos o *made in Italy* é, simplesmente, um sinônimo de moda, de universo de produções manufatureiras que vão do setor têxtil e de vestuário ao de couros e calçados, do setor de óculos ao de ourivesaria, no qual a Itália conseguiu conquistar um espaço relevante no plano internacional graças à criatividade de seus estilistas. Na realidade, como observam os especialistas do setor, os setores da produção nos quais a Itália tem o primado produtivo e comercial internacional, as especializações que podem realmente ser etiquetadas *made in Italy* não se limitam exclusivamente ao âmbito da moda do vestuário.[44] De fato, depois de anos de crescimento gradual, mas constante, de numerosas empresas especializadas e zonas industriais, a Itália já se tornou o país-guia também para os produtos de todo o sistema "mobília-casa", dos materiais requintados para a construção (como as cerâmicas e os banheiros) à mobília (como cozinhas, sofás de couro, móveis para o quarto e a sala), das torneiras e registros às panelas e pequenos eletrodomésticos, dos grandes eletrodomésticos às lâmpadas e às técnicas de iluminação em geral. Além disso, a produção "excelente" concerne a diversos bens ligados ao tempo livre e ao lazer, como as bicicletas e os calçados esportivos. A Itália conquistou espaços relevantes em muitas produções agrícolas e alimentares típicas, como a fruta, os tomates em conserva, azeite, massas, vinhos, em virtude também da crescente atenção dedicada pela comunidade científica aos efeitos benéficos da "dieta mediterrânea". Além do estatuto de excelência, entre as massas e as torneiras, entre os tecidos de seda e a ourivesaria, entre os sofás de couro e as botas de montanhismo e caminhada ou os óculos produzidos na Itália, existem alguns denominadores comuns muito específicos. Em primeiro lugar, a arte comum ao trabalhar certas matérias-primas, arte que se traduz ou na primazia mundial que a Itália detém quanto aos volumes manufaturados dessas matérias-primas (como acontece com o ouro, a lã, a seda, os couros, as cerâmicas, o trigo duro, os mármores e granitos, o latão, etc.), ou nos níveis técnicos elevadíssimos atingidos pelas empresas italianas ao manufaturar certas matérias-primas para fins específicos (como, por exemplo, o plástico nas botas para esqui, os metais e as ligas especiais nas armações para óculos, e também nas coroas e nos pinhões dos conjuntos mecânicos das bicicletas). Por outro lado, alguns elementos típicos do sistema "moda", como a pesquisa

---

[44] M. Fortis, *Il made in Italy*, cit., p. 13.

em *design*, de novas e inovadoras soluções no emprego dos materiais, das cores e das linhas, são comuns também às produções do sistema "mobília-casa" ou para os produtos destinados ao tempo livre; basta pensar nas torneiras, também elas de grife, como as peças de roupas de estilistas reconhecidos.[45] É necessário considerar também o setor "induzido" pelo *made in Italy*, de modo particular aquele das máquinas especializadas. A liderança alcançada pela Itália na produção de bens do sistema "moda-decoração-casa-lazer-alimentação" permitiu-lhe conquistar também níveis altíssimos de especialização nas máquinas utilizadas em tais setores. Podemos concluir que:

> à arte de trabalhar as matérias-primas, acrescentou-se a arte de construir as melhores máquinas do mundo para transformar essas mesmas matérias-primas, e também para a sua dosagem, a manufatura e embalagem dos produtos acabados. Tudo isso é [...] o *made in Italy*, isto é, a parte mais vital da economia italiana, baseada em pequenas empresas e em zonas industriais, capaz de conquistar posições de liderança em mercados de todo o mundo. Não só moda, portanto.[46]

---

[45] *Ibidem.*
[46] *Ibid.*, p. 15.

Bibliografia temática

Temáticas e metodologias historiográficas

ARCANGELI, B. & PLATANIA, M. (orgs.). *Metodo storico e scienze sociali. La "Revue de sinthèse historique" (1900-1930)*. Roma: Bulzoni, 1991.
DE LUNA, G. *La passione e la ragione. Fonti e metodi dello storico contemporaneo*. Florença: La Nuova Italia, 2001.
FUMAGALLI, V. *Scrivere la storia*. Roma/Bari: Laterza, 1995.
GALASSO, G. *Nient'altro che storia*. Bolonha: il Mulino, 2000.
LASTRUCCI, E. *La formazione del pensiero storico*. Turim: Paravia, 2000.
LE GOFF, J. *Storia e memoria*. Turim: Einaudi, 1977.
_____. *La nuova storia*. Milão: A. Mondadori, 1980.
MUSI, A. *La storia debole. Critica alla "nuova storia"*. Nápoles: Esi, 1994.
PLACANICA, A. *Persistenze e mutamento. Appunti e lezioni sulla storia moderna*. Cava dei Tirreni: Avagliano Editore, 1995.
SORCINELLI, P. *Il quotidiano e i sentimenti. Introduzione alla storia sociale*. Milão: Bruno Mondadori, 1996.
STONE, L. *Viaggio nella storia*. Roma/Bari: Laterza, 1987.
TOPOLSKI, J. *Narrare la storia. Nuovi principi di metodologia storica*. Milão: Bruno Mondadori, 1997.
TOSH, J. *Introduzione alla ricerca storica*. Florença: La Nuova Italia, 1989.
VOVELLE, M. *Ideologie e mentalità*. Nápoles: Guida, 1989.

História do costume e da moda em geral

ASPESI, N. *Il lusso e l'autarchia. Storia dell'eleganza italiana 1930-1940*. Milão: Rizzoli, 1982.
BACLAWSKI, K. *The Guide to Historic Costume*. Londres: T. Batsford Ltd, 1995.
BAILLEUX, N. *La moda. Usi e costumi del vestire*. Trieste: Electa/Gallimard, 1996,

BERTELLI, S. & CRIFÒ, G. (orgs.) *Rituale, cerimoniale, etichetta* Milão: Bompiani, 1985.

BOUCHER, F. *Histoire du costume en Occident de l'Antiquité a nos jours.* Paris: Flammarion, 1965.

BRAUDEL, F. *Civiltà materiale, economia e capitalismo. Le strutture del quotidiano (secoli XV-XVIII).* 3 vols. Turim: Einaudi, 1981-1982.

BUTAZZI, G. (org.) *1922-1943: vent'anni di moda italiana.* Florença: Museo Poldi Pezzoli, 1980.
_____. *Giornale delle nuove mode di Francia e d'Inghilterra.* 3 vols. Turim: Umberto Allemandi & C., 1989.

CANONICA SAWINA, A. *Dizionario della moda.* Milão: Sugarco, 1994.

CHIARELLI, C. (org.) *Moda femminile tra le due guerre.* Livorno: Sillabe, 2000.

COLAS, R. *Bibliographie générale du costume et de la mode.* 2 vols. Paris: Librairie René Colas, 1933.

CRISPOLTI, E. (org.) *Il futurismo e la moda.* Veneza: Marsilio, 1988.

DAVANZO POLI, D. *Costumi da bagno.* Modena: Zanfi, 1995.

DELBOURGH-DELPHIS, M. *Le Chic et le Look. Histoire de la mode féminine et des moeurs de 1850 à nos jours.* Paris: Hacchette, 1981.

DELPIERRE, M. *Se vêtir au XVIIe siècle.* Paris: Adam Biro, 1996.

GIGLI MARCHETTI, A. *Dalla crinolina alla minigonna. La donna, l'abito e la societá dal XVII al XX secolo.* Bolonha: Clueb, 1995.

GIORGETTI, C. *Manuale di storia del costume e della moda.* Turim: Cantini, 1992.

GONDOLFI, F. *Gonne e gonnelle.* Modena: Zanfi, 1989.

GRANDI, S., VACCARI, A. & ZANNIER, S. *La moda nel secondo dopoguerra.* Bolonha: Clueb, 1992.

GRUMBACH, D. *Histoires de la mode.* Paris: Seuil, 1993.

GUILLEMARD, C. *Les mots du costume.* Paris: Belin, 1991.

JOIN-DIÉTERLE, C. *Les mots de la mode.* Paris: Paris-Musées, 1998.

LANGLADE, E. *La marchande de modes de Marie Antoinette. Rose Bertin.* Paris: Albin Michel Éditeur, s/d.

LANZMANN, J. & RIPERT, P. *Cent ans de prêt-à-porter.* Paris: Weill/Editions P.A.U., 1992.

LEHNERT, G. *Storia della moda del XX secolo.* Milão: Ready-made, 2000.

LEVI PISETZKY, R. *Storia del costume in Italia.* 5 vols. Milão: Istituto Editoriale Italiano, 1964-1969.
_____. *Il costume e la moda nella società italiana.* Turim: Einaudi, 1995.

LIPOVETSKY, G. *L'impero dell'effimero.* Milão: Garzanti, 1989.

MACKRELL, A. *Paul Poiret.* Londres: B. T. Batsford Ltd, 1990.
_____. *Coco Chanel.* Londres: B. T. Batsford Ltd, 1992.

MAFAI, G. *Storia della moda.* Roma: Editori Riuniti, 1998.

MARLY, D. de. *The History of Haute Couture 1850-1950.* Londres: B. T. Batsford Ltd, 1980.
_____. *Worth: Father of Haute Couture.* Nova York: Holmes & Meier, 1980.

MORAND, P. *Chanel.* Palermo: Novecento, 1995 (1976).

MORINI, E. *Storia della moda.* Milão: Skira, 2000.

MORMORIO, D. *Vestiti. Lo stile degli italiani in un secolo di fotografie.* Roma/Bari: Laterza, 1999.

MUZZARELLI, M. G. *Gli inganni delle apparenze. Disciplina di vesti e ornamenti alla fine del Medioevo.* Turim: Paravia, 1996.
_____. *Guardaroba medievale.* Bolonha: il Mulino, 1999.

PASTOUREAU, M. "L'uomo e il colore". Em *Storia e dossier*, II(5), março de 1987.

PERROT, P. *Il sopra e il sotto della borghesia. Storia dell'abbigliamento nel XX secolo.* Milão: Longanesi, 1981.

_____. *Le luxe. Une richesse entre faste et confort XVIIe-XIXe siécle*. Paris: Seul, 1995.

QUANT, M. *Quant by Quant*. Londres: Cassell, 1996.

ROCHE, D. *Roma capitale 1870-1911. I piaceri e i giorni: la moda*. Veneza: Marsilio, 1983.

_____. *Il linguaggio della moda. Alle origini dell'industria dell'abbigliamento*. Turim: Einaudi, 1991.

STEELE, V. *Fifty Years of Fashion. New Look to Now*. New Haven/Londres: Yale University Press, 1997.

TRIONFI HONOTARI, L. & TOSI, P. (orgs.) *Ricordi di famiglie. Moda e costume attraverso 150 immagini da archivi privati italiani (1850-1899)*. Milão: Skira, 1999.

VARESE, R. & BUTAZZI, G. *Storia della moda*. Bolonha: Calderini, 1995.

VERGANI, G. *La sala Bianca. Nascita della moda italiana*. Milão: Electa, 1992.

_____. (org.) *Dizionario della moda*. Milão: Baldini & Castoldi, 1999.

VV. AA. *La moda italiana*. 2 vols. Milão: Electa, 1987.

_____. *Modèle d'état et modèle social de dépense*. Colóquio CNRS 1984, Paris, 1987.

_____. *Per una storia della moda pronta. Problemi e ricerche*, Ata do V Congresso Internacional do Cisst. Florença: Edifir, 1991.

Aspectos sociológicos e semióticos da moda

BARTHES, R. *Sistema della moda. La moda nei giornali femminili: un'analisi strutturale*. Turim: Einaudi, 1970.

_____. *Scritti*. Turim: Einaudi, 1998.

BAUDRILLARD, J. *Il sistema degli oggetti*. Milão: Bompiani, 1972.

_____. *La società dei consumi. I suoi miti e le sue strutture*. Bolonha: il Mulino, 1976.

CALEFATO, P. *Il corpo rivestito*. Bari: Ed. dal Sud, 1986.

_____. "Fashion, the Passage, the Body". Em *Cultural Studies*, II(2), 1988.

_____. (org.) *Moda & mondanità*. Bari: Palomar, 1992.

_____. *Mass Moda*. Gênova: Costa & Nolan, 1996.

_____. "Fashion and Wordliness: Language and Imagery of the Clothed Body". Em *Fashion Theory*, I, 1997.

_____. *Sociosemiotica*. Bari: Graphis, 1997.

_____. *Moda, corpo, mito*. Roma: Castelvecchi, 1999.

DAVIS, F. *Moda. Cultura, identità, linguaggio*. Bolonha: Baskerville, 1993.

DORFLES, G. *La moda della moda*. Gênova: Costa & Nolan, 1999.

_____. *Mode e modi*. Milão: Mazzotta, 1979.

FLUGEL, J. C. *Psicologia dell'abbigliamento*. Milão: Franco Angeli, 1974.

FOUCAULT, M. *Le parole e le cose*. Milão: Rizzoli, 1988 (1966).

GALIMBERTI, U. *Il corpo*. Milão: Feltrinelli, 1997.

GREIMAS, A. J. "L'imperfezione e l'estasi. Conversazione". Editado por N. Tasca e C. Zilberg. Em MARRONE, G. (org.) *Sensi e discorso*. Bolonha: Progetto Leonardo, 1995.

LOTMAN, J. M. *La cultura e l'esplosione*. Milão: Feltrinelli, 1993.

MARENKO, B. *Ibridazioni. Corpi in transito e alchimie della nuova carne*. Roma: Castelvecchi, 1997.

POLHEMUS, T. *Street Style*. Londres: Thames & Hudson, 1994.

PUGLISI, G. *I modi della moda*. Palermo: Sellerio, 2001.

SIMMEL, G. *La moda*. Roma: Editori Riuniti, 1985 (1895).

VOLLI, U. *Contro la moda*. Milão: Feltrinelli, 1988.

_____. *Fascino*. Milão: Feltrinelli, 1997.

_____. *Block-modes. Il linguaggio del corpo e della moda*. Milão: Lupetti, 1998.

História do corpo, da aparência e da sexualidade

CALVESI, M. *Storia della seduzione*. Palermo: Sellerio, 1999.

CASANOVA, G. *Storia della mia vita*. Milão: Mondadori, 1984.

CORBIN, A. *Le miasme et la joinquile. L'odorat et l'imaginaire, XVIIe-XIXe siècles*. Paris: Aubier Montaigne, 1982.

_____. (org.) *La violenza sessuale nella storia*. Roma/Bari: Laterza, 1992.

DI GIROLAMO, C. *I trovatori*. Turim: Bollati Boringhieri, 1989.

HUME, D. *Trattato sulla natura umana*. Em LECALDANO, E. (org.) *Opere filosofiche*. Roma/Bari: Laterza, 1987.

KANT, I. *Critica del giudizio*. Milão: Tea, 1995.

LARIVAILLE, P. *Le cortigiane nell'Italia del Rinascimento*. Milão: Rizzoli, 1983.

MANCINI, M. *La gaia scienza dei trovatori*. Parma: Luni, 2000.

MENJOT, D. (org.) *Le soins de beauté. Moyen Age. Temps Modernes*. Atas do III Colóquio Internacional do Centre d'Etudes Médiévales. Grasse, 1985/Nice, 1987.

MONTES, L. *L'arte della belleza*. Milão: s/ed., 1990 (1885).

MONTESQUIEU, C. de. *Lo spirito delle leggi*. Editado por G. Macchia. Milão: Rizzoli, 1989.

PANCINO, C. (org.) *Corpi. Storia, metafore, rappresentazioni fra Medioevo ed età contemporanea*. Veneza: Marsilio, 2000.

PASI, A. & SORCINELLI, P. (orgs.) *Amori e trasgressioni. Rapporti di coppia tra '800 e '900*. Bari: Dedalo, 1995.

ROUSSEAU, J.-J. *Emilio*. Livro V. Editado por E. Nardi. Florença: La Nuova Italia, 1995.

SORCINELLI, P. *Eros. Storie e fantasie degli italiani dell'Ottocento a oggi*. Roma/Bari: Laterza, 1993.

_____. *Storia sociale dell'acqua*. Milão: Bruno Mondadori, 1998.

_____. *Storia e sessualità*. Milão: Bruno Mondadori, 2001.

STONE, L. *Famiglia, sesso e matrimonio in Inghilterra tra Cinque e Ottocento*. Turim: Einaudi, 1983.

_____. *La sessualità nella storia*. Roma/Bari: Laterza, 1995.

VEGETTI FINZI, S. (org.) *Storia delle passioni*. Roma/Bari: Laterza, 1995.

VIGARELLO, G. *Lo sporco e il pulito. L'igiene del corpo dal Medioevo a oggi*. Veneza: Marsilio, 1987.

_____. *Il sano e il malato. Storia della cura del corpo dal Medioevo a oggi*. Veneza: Marsilio, 1996.

História das mulheres

BOCK, G. (org.) *Il corpo delle donne*. Ancona/Bolonha: Transeuropa, 1988.

DE GIORGIO, M. *Le italiane dall'Unità a oggi*. Roma/Bari: Laterza, 1992.

Bibliografia temática

DUBY, G. & PERROT, M. (orgs.) *Storia delle donne in Occidente*. 5 vols. Roma/Bari: Laterza, 1990-1992.
FERRANTE, L. "Il valore del corpo, ovvero la gestione economica della sessualità femminile". Em GROPPI, A. (org.) *Il lavoro delle donne*. Roma/Bari: Laterza, 1996.
_____. "Legittima concubina, quasi mogile, anzi meretrice. Note sul concubinato tra Medioevo ed età moderna". Em BIONI, A. (org.) *Modernità. Definizioni ed esercizi*. Bolonha: Clueb, 1998.
GAGLIANI, D. & SALVATI, M. (orgs.) *Donne e spazio nel processo di modernizzazione*. Bolonha: Clueb, 1995.
LARIVAILLE, P. *Le cortigiane nell'Italia del Rinascimento*. Milão: Rizzoli, 1983.
MELANDRI, L. *Le passioni del corpo*. Turim: Bollati Boringhieri, 2001.
SHORTER, E. *Storia del corpo femminile*. Milão: Feltrinelli, 1984.

História dos jovens, da educação e das relações familiares

ARIÈS, P. *Padri e figli nell'Europa medievale e moderna*. Roma/Bari: Laterza, 1981.
_____ & DUBY, G. (orgs.) *La vita privata*. 5 vols. Roma/Bari: Laterza, 1986-1988.
BARGAGLI, M. *Sotto lo stesso tetto. Mutamenti della famiglia in Italia dal XV al XX secolo*. Bolonha: il Mulino, 1984.
CUNNINGHAM, H. *Storia dell'infanzia*. Bolonha: il Mulino, 1997.
LEVI, G. & SCHMITT, J.-C. (orgs.) *Storia dei giovani*. 2 vols. Roma/Bari: Laterza, 2000.
PELA, D. & SORCINELLI, P. *Generazioni del Novecento*. Florença: La Nuova Italia, 1999.
STONE, L. *Famiglia, sesso e matrimonio in Inghilterra tra Cinque e Ottocento*. Turim: Einaudi, 1983.

História da alimentação

FLANDRIN, J.-L & MONTANARI, M. (orgs.) *Storia dell'alimentazione*. Roma/Bari: Laterza, 1996.
MONTANARI, M. *Alimentazione e cultura nel Medioevo*. Roma/Bari: Laterza, 1988.
_____. *La fame e l'abbondanza. Storia dell'alimentazione in Europa*. Roma/Bari: Laterza, 1993.
SORCINELLI, P. *Gli italiani e il cibo*. Milão: Mondadori, 1999.

Revolução Industrial, história econômica e da técnica

AMATORI, F. & COLLI, A. *Impresa e industria in Italia dall'Unità a oggi*. Veneza: Marsilio, 1999.
BAIROCH, P. *Rivoluzione industriale e sottosviluppo*. Turim: Einaudi, 1967.
_____. *Storia economica e sociale del mondo. Vittorie e insuccessi dal XVI secolo a oggi*. 2 vols. Turim: Einaudi, 1999.
CASTRONOVO, V. (org.) *Storia dell'economia mondiale*. 5 vols. Roma/Bari: Laterza, 1996-2000.
CLOUGH, S. B. & RAPP, R. T. *Storia economica d'Europa. Lo sviluppo economico della civiltà occidentale*. Roma: Editori Riuniti, 1984.
CRAINZ, G. *Storia del miracolo italiano*. Roma: Donzelli, 1996.

LANDES, D. S. *Prometeo liberato. Trasformazioni tecnologiche e sviluppo industriale nell'Europa occidentale dal 1750 ai giorni nostri*. Turim: Einaudi, 1978.

MOKYR, J. *La leva della ricchezza. Creatività tecnologica e progresso economico*. Bolonha: il Mulino, 1995.

ORTOLEVA, P. *Mass media. Nascita e industrializzazione*. Florença: Giunti, 1995.

ROCHE, D. *Storia delle cose banali. La nascita del consumo in Occidente*. Roma: Editori Riuniti, 1999.

Tempo livre em geral

CORBIN, A. *L'invenzione del tempo libero (1850-1960)*. Roma/Bari: Laterza, 1996.

ISNENGHI, M. (org.) *I luoghi della memoria. Strutture ed eventi dell'Italia unita*. Roma/Bari: Laterza, 1997.

ISTITUTO MILANESE PER LA STORIA DELLA RESISTENZA E DEL MOVIMENTO OPERAIO. *Tempo libero e società di massa nell'Italia del Novecento*. Milão: Franco Angeli, 1995.

PIVATO, S. & TONELLI, A. *Italia vagabonda. Il tempo libero degli italiani dal melodramma alla pay-tv*. Roma: Carocci, 2001.

SORCINELLI, P. & TAROZZI, F. *Il tempo libero*. Roma: Editori Riuniti, 1999.

TAROZZI, F. "Il tempo libero delle donne tra Ottocento e Novecento". Em GAGLIANI, D. & SALVATI, M. (orgs.) *Donne e spazio nel processo di modernizzazione*. Bolonha: Clueb, 1995.

_____ & VARNI, A. *Il tempo libero dell'Italia unita*. Bolonha: Clueb, 1992.

Relação entre tempo livre e esporte

FABRIZIO, F. *Storia dello sport in Italia. Dalle società ginnastiche all'associazionismo di massa*. Florença: Guaraldi, 1977.

FERRARA, P. *L'Italia in palestra. Storia, documenti e immagini della ginnastica dal 1883 al 1973*. Roma: La Meridiana Editori, 1992.

HOBERMAN, J. H. *Politica e sport. Il corpo nelle ideologie politiche dell'800 e dell '900*. Bolonha: il Mulino, 1988.

MANDELL, R. D. *Storia culturale dello sport*. Roma/Bari: Laterza, 1989.

PIVATO, S. *La bicicletta e il sol dell'avvenire. Tempo libero e sport nel socialismo della Belle époque*. Florença: Ponte alle Grazie, 1992.

_____. *L'era dello sport*. Florença: Giunti, 1994.

Viagens e turismo

BOYER, M. *Il turismo. Dal Grand Tour ai viaggi organizzati*. Trieste: Electa/Gallimard, 1997.

CORBIN, A. *L'invenzione del mare. L'Occidente e il fascino della spiaggia 1750-1840*. Veneza: Marsilio, 1990.

LEED, E. J. *La mente del viaggiatore. Dall'Odissea al turismo globale*. Bolonha: il Mulino, 1992.

SAVELLI, A. *Sociologia del turismo*. Milão: Franco Angeli, 1992.

TRIANI, G. *Pelle di luna, pelle di sole. Nascita e storia della civiltà balneare 1700-1946*. Veneza: Marsilio, 1988.

Bibliografia temática

URRY, J. *Lo sguardo del tursita*. Roma: Edizioni Seam, 1995.

VV. AA. *Viaggiatori del Grand Tour in Italia*. Milão: Touring Club, 1987.

_____. "La villeggiatura in Italia tra Ottocento e Novento". Em *Il Risorgimento*, XLV, 1993.

Formas do tempo livre (festas, bailes, teatro, cinema)

ALBANO, V. *Le perdute amanti. Passioni e trasgressioni femminilli in cento anni di cinema*. Palermo: Edizioni della Battaglia, 2001.

BORGNA, G. *Storia della canzone italiana*. Roma/Bari: Laterza, 1985.

BRUNETTA, G. P. *Buio in sala. Cent'anni di passioni dello spettatore cinematografico*. Veneza: Marsilio, 1989.

HESS, R. *Il valzer Rivoluzione della coppia in Europa*. Turim: Einaudi, 1993.

ISOLA, G. *Abbassa la tua radio per favore... Storia dell'ascolto radiofonico nell'Italia fascista*. Florença: La Nuova Italia, 1990.

LAO, M. *T come tango*. Roma: Melusina, 1996.

TONELLI, A. *E ballando, ballando. La storia d'Italia a passi di danza (1815-1996)*. Milão: Franco Angeli, 1998.

TOULET, E. *Il cinematografo. Invenzione del secolo*. Trieste: Electa/Gallimard, 1993.

VV. AA. "Le trasformazioni della festa. Secolarizzazione, politicizzazione e sociabilità nel secolo XIX (Francia, Italia, Spagna)". Em *Memoria e ricerca*, III(5), 1995.

Índice onomástico

Abruzzese, Alberto 148
Acconci, Vito 197
Albano, Vittorio 147, 150
Alberti, Leon Battista 83
Allen, Lewis 147
Amman, Jost 61
Anselmi, Sergio 120
Aretino, Pietro 81-82
Ariès, Philippe 56, 59
Arkwright, Richard 132
Armani, Giorgio 208, 210
Aspesi, Natalia 149, 207
Avedon, Richard 196
Avellone, G. B. 146
Azalais de Porcairagues 75

Baden Powell, Robert 184
Bailleux, Nathalia 17, 60, 166
Baird, John L. 151
Bairoch, Paul 115, 121, 132, 134, 136, 151, 171
Balducci Pegolotti, Francesco 118
Ballestero, Maria Vittoria 136
Bandello, Matteo 84
Barbiera, Raffaello 177
Bardot, Brigitte 150

Barthes, Roland 12, 19, 21-22, 26-27, 34
Bartoli, Franco 134
Bayle, Pierre 91
Benaïm, Laurence 205
Benetton 204
Berliner, Emil 155
Bernardino da Siena 55
Bertelli, Ferdinando 61
Bertelli, Pietro 61
Bertelli, Sergio 104
Bertin, Rose 125
Bertini, Francesca 146
Bianchi, Andrea 119
Bianchino, Gloria 209
Bloch, Marc 38
Bocca, Nicoletta 206
Boccaccio, Giovanni 54
Bonito Oliva, Achille 197
Borelli, Lyda 146, 148, 186
Borgna, Gianni 157
Borioli, Gigliola 189
Borrelli, Davide 148
Borsi, Franco 163
Bossuet, Jacques-Bénigne 91
Bovetti Pichetto, Maria Teresa 135
Boyer, Marc 162-163, 175

Brando, Marlon 191
Brantôme, Pierre de 88
Braudel, Fernand 16, 19, 23, 25-27, 34, 51, 71, 78, 102
Brunetta, Gian Piero 143-144
Brusoni, Girolamo 14, 75
Burden, Chris 197
Butazzi, Grazietta 36, 46, 61, 87, 98
Buyst, Erik 131

Cacharel 204
Calabrese, Omar 191
Calamandrei, Mauro 152
Calcina, Vittorio 144
Calefato, Patrizia 12-13, 16, 20, 73, 196, 198
Calvesi, Maurizio 77, 94-95
Calvi, Giulia 104
Camporesi, Cristiano 134
Carmagnani, Marcello 108
Caprotti, família 169
Cardin, Pierre 205
Carlyle, Thomas 135
Cartwright, Edmund 132
Caruso, Sergio 134
Casanova, Giacomo 93, 95

Casini, Paolo 70
Castellani, Alessandra 197
Castiglione, Baldassarre 33, 80, 82
Castronovo, Valerio 102, 108, 130-131, 134-138, 167-168
Cataldi Gallo, M. 87
Cecere, Guido 163
Chanel, Coco 139, 148, 196, 204
Chiarelli, Caterina 150
Choderlos de Laclos, Pierre 95
Ciampi, G. 178
Clough, Shepard Bancroft 132
Constantino, imperador 198
Conte, M. S. 203
Coppola, Elisa 98
Corbin, Alain 162, 168
Courrèges, André 205
Crainz, Guido 176, 181
Crampe-Casnabet, Michèle 96-97
Crifò, Giuliano 104
Crispolti, Enrico 166
Crompton, Samuel 132
Crouzet Pavan, Elisabetta 55
Curti, Bob 202

D'Agostini, Franca 190
Da Ponte Lorenzo 95
Daguerre, Jacques 140
Dal Lago, Adalberto 104
Davanzo Poli, Doretta 36, 180
Davico Bonino, Guido 18, 83, 165
Davis, Bette 147
Davis, Fred 193-194
De Bruyn, Cornelis 61
De Fitelieu, 15, 63
De Gasperi, Alcide 174
De Maria, Luciano 165
De Mussis, Johannes 55

Dean, James 150, 192
Delille, Jacques 127
Demay, Germain 21
Descartes, René 57
Desprez, François 61
Dewerpe, Alain 168
Deyon, Pierre 116, 119
Di Girolamo, Costanzo 76
Dietrich, Marlene 147
Dior, Christian 204
Dolce & Gabbana 204
Donati, Claudio 104-106
Dorfles, Gillo 206
Duby, Georges 56, 74
Duranti, Doris 150
Duras, Marguerite 17
Duse, Eleonora 186

Eastman, George 140
Edison, Thomas 140, 154
Elias, Norbert 31, 104
Elisabetta (Sissi), imperatriz da Áustria 163
Eloffe, madame 125
Emerson, Raplh Waldo 43
Epicuro 91
Erasmo de Rotterdã 103
Erba, Luciano 18
Espilly, abade 123
Evans, Allen 118

Facta, Luigi 147
Farel 65
Farge, Arlette 78, 96
Febre, Lucien 21
Felipe IV, da Espanha 103
Ferrè, Gianfranco 210
Figo, Luis 187
Filippi, Giuseppe 144
Filoramo, Giovanni 63, 182
Fiorentini Capitani, Aurora 196, 207
Flandrin, Jean-Louis 89, 105, 108
Fogel, Michèle 48
Fortini, Pietro 84, 87
Fortis, Marco 210-211

Foucault, Michel 78, 166
Fracastoro, Girolamo 89
Fraise, Geneviève 196
Franzini, Elio 92
Frugoni, Francesco Fulvio 14
Fumagalli Beonio Brocchieri, Mariateresa 76
Fusco, Gian Carlo 181

Gandolfi, Fiora 196
Garbo, Greta 147
Gardel, Carlos 157
Gasparini, Giovanni 167
Gasperini, N. 190
Gassendi, Pierre 91
Gaultier, Jean-Paul 203
Gaumont, Léon 143
Gere, Richard 208
Gigli Marchetti, Ada 36-37, 96-98, 163, 179-180, 196
Ginsborg, Paul 101, 152
Giroud, F. 201
Giuntini, Andrea 167
Gnecchi Ruscone, Alexandra 191
Goldmann, Annie 138
Goldwyn, Samuel 148
Grandi, Silvia 202, 204, 209
Grassi, Alfonso 189
Grenaille, François de 15, 62
Grieco, Allen J. 105
Guerri, Domenico 54
Guidi, Marco Enrico Luigi 134

Hargreaves, James 132
Hayworth, Rita 147
Hechter, Daniel 204
Henshall, Nicholas 103
Heródoto 197
Hipócrates 197
Holbach, Paul-Henry d' 70
Hudson, Pat 130
Huetz de Lemps, Alain 108-109
Hume, David 92

Índice onomástico

Isola, Gianni 157

Jagger, Mick 190
Jasper, C. 194

Kant, Immanuel 92
Kay, John 132
Klapisch-Zuber, Christiane 56

Labatut, Jean-Pierre 104
Labrousse, Ernest 102
Lampugnani, Agostino 13
Landes, David Saul 130, 133-134, 138
Langlade, Émile 125
Lanzardo, Liliana 171
Larivaille, Paul 80, 84, 87, 89
Lautman, Victoria 197
Le bon, Gustave 138
Le Golf, Jacques 50
Le Lieure, Henry 143
Leão XIII, papa 182
Leboutte, René 116
Lecaldano, Eugenio 92
Lehnert, Gertrud 148, 186, 192, 202, 210
Leigh, Vivien 147
Lentini, Gianluigi 187
Leonardi, Corrado 120
Leonardo da Vinci 60
Levero, Renato 136
Levi, Giovanni 55, 193
Levi Pisetzky, Rosita 13, 34, 36, 51, 53
Levi Strauss, Morris 55, 193
Lipovetsky, Gilles 73, 76, 77, 127, 130, 138, 161, 191, 201, 204-206, 209
Lopez, Guido 34
Lotman, Jurij M. 46
Luís XIV, da França 32, 70, 103
Lumière, Auguste 140-141, 143
Lumière, Louis 140-141, 143
Lyotard, Jean-François 190

Mac Patrick, P. M. 202
Macchia, Giovanni 97
Mackrell, A. 196
Macri, Teresa 199
Madonna (Luisa Veronica Ciccone) 202
Mafai, Giulia 52
Malanima, Paolo 121
Malthus, Thomas 134
Mancini, Marco 75, 81, 91
Mane, Perrine 28
Mann, Thomas 144
Manuel, J. 17
Maradona, Diego Armando 187
Marconi, Guglielmo 157
Marenko, Betty 197-201
Margarida de Navarra 88
Marinetti, Filippo Tommaso 165
Marinotti, Franco 208
Matthews Griego, Sara F. 78-79, 88
Menichelli, Pina 146
Menjot, Denis 85
Menozzi, Daniele 63, 182
Mercier, Louis Sébastien 71, 127
Moatti, Claude 162
Modenese, Beppe 210
Mokyr, Joel 130-131, 136
Monroe, Marilyn 150, 203
Montaigne, Michel Eyquem de 58
Montanari, Massino 89, 105-106, 108, 110
Montes, Lola 99
Montesquieu, Charles de 97
Morand, Paul 196
Morasso, Mario 163-165
Morini, Enrica 36, 127, 139, 148, 166, 180, 196, 201, 204, 206, 210
Mormorio, Diego 140, 149-150, 152-153, 179
Moschino 204

Mozart, Wolfgang Amadeus 95
Muradj d'Osson 25
Muratori, Ludovico Antonio 55
Musafar, Kakir 196
Mussolini, Benito 173, 185
Muzzarelli, Maria Giuseppina 46, 119

Nardi, Emma 96
Nelli, René 75
Newton, Helmuth 196
Nicolau V, papa 80
Nicot, Jean 80
Nietzsche, Friedrich 81
Northrop, J. H. 133

Olivares, Gaspar de Guzmán y Pimentel 103
Olmi, Giuseppe 60
Ortoleva, Pepino 142, 153, 155-156, 167
Owen Hughes, D. 56

Pampaloni, Geno 163
Pancino, Claudia 40
Pane, Gina 197
Passerini, Luisa 148-149, 186, 193
Pastoureal, Michel 28
Pathè, Charles 141
Pavese, Claudio 139
Pazzaglia, Mario 14
Pela, Soriano 146, 168, 180
Perrot, Michelle 196
Perrot, Philippe 137
Petrarca, Francesco 53
Phan, Marie-Claude 85
Pieri, Piero 164
Pio II, papa 80
Pio XI, papa 150
Piponnier, Françoise 28
Pivato, Stefano 151, 155, 157-159, 166, 172, 174, 183, 186
Placanica, Augusto 50

Plateau, Antoine-Ferdinand de 140
Poiret, Paul 138-139
Pollard, Sydney 131
Pólo, Marco 198
Prosperi, Adriano 64
Puget de La Serre 48
Puglisi, Gianni 129
Pulcini, Elena 57

Quant, Mary 191, 204
Quicherat, Jules 21, 30
Quintavalle, Arturo Carlo 209

Rapp, Richard T. 132
Redi, Francesco 111
Riccardi, família 105
Ricci, Stefania 207
Riva, S. 203
Roberts, Richard 133
Roche, Daniel 15, 27-28, 30, 39, 45, 48, 57, 62, 64, 66, 88, 95, 101-102, 105-108, 112, 121-122, 125
Romano, Roberto 169
Rosa, Salvatore 14
Rossi, Pietro 70, 135
Rossini, Vladimiro 207
Rousseau, Jean-Jacques 96
Ruby, Christian 71
Russdorf, Johann von 113
Russel, Ken 147

Saccetti, Filippo 53
Sacchi, Giuseppe 136
Saint-Laurent, Yves 205
Saint-Simon, Claude Henri de 135
Sausurre, Fernand de 20
Savary des Bruslons, Jacques 124

Schimitt, Jean-Claude 55, 193
Schivelbusch, Wolfgang 109-110, 113, 115
Schwarz, Matthauz 59
Shearman, John 60
Shrimpton, Jean 196
Simmel, Georg 12
Singer, Isaac 133
Smith, Adam 134
Somogyi, Giovanni 102
Sorcinelli, Paolo 34, 38, 40, 42, 78, 85, 87, 90, 146, 162-163, 168, 174, 179, 180
Steele, Valerie 130
Stendhal 81

Tagliapietra, Andrea 70
Tarozzi, Fiorenza 38, 163, 166, 174
Taylor, Mark C. 197
Thébaud, Françoise 148, 186, 196
Thiers, Jean-Baptiste 69
Thimonnier di Saint-Etienne, Barthélemy 133
Thorp, John 133
Tintoretto 85
Thorton, Peter 84
Tiziano Vecellio 89
Tonelli, Anna 38, 151, 155, 157-159, 172, 174, 183, 186
Tosi, Piero 153
Toulet, Emanuelle 140-143, 147
Trajano, imperador 26
Tree, Penélope 196
Triani, Giorgio 38
Trionfi Honorato, Lorenza 153
Trotón, Meter 53
Twiggy Lawson 196

Urry, John 162

Vaccari, Alexandra 189, 204, 209
Valentino, Rodolfo 147
Van Eyck, Jan 52
Van Zuylen, Gabrielle 163
Varese, Ranieri 36, 46, 61, 98
Varni, Angelo 38, 166
Vecellio, Cesare 62
Vegetti Finzi, Silva 57, 76
Venier, Lorenzo 82
Venturelli, Paola 36, 46
Vergani, Guido 34, 193, 205, 207
Versace 204
Viano, Carlo Augusto 70, 135
Vico, Enea 61
Vieri, Christian 187
Vigarello, Georges 78
Villani, Giovanni 52
Vismara, Paola 63
Volli, Ugo 11

Weill, Jean Claude 203
Wiegel, Hans 61
Wilder, Gene 147
Winckelmann, Johann Joachim 162
Worth, Charles Fréderic 138

Xenofonte 197

Youphes, Jacob Davis 191, 193

Zannier, Sabrina 189, 202, 204, 209
Zemon Davis, Natalie 78, 96